La grande mascarade

A. B. Winter

LA GRANDE
MASCARADE

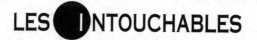

Les Éditions des Intouchables bénéficient du soutien financier de la SODEC, du Programme de crédits d'impôt du gouvernement du Québec et sont inscrites au Programme de subvention globale du Conseil des Arts du Canada.

Nous reconnaissons l'aide financière du gouvernement du Canada par l'entremise du Programme d'aide au développement de l'industrie de l'édition (PADIÉ) pour nos activités d'édition.

LES ÉDITIONS DES INTOUCHABLES
816, rue Rachel Est
Montréal, Québec
H2J 2H6
Téléphone : 514 526-0770
Télécopieur : 514 529-7780
www.lesintouchables.com

DISTRIBUTION : PROLOGUE
1650, boulevard Lionel-Bertrand
Boisbriand, Québec
J7H 1N7
Téléphone : (450) 434-0306
Télécopieur : (450) 434-2627

Impression : Transcontinental
Illustration de la couverture : Jocelyn Bigot
Conception de la couverture et infographie : Geneviève Nadeau
Révision et correction : Corinne Danheux et Caroline Paquin

Dépôt légal : 2007
Bibliothèque et Archives nationales du Québec
Bibliothèque nationale du Canada

ISBN-10 : 2-89549-267-0
ISBN-13 : 978-2-89549-267-2

À tous les enfants,
particulièrement à mes filleuls
Cassandre et Thomas,
avec beaucoup d'amour
et, surtout, de respect.

REMERCIEMENTS

Merci à tous ceux qui m'entourent.

Tout particulièrement: Louise Sigouin, Sarah-Danièle Leblanc, Marie-Claude Lapalme, Muriel Jaouich, Cassandre Belliveau-Libertella, Renée Belliveau, Annie Fournier, Marie-Claire Dupré, Anja Nopper, Isabelle Hudon, Angelo Paquet, Isabelle Trempe, Muriel Buisson, Christiane Vogel, Ingrid Remazeilles, Corinne Danheux, Caroline Paquin et le dernier mais non le moindre: Benoît Morin.

A.B. Winter, Montréal, 2007
a.b.winter@hotmail.com

LE RÉSEAU

*L'ignorance de soi
est une ignorance qui s'ignore,
la pire donc.*

PLATON

1

Charlotte, États-Unis, 2005

La tête inclinée, Robert pestait contre l'engrenage de sa fermeture à glissière.

Depuis quelques jours, c'était nouveau, il avait de la difficulté à fermer sa veste de travail. Et aujourd'hui, il s'y sentait carrément à l'étroit. Il étouffait et l'idée qu'il avait peut-être pris du poids le rendait maussade. Lui qui cherchait désespérément l'âme sœur, un empâtement du ventre n'allait certainement pas l'aider.

Pour en vérifier l'épaisseur, il enfonça son index dans le gras de son abdomen et fut surpris de voir son doigt y disparaître complètement.

– C'est tout ce qu'il me fallait, grogna-t-il pour lui-même en refermant son casier d'un grand coup de pied. Moi, je grossis, et mes chances, elles, rapetissent!

Ce n'était pas qu'il s'attendait vraiment à trouver la femme de ses rêves, non, celle-là, il n'y pensait même plus; il recherchait plutôt celle qui, sans trop de chichis, allait l'accompagner dans la traversée de ses longues journées.

Il ne demandait même plus à être heureux.

Ne plus être seul, seulement, ferait très bien l'affaire jusqu'à la fin de ses jours.

Alors, en attendant, Robert mangeait. Il dévorait compulsivement, sans trop y penser, tout ce qui se trouvait devant lui. Avait-il encore seulement la notion du goût et de la texture de ce qu'il ingurgitait?

Même ça, il ne le demandait plus.

Des frites plein la bouche, une bière à la main et les blagues de Jay Leno qu'il n'était pas toujours certain de saisir étaient le seul moyen qu'il lui restait pour combler ses soirées et trouver le sommeil.

Ainsi, remplir le vide de son ventre et de ses jours suffisait presque. Il ne lui manquait plus qu'une femme.

Il écarta les bras de chaque côté pour agrandir son blouson de travail de toile bleu marine, sur lequel, à chacun de ses gestes, remuait fièrement l'aigle des États-Unis d'Amérique. Il gonfla sa poitrine jusqu'à entendre le tissu craquer. Puis, il exécuta quelques rotations du torse pour tester l'amplitude gagnée. Satisfait, il esquissa un sourire.

Une chose peut-être le rendait plus lucide ces derniers temps, décapant ainsi un peu, par une pensée, voire un questionnement, le revêtement terni de sa vie. C'était un truc mystérieux : de grandes enveloppes qui passaient sans cesse sous son nez et dont il n'arrivait pas à s'expliquer le grand nombre.

C'était plus fort que lui. Il ne pouvait s'empêcher de se questionner. Que se produirait-il s'il en ouvrait une ?

Juste une.

Juste pour voir.

Il laissa tomber ses bras et replaça, dans un soupir, sa veste maintenant un peu plus bouffante.

– Allez, mon vieux, ça suffit, au boulot !

Il traversa l'arrière-boutique, puis pénétra dans la pièce principale habillée d'un vieux plancher de bois franc vernis. Il fut surpris par le vent qui sifflait entre les hautes fenêtres. Il pensa qu'il faisait bien froid pour une journée de septembre.

Dans un mouvement de résignation, il poussa le long rideau de fer qui se refermait chaque soir sur le comptoir de bois. Dans un léger cliquetis, la structure de fer s'éveilla et, docile, alla s'engouffrer presque par elle-même dans la mince embrasure du mur du fond.

Il fit quelques pas en arrière, regarda autour de lui et s'assura que tout était en place. Il replaça la pancarte « Ouvert » de l'une des caisses, puis se dirigea vers la porte.

Quelques personnes attendaient déjà, dont une vieille dame au premier rang. En la voyant, Robert s'immobilisa brusquement. Intrigué, il l'observa quelques secondes. L'octo-génaire, certainement frigorifiée par ce vent incongru, tenait contre elle comme pour se réchauffer, mais aussi, il l'aurait juré, pour ne pas qu'on la lui prenne, une grande enveloppe brune. Il reconnut aussitôt madame Brown et il décréta pour lui-même que cette journée allait être celle où il allait enfin élucider le mystère qui le tenaillait depuis un bon moment déjà.

Il déverrouilla la porte et l'ouvrit.

Alors que madame Brown, un peu chancelante, s'avançait vers lui, John apparut, hors d'haleine.

– Je suis là, je suis là! Désolé d'être en retard! lança-t-il, exhalant des relents d'alcool à peine évaporés.

Il passa devant la vieille qui sursauta.

– Hé! mais faites attention!

– Bonjour, madame Brown, reprit Robert pour éviter des démêlés. Bienvenue à la Poste des États-Unis.

Il tenta même de faire une blague.

– Ne me dites pas que vous êtes en retard pour vos impôts cette année?

– Bon matin, monsieur Stiles. Comment allez-vous aujourd'hui? lui répliqua la dame d'un ton hautain, prenant sa blague pour du sarcasme.

Elle remonta son collet d'une main et pressa, non sans que Robert le remarque, l'enveloppe contre son imper vert olive usé tout en passant devant lui, la tête branlante mais haute sous son chapeau de feutre assorti.

La suivant du regard, Robert retint la porte et attendit que toute sa petite clientèle soit bien au chaud à l'intérieur. Puis, il se rendit derrière le comptoir. Il entendit John qui se mettait au travail, dans l'arrière-boutique. Une autre journée commençait.

– Alors, madame Brown, que puis-je pour vous ce matin?

– Eh bien, voilà, j'ai cette enveloppe à envoyer, elle n'est pas de taille standard.

Elle éloigna péniblement l'enveloppe de sa poitrine pour la tendre d'une main tremblante à Robert qui la saisit avec déférence. Il l'inspecta un moment, fasciné. Le papier était froissé, jauni même par endroits. L'écriture était celle d'un enfant, en grosses lettres maladroites.

Par où commencer? se demanda-t-il.

– Madame Brown, se risqua-t-il enfin, ça fait plusieurs fois que vous l'envoyez, cette enveloppe. Et ça fait trois fois qu'elle revient. Vous ne croyez pas que…

La femme se racla la gorge, nerveuse, et lui lança un regard autoritaire. Robert soupira.

– D'accord, madame Brown, d'accord. Mais, à la regarder, cette enveloppe, on voit qu'elle ne date pas d'hier…

La vieille ne répondit pas. Il renchérit en haussant la voix.

– On voit bien qu'elle ne date pas d'hier, hein, madame Brown ?

– En effet, jeune homme, en effet.

Robert sourit nerveusement à la dame et attendit, curieux, qu'elle poursuive. Qu'elle en raconte davantage. Car, si ce n'était pas la première fois qu'il voyait le paquet de madame Brown, ce n'était pas la première fois non plus qu'il remarquait ce genre d'enveloppe.

Depuis qu'il travaillait pour la Poste, il en avait vu passer des douzaines. Au début, il n'y avait pas porté attention. Mais au fur et à mesure que le temps avait passé et qu'il avait été là, tous les jours, à trier le courrier, il avait commencé à les remarquer.

Quelquefois, n'ayant trouvé de destinataire, les enveloppes retournaient là d'où elles venaient. Toujours, le papier était vieilli, et Robert avait remarqué récemment que l'écriture sur la plupart des enveloppes en était une d'enfant. Une calligraphie enfantine, malhabile, et pourtant inlassablement porteuse d'espoir.

Mais où s'en allaient ces enveloppes ? Que contenaient-elles ? Et, surtout, y avait-il un lien entre chacune d'elles ?

Cela, maintenant, l'obsédait.

Comme la vieille dame ne disait mot, il enchaîna.

– Madame Brown, prononça-t-il doucement, cela fait trois fois que cette enveloppe revient, vous le savez bien. Ce n'est pas la bonne adresse que vous avez là. À qui l'envoyez-vous, au juste ?

La vieille dame tourna la tête brusquement, comme pour éviter son regard inquisiteur. Elle respira, se donna une contenance et le regarda à nouveau.

– Je… c'est une amie que je n'ai pas vue depuis longtemps. Et de toute façon, ce ne sont pas vos affaires !

Il la dévisagea quelques secondes, surpris par cette forte réaction.

– Euh… oui, dit-il enfin, oui, c'est vrai, je vous demande pardon. Euh… bon, j'espère pour vous que cette fois-ci sera la bonne, madame Brown.

La dame sourit maladroitement, reconnaissante.

– Oui, lança-t-elle dans un souffle, il faut que ça soit la bonne. Il faut que cette enveloppe se rende à bon port, c'est très, très important.

– Oui, madame Brown. Ça va vous faire quatre-vingt-cinq cents, s'il vous plaît.

Tandis que Robert respirait nerveusement, Aretha Brown compta les cents à l'aide de ses mains tremblantes. Il ne pouvait croire que le secret, impénétrable, allait une fois de plus lui passer sous le nez.

– Au revoir, madame Brown.

Il la regarda sortir, impuissant. Et à la voir marcher de son pas triste, il eut l'étrange intuition qu'il avait affaire à un ange. Petit et fragile. Qui portait sur ses frêles épaules le lourd destin de l'humanité.

La porte se referma. Un courant d'air froid passa et Robert laissa échapper un long soupir.

– Suivant!

La matinée se déroula comme à l'accoutumée, dans le calme et sans imprévu, à l'image de celle d'un modeste centre postal du Vermont. Les habitants de Charlotte traversaient l'un après l'autre l'imposante entrée aux six colonnes de la maison centenaire de Ferry Road.

John s'arrêta devant lui.

Il était déjà midi, l'établissement était maintenant vide.

– Je sors me chercher un sandwich. Tu veux quelque chose?

– Non, merci.

La porte s'ouvrit dans un bruit sourd de fer rouillé. John, déjà dans la rue, s'immobilisa. Après avoir hésité quelques secondes, il fit volte-face et revint.

– Au fait, Bob, lança-t-il, la tête maintenant dans l'entrebâillement de la porte.

– Oui, John? fit Robert, intrigué.

– À mon retour, j'aimerais bien que l'enveloppe de madame Brown soit dans le bac à tri.

Robert s'arrêta net.

D'abord surpris, puis gêné, il resta planté là quelques secondes, bouche bée.

– Tu me remets cette enveloppe à sa place, c'est compris? dit John doucement.

Puis, il lâcha la porte et repartit d'un pas rapide.

Reprenant ses esprits, Robert s'élança vers l'extérieur.

– John, attends! cria-t-il.

Irrité, John s'arrêta de nouveau sur le trottoir. Son estomac criait.

– Je veux juste que tu remettes cette enveloppe à sa place, Bob. Tu ne dis rien pour mon retard, moi, je ne dirai rien pour ça.

– Oui, euh… non, c'est pas ça. Écoute, je me demandais, tu sais, ces enveloppes, comme celle de madame Brown…

John eut un petit rire de dépit.

– Écoute, t'es nouveau ici. Moi, ça fait plus de vingt ans que je me tape le même boulot. Ces enveloppes, il y en a toujours eu. Elles partent, elles reviennent. Au début, ça m'a pas mal intrigué aussi, mais je te le dis, fiston, te fatigue pas.

Et il reprit son pas, plus rapidement.

– Mais John, attends! Je veux dire, euh… tu n'en as jamais ouvert une, pour savoir ce qu'il y avait dedans?

John s'immobilisa brusquement.

– L'ouvrir? T'es fou?! Tu sais ce qui t'attend si le patron te prend à fouiller dans le courrier? T'es malade!

– Non, non, fit Robert honteux, je vais pas le faire, je me demandais juste, au cas où, peut-être, je veux dire, une enveloppe se serait ouverte, par hasard. Le papier est tellement vieux. Tu sais?

– Oui, je sais. J'ai remarqué, figure-toi. Mais, je te le dis, mon p'tit, te fatigue pas. Ce n'est que du courrier, comme les centaines d'autres enveloppes que je trie chaque jour. Tu piges?

Robert, obnubilé par ce mystère qui n'en finissait pas de s'épaissir, renchérit.

– Et l'écriture d'enfant sur toutes les enveloppes, qu'est-ce que tu en fais, John?

– Écoute, Bob, laisse tomber. Ce n'est que du courrier. Que du courrier. C'est compris? demanda-t-il, insistant.

Robert soutint le regard de John pendant un long moment, puis il comprit que ce n'était pas la peine de poursuivre.

Il n'en saurait pas davantage aujourd'hui.

– Oui, répondit-il en baissant la tête. C'est bon, John, j'ai pigé. Je vais remettre l'enveloppe. Jambon !

– Quoi ?

– Le sandwich, je le veux au jambon.

– Ah, d'accord.

John repartit rapidement, agacé.

Robert, résigné, revint d'un pas lent dans la boutique. Il regarda autour de lui les dépliants qui recouvraient les murs, les formulaires, un peu poussiéreux, qui débordaient des présentoirs, les cartes de souhaits pour Halloween qui venaient d'arriver et qui le firent sourire, les pièces de monnaie à collectionner dans la vitrine du fond, les rouleaux de papier à bulles posés près de chaque caisse.

Il fit risette à cet assortiment coloré d'objets. Dorénavant, c'était cela, sa vie. Il était postier au bureau de poste de Charlotte. Son destin était maintenant tracé, arrangé, classé. Il n'avait qu'à le suivre. Alors, à quoi bon se battre et vouloir en savoir plus ?

En laissant traîner ses lourdes bottes sur le plancher, il avança de quelques pas pour revenir derrière le comptoir.

John avait raison, ces enveloppes n'étaient que du courrier. Cela ne valait vraiment pas la peine de risquer son boulot ni d'agiter la torpeur tranquille de sa vie.

Il se pencha, ouvrit le tiroir-caisse et saisit d'une main l'enveloppe d'Aretha Brown. Un dernier sursaut de curiosité l'envahit. Dans un éclair, une intuition le traversa. Une seconde pendant laquelle il eut l'impression qu'il laissait passer la chance de sa vie.

Mais ce moment de fugace lucidité s'évanouit et Robert se ressaisit.

Il secoua la tête et rit de la situation

– Que des conneries ! lança-t-il dans les airs.

Il jeta l'enveloppe d'un geste désinvolte dans le bac à tri.

Elle était adressée à Alicia Clockburn, Nouvelle-Zélande.

2

BRISTOL, ANGLETERRE, 2005

Le petit le regardait intensément avec de grands yeux tout ronds, remplis de questions. L'enfant ne bougeait plus. Blessé au front, son visage se maculait de sang à mesure que les secondes passaient.

Paul l'observa un moment. Puis, il braqua de nouveau son arme sur la petite poitrine. L'esprit vide, il appuya sur la gâchette.

Clic!

Le bruit résonna dans la grande salle.

Il n'avait plus de balles.

Du bout de sa bottine, il poussa l'épaule du gamin. Il fut surpris de la mollesse du corps et réalisa qu'il était peut-être déjà mort.

Il expira longuement. Cette immobilité de l'autre le calmait enfin, faisait taire un peu l'angoisse coutumière qui l'habitait depuis aussi longtemps qu'il pouvait s'en souvenir.

Il leva la tête et regarda autour de lui.

De petites formes reposaient, éparses parmi les tables d'étude. Il ne sut pas trop pourquoi, il les compta, lentement, avec son index et en promenant son regard. 1, 2, 3… 4… 5, 6… 7, 8, 9… 10, 11, 12, 13.

– Treize, pensa-t-il. C'est bien.

Oui, c'était bien. Cela ferait au moins treize personnes de moins pour le juger, pour le culpabiliser.

Il ferma les yeux et laissa tomber ses bras le long de sa parka bleue éclaboussée de sang. Il se décrispa enfin lentement les doigts et les écarta bien grand pour en faire disparaître l'engourdissement. Ainsi, sans prise, son arme glissa doucement de sa main droite et alla s'échouer presque délicatement sur le lainage usé et maintenant cramoisi du petit Sean.

Paul tendit l'oreille mais n'entendit rien.

Il soupira. Il avait réussi.

Depuis qu'il s'était levé ce matin-là, il n'avait ressenti au fond de lui-même qu'une froide détermination à faire taire le jugement des autres et le sien. Alors qu'il avait avalé lentement ses céréales, qu'il avait embrassé sa mère sur la joue en sortant, qu'il était monté dans l'autobus scolaire, qu'il s'était assis près de l'insondable et triste Corinna, qu'il était arrivé à l'école, qu'il avait sorti l'arme de son sac, qu'il s'était avancé vers les autres élèves, qu'il avait tiré dans tous les sens, il n'avait pensé à rien d'autre qu'à cela : les faire taire, eux, et surtout cette voix dans sa tête.

N'était-ce pas en éliminant leurs critiques qu'il réussirait à réduire au silence sa propre culpabilité ?

Alors, dans cette absence de paroles complète et divine, il se félicita d'avoir réussi. Les yeux toujours fermés, il sourit de toutes ses dents, leva les bras de chaque côté et fit doucement tournoyer son corps. Il offrit ensuite son visage au ciel et dansa, seul, une étrange chorégraphie macabre, sans autre musique pour l'accompagner que celle de cette grande paix intérieure qu'il ressentait enfin.

Un bruit vint soudain briser cette si précieuse quiétude. Agacé, il ouvrit les yeux. Il fouilla la bibliothèque du regard et l'aperçut au fond de la salle ; madame Fraser était recourbée sur elle-même et tirait sa jambe de ses deux mains. Son pied semblait s'être empêtré dans les courroies du sac à dos d'un écolier étendu sur le sol. Elle tentait, en étouffant ses plaintes, de dégager sa chaussure prisonnière des bandes de nylon. Mais plus elle secouait sa jambe, plus elle agitait par le fait même le corps inerte de l'enfant qui répondait à ces secousses en faisant jaillir de l'énorme trou de son ventre une fontaine de sang.

Elle s'immobilisa un instant, interdite devant l'horreur de la scène. Ce corps, ce cadavre, n'était-ce pas celui de Justin

Harrisson, le petit nouveau qui venait tout juste d'arriver il y avait à peine deux semaines de cela? Elle se souvint brusquement de ses parents, qu'elle avait rencontrés à la réunion de début d'année. Ils étaient nerveux. Et Justin, tout petit, rieur et sautillant, était apparu, pareil à tous les autres, comme un oiseau qu'il faudrait déplumer et contrôler.

Et voilà qu'il était là maintenant, devant elle. Mort.

Madame Fraser se ressaisit. Il fallait à tout prix se libérer et s'enfuir. Elle lâcha sa jambe et envoya un grand coup de pied, pleine d'espoir. Mais les courroies furent plus fortes et le mouvement n'eut pour effet que de remuer davantage le corps de l'enfant. La tête de Justin roula sur le côté et sa bouche s'ouvrit. Aucun son n'en sortit. C'est Jenna Fraser qui cria à sa place, terrorisée.

Paul l'observa quelques secondes. Il lui restait toujours son couteau de chasse. Mais voulait-il vraiment la tuer? Était-ce vraiment à elle qu'il en voulait? N'était-ce pas plutôt à tous ces enfants qui n'en finissaient plus de le juger, de le critiquer, de le blâmer et surtout, comme à la fin de chaque journée, de le rejeter?

N'était-ce pas eux, les responsables de sa folie?

Car il savait bien qu'il était devenu fou. À force de ruminer les moindres événements pour lesquels il pourrait être blâmé. À force de se sentir coupable. À force d'être abandonné.

– Non, se dit-il en secouant la tête vivement, c'est pareil pour les adultes.

Oui, car, devant eux comme devant les enfants, Paul s'obligeait en tout temps à taire ses moindres vices, à déployer ses moindres aptitudes. Tous les jours, c'était une éternelle bataille pour charmer, attirer les regards et l'admiration, ne jamais être en colère, ne jamais être méchant, ne jamais s'opposer, toujours justifier, toujours pardonner. Tous les jours, il fallait être intelligent, irréprochable, indulgent, calme, droit...

Mais surtout, tous les jours, il devait inventer une nouvelle stratégie afin de s'ajuster aux autres. Aux enfants comme aux adultes.

Tous les jours. Sans relâche.

Ne plus se sentir coupable.

Cette culpabilité, c'était comme un énorme camion qui serait passé des milliers de fois sur la même petite route de campagne. Et passe, et passe, et passe... Les sillons qu'elle avait fini par creuser en lui n'étaient plus maintenant que sa propre chair écorchée vive.

Paul saisit sa tête entre ses mains et chancela. Du haut de ses neuf ans, il savait que c'était beaucoup trop pour sa petite personne. Il avait tenté de résister. De rester lui-même. Mais il avait vite compris que cela n'était pas possible. Que personne ne pouvait l'aimer tel qu'il était. Aussi avait-il entrepris de changer. Il avait même écrit cette lettre, l'avait glissée dans une grande enveloppe et avait voulu l'envoyer à cette gentille dame qu'il avait rencontrée un jour dans la salle d'attente du docteur Raymond. Mais, cela non plus n'avait pas été possible. Sa mère avait trouvé le message et tout le monde à la maison s'était moqué de lui, de cette lettre, de ce besoin ridicule de vouloir sauver sa personne.

Les ricanements de sa famille résonnèrent dans sa tête et il frissonna.

Il en avait assez.

Il s'avança vers l'institutrice qui tentait désespérément de retirer le sac à dos des épaules de Justin. Elle ne le vit pas tout de suite. Mais elle sentit bientôt sa présence et s'immobilisa subitement.

Paul s'approcha d'elle, doucement. Puis, il s'arrêta à quelques pieds de l'enseignante avant d'ouvrir calmement la poche de sa parka. Il en sortit lentement le couteau « Skinner » qu'il avait commandé sur Internet.

Jenna Fraser se redressa et déglutit péniblement.

– Paul, que se passe-t-il? demanda-t-elle dans un souffle.

– Je ne peux plus me sentir coupable, répondit-il placidement.

– Mais coupable de quoi?

– Coupable de ne pas être parfait.

– Mais être parfait pour qui, pour quoi? Paul, que se passe-t-il?

– Est-ce que vous m'écoutez quand je parle?

L'institutrice se tut, incrédule. L'avait-elle écouté? Mais oui, elle ne faisait que cela, les écouter, ces gamins! Et ce n'était jamais assez! N'était-elle pas là pour eux, tous les jours? Ne venait-elle pas, quotidiennement, à bout de force, faire face à cette classe de quarante écervelés égoïstes?

Et eux? Ils s'assoyaient devant elle, la toisaient du regard, exigeant de l'attention, de la compréhension, de l'affection, de l'amour. Et tout ça en échange de quoi?

De rien!

Car, ils étaient bien incapables d'aimer, ces enfants, et incapables de vérité. Avec eux, on ne savait jamais où on en était. C'était bien pour cela qu'elle avait dû prendre un congé de maladie de presque toute une année. « Un épuisement professionnel », avait diagnostiqué le médecin. Elle, elle trouvait plutôt que c'était un épuisement du cœur!

Non, ces enfants n'étaient capables de rien sinon de la juger, de la faire se sentir inadéquate, de la haïr et d'exiger d'elle qu'elle leur sacrifie sa personne entière, encore et encore et encore.

Alors, que lui apportaient ces petits vauriens sinon de la morve plein les doigts à la fin de la journée et une estime d'elle-même complètement à plat?

Et ils voudraient qu'elle les écoute davantage?

Mais qu'attendaient-ils d'elle?

Son sang?

Et voilà que l'un d'entre eux s'était mis ce matin à tirer sur tout le monde. Qu'il était entré, comme chaque jour, par l'accès gauche de la cour d'école, celui réservé aux plus grands. Qu'il s'était rendu jusqu'à son casier. Qu'il ne s'y était pas arrêté. Qu'il avait simplement ouvert son petit sac d'école. Qu'il en avait sorti une arme et qu'il s'était mis à tirer, à l'aveuglette, dans le long couloir du deuxième étage. Sans raison.

La petite Valérie avait été la première à tomber, puis Sébastien et Stéphanie. Elle le savait. Elle était là, juste derrière le tireur. D'abord glacée d'effroi, elle était restée pétrifiée. Puis, elle s'était enfuie, ne pensant même pas à protéger un seul des enfants. Finalement, elle s'était réfugiée dans la bibliothèque, derrière le comptoir de Patricia.

Elle avait pleuré quelques minutes, des heures peut-être, tenue captive sous une chaise par sa peur de périr. Elle s'était couvert les oreilles de ses deux mains pour ne pas entendre les détonations, les bousculades. Mais, surtout, pour ne pas entendre les cris. Toutes ces petites voix qu'elle avait reconnues tandis qu'elles rendaient leur dernier souffle. Martin, Xavier,

Eric, Michelle, Marie, elle avait entendu tous ces enfants s'éteindre. Ensuite, elle s'était recroquevillée sur elle-même, tremblante. Ne pensant à rien sinon qu'elle ne voulait pas mourir.

Puis, soudainement, plus rien. Aucun bruit. Elle avait décollé lentement les mains de ses oreilles. Elle avait attendu quelques secondes, retenant son souffle. Son courage était un peu revenu et elle s'était dit qu'elle pourrait peut-être atteindre la sortie de secours située tout au fond de la salle de la bibliothèque.

Mais le cadavre de Justin l'avait arrêtée.

Paul déplia son arme. L'annonce sur le Net disait : « Une arme fantastique munie d'une lame rétractable extra large. Le manche antidérapant favorisera votre prise afin d'obtenir la pression désirée pour couper à travers la peau, les muscles et la viande. Étui de cuir inclus. Il vous le faut ! »

– C'est parfait, avait-il pensé à ce moment-là en pianotant les numéros de la carte de crédit de sa mère sur le clavier.

Il regarda madame Fraser. Ne plus sentir la culpabilité. Ne plus rien sentir du tout. Voilà ce qu'il lui fallait. Il n'avait plus le choix.

Il bondit sur l'institutrice. Celle-ci eut si peur qu'elle recula, traînant toujours, enchaîné à son pied, le corps inondé de sang de Justin. Mais elle ne put aller bien loin. La longue lame s'enfonça dans son abdomen et une douleur atroce la paralysa.

Interdite, elle plongea son regard dans celui, imperturbable, de son agresseur.

Et, brusquement, le temps s'arrêta.

Paul retira lentement le couteau de son corps. Elle entendit nettement le bruit sourd de la lame glisser sur sa chair ouverte. Puis, l'enfant demeura devant elle, le couteau en l'air, semblant admirer les perles de sang qui suintaient maintenant sur la lame souillée.

Elle baissa légèrement la tête et regarda pendant quelques secondes son chemisier se farder d'une couleur sombre.

Enfin, elle glissa doucement et échoua sur le sol, tout près de Justin.

Elle remarqua qu'il avait toujours la bouche ouverte.

Paul observa l'enseignante se tortiller un moment. Mais tandis qu'il attendait sa mort, il sentit au fond de lui renaître le jugement. Il recula d'un pas, abasourdi. Ne les avait-il pas tous tués? Alors, comment se faisait-il que cette macabre culpabilité revînt? N'avait-il pas accompli tout ce qu'elle lui avait dicté? Le silence des autres ne suffisait-il pas?

Il entendit Jenna Fraser gémir et un sentiment d'horreur l'envahit. Avait-il fait tout cela pour rien? N'aurait-il pas au moins la paix d'esprit?

La réponse ne le satisfit pas. Il retourna le couteau vers lui et se trancha la gorge d'un grand coup.

Il tomba à son tour et s'affala sur la poitrine maculée de sang de madame Fraser. Il eut un ultime sursaut et exhala une dernière fois avant de mourir, blotti contre sa victime. À peine consciente, l'institutrice eut l'impression, juste avant de s'évanouir, qu'un tout petit oiseau s'était posé sur elle.

– Mon Dieu, gémit-elle, que de souffrances.

Elle posa ses bras autour des épaules de l'enfant, l'étreignit et perdit connaissance.

COMMENTAIRE

3

Montréal, Canada, 2006

Il vaut mieux que vous le sachiez tout de suite, cette histoire ne concerne pas Jenna Fraser, pas plus qu'elle n'implique le petit Paul Turner, Aretha Brown, Robert Stiles, ou Alicia Clockburn.

Non, cette histoire est celle du réseau. Celui qui a été fondé afin de déjouer la grande mascarade.

Oh, bien sûr, il ne s'agit que d'un tout petit bout de son histoire, un bien infime fragment de son immensité et de sa puissance. Mais je tiens tout de même à vous la raconter. Car je voudrais, au cas où, un jour, le réseau se présente à votre porte, que vous soyez à tout le moins un peu mieux préparés que je l'ai été.

Et n'allez pas croire que c'est vous qui déciderez d'entrer ou non dans le réseau. Ça non! C'est bien le contraire qui se produit. C'est le réseau qui vous happe, qui vous prend par surprise et qui vous fait pénétrer de force dans ses labyrinthes.

Je vous entends d'ici: «Mais qu'est-ce que c'est que ce réseau? D'où provient-il? Comment a-t-il débuté? Qui l'a créé?» Eh bien, je n'en ai aucune idée! Mais, pour le peu que j'en sache, ce réseau est bien vivant. Et il vous guette.

Je le sais, j'en fais encore partie.

LE DÉBUT
OU MOI, SYDNEY HUGHES

Pour être un membre irréprochable
parmi une communauté de moutons,
il faut avant toute chose
être soi-même un mouton.

ALBERT EINSTEIN

4

MONTRÉAL, CANADA, 2005

J'avais à peine eu le temps de refermer la portière que le taxi était déjà parti en trombe.

Plusieurs m'étaient passés sous le nez tandis que j'attendais dans la cohue, transie sous la pluie glaciale. Malgré ma grande taille et ma main brandie, personne ne m'avait remarquée. Pareille au mouvement d'une longue brindille fragile se fondant dans les champs, la chorégraphie de mon bras était passée inaperçue parmi les ondulations implorantes de la foule.

Trempée, gelée jusqu'aux os, je secouai mes cheveux hirsutes. De fines gouttes d'eau tombèrent en grappes sur ma veste de gabardine déjà dégoulinante et continuèrent leur chemin sur le vieux siège délavé de la voiture. J'entendis le chauffeur grommeler. Je relevai la tête, penaude.

– Vous allez me saloper tout l'arrière, là, c'est pas sérieux !

Embarrassée, je ne sus que répondre. Je voulus m'expliquer, cherchai mes mots ; mais lorsque je les trouvai, il était déjà trop tard. Il était passé à autre chose de plus intéressant. De plus rapide. De mieux.

– Allez papi, traverse ! On va quand même pas y rester toute la journée, bordel !

Je tentai de suivre le regard du chauffeur, mais le rétroviseur m'attrapa au passage pour me renvoyer mon reflet d'un seul coup, comme on décoche une répartie sanglante. Je fus saisie par l'image désolante de mon visage défait.

Je consignai dans mon registre mental que cette journée était bien mauvaise. Et que ce n'était pas mon teint verdâtre, mes yeux cernés et mes cheveux ridicules qui s'aplatissaient sur ma tête qui allaient me remonter le moral.

Je soupirai. J'aurais voulu qu'il fasse soleil. Qu'il fasse doux. Mieux, que ce soit les vacances. Mais non. C'était le mois de mai, l'été n'était toujours pas là et le mauvais temps avait établi ses quartiers.

Le chauffeur klaxonna et beugla des injures qui me firent frémir. Écœurée, j'appuyai mon front sur la fenêtre graisseuse et embuée, passant outre pour une fois mon besoin maladif de propreté et allant même jusqu'à oublier de me servir du flacon de désinfectant liquide pour les mains dont je ne me séparais jamais.

J'avais fait un rêve quelques semaines auparavant. Un jeune garçon qui prétendait habiter quelque part au fond de mon corps s'était matérialisé dans mon esprit et m'avait entretenue de propos bizarres.

— Comment tu t'appelles ? lui avais-je demandé.

— Je m'appelle Jack.

— Qu'est-ce que tu veux mon petit Jack ?

— Je ne suis pas petit.

— Ah bon ? Quel âge as-tu ?

— J'ai dix ans. Je suis la chose la plus importante en toi ! Et, je suis en colère aussi !

— Pourquoi es-tu en colère, Jack ?

— Parce que, ma vieille, tu m'as laissé tomber. Et puis, tu permets à tout le monde de te marcher sur le dos. Et maintenant, je suis obligé de m'en prendre à ta santé pour qu'on arrête de te taper dessus. Si tu continues, je vais t'en coller une, moi, de ces maladies, tu vas voir ! Je suis très, très fâché !

— Tu me fais peur, Jack ! Que dois-je faire, alors ?

— Pfff ! Laisse tomber. Tu ne comprendras jamais rien. Tout est de ta faute. Je retourne dans mon trou, tiens !

— Non, ne t'en va pas !

Puis, plus rien. Je m'étais réveillée, et c'est là que les étourdissements avaient commencé. Assise dans mon lit, le vertige s'était emparé de moi. Les murs, le plafond, tout s'était mis à tourbillonner dans tous les sens.

Et vlan !

Je m'étais retrouvée sur le plancher, ahurie.

Ma tête n'avait jamais arrêté de tourner depuis.

Ensuite, le verdict était tombé comme une lourde brique que l'on aurait lancée du haut d'un gratte-ciel. Je l'avais regardée tomber, la suivant du regard jusqu'au sol. Il me semblait même avoir entendu le bruit sourd de l'impact.

Ploc!

Ou était-ce le claquement de langue du médecin qui avait résonné dans le grand bureau aux murs jaunâtres?

– Je regrette, mademoiselle, avait-il déclaré sur un ton paternel, mais il s'agit d'un épuisement professionnel. Il vous faut tout arrêter et, surtout, vous reposer.

– Vous croyez, je veux dire, euh… vous croyez vraiment que je suis fatiguée? Parce que ce n'est pas vraiment une raison pour arrêter de travailler, vous ne trouvez pas? Mais qu'est-ce que je vais dire à mon patron, moi? C'est que, vous devez comprendre, je ne peux pas… c'est-à-dire que…

J'avais poussé un long soupir. Épuisée.

Il m'avait regardée longuement. Étonné.

– À quand remontent vos dernières vacances, mademoiselle?

À ce moment, sans même me demander si ma veste hors de prix achetée à crédit était froissée, si mes dents blanches étaient bien brossées, si mon parfum capiteux émanait suffisamment de mon corps, bref, si ma personne était présentable, j'avais pleuré tout mon soûl devant le médecin, en hoquetant sans arrêt.

Comme une enfant.

Mais aucun mot n'avait osé se déloger du confort de la prison dorée de mon *ego*.

J'aurais voulu expliquer que je ne comprenais pas comment j'en étais arrivée là. Que je ne me reconnaissais pas. Que je ne me comprenais pas, surtout. Mais, je n'avais fait qu'émettre des sons débiles et incompréhensibles. J'avais eu l'air de tout, sauf de la chef des affaires financières que j'étais.

Le médecin m'avait tendu une boîte de mouchoirs. Je m'étais mouchée très fort. Comme si j'avais voulu faire sortir de mon nez toutes les sécrétions de ma vie.

Le tube de comprimés roula dans ma main. Des antidépresseurs.

Effexor.

Deux cent cinquante milligrammes par jour. Une méga-dose.

C'était la première fois que je m'apprêtais à en prendre. Il y avait bien sûr ma sœur, cinq ou six collègues anxieux et, en y songeant un instant, la plupart de mes amis, mon comptable, mon gestionnaire de portefeuille, mon avocate, jusqu'à ma femme de ménage, une Polonaise récemment immigrée vivant mal son adaptation culturelle, qui se gavaient tous quotidiennement de Defanyl, de Celexa, de Prozac, et de quoi d'autre encore?

Mais ce jour-là, je n'avais pu retenir mon expression de sainte nitouche outragée. Le médecin avait tenté de me rassurer.

– C'est un produit doux, vous verrez. Et puis, vous savez, mademoiselle, plus de la moitié de la population en consomme. Vous n'êtes ni la première ni la dernière!

– Ah bon? Vous croyez... mais... je... bon, si vous le dites, avais-je finalement balbutié, les yeux rougis.

La pluie tombait de plus en plus fort et Montréal disparaissait sous de sombres parapluies. Pourtant, pas plus tard que la semaine d'avant, le soleil s'était pointé chichement. Il n'en avait pas fallu davantage pour que la ville s'étire enfin et sorte ses auvents en grande pompe. Mais aujourd'hui, avec ces petits toits en saillie toujours déployés, elle avait l'air d'une mendiante qui tendait la main vers le ciel.

– Hé, monsieur Soleil, vous n'auriez pas un peu de lumière pour nous, s'il vous plaît?

– Mais qui est-ce qui me dérange, là? Vous voyez pas que je suis occupé à temps plein avec des villes plus payan... euh, intéressantes?

– C'est moi, Montréal. S'il vous plaît, monsieur Soleil, juste un peu de lumière...

– Hé, Montréal, t'as qu'à prendre un numéro comme tout le monde! Je suis loin d'être arrivé à ton tour. Et puis, t'as de la neige qui dégouline de partout. Ramasse-toi, bon sang! Je reviendrai quand tu seras propre...

Je secouai la tête. Je ne contrôlais plus rien, pas même mes pensées qui s'entassaient maintenant dans un lourd fouillis sur le parquet sale de ma personnalité éclopée. Et coincée sous le poids cruel de ce volumineux désordre, je n'étais plus que le témoin impuissant de ma propre vie.

La sonnerie de mon portable me ramena sous le déluge.

– Merde !

Pire que le verdict du médecin, je redoutais cette conversation. Celle où j'allais devoir m'avouer vaincue.

Depuis des années, je besognais en fanatique, et ce, pour une seule raison : éviter tout reproche. Atteindre la perfection. Et, comme si ce n'était pas assez, dépasser l'expectative.

Cette conversation, je le savais, allait me ramener exactement dans le piège de cet infect sentiment, celui qui me rongeait tel un cancer insatiable depuis aussi longtemps que je pouvais me rappeler. J'ai nommé la culpabilité.

Oui, la culpabilité.

Celle, ingrate, de n'être jamais à la hauteur.

C'était un véritable lierre qui s'agrippait à moi davantage chaque jour. Resserrant sur mon corps fatigué d'être toujours performant l'étau de ses branches. Enfonçant dans ma peau translucide, incolore à force d'être toujours onéreusement crémée, ses racines crampons. D'ici peu, je le savais, ce serait l'asphyxie. C'était garanti.

Je pris une profonde inspiration et je répondis à mon patron.

– Bonjour, Louis !

Il parla rapidement, d'un ton sec.

– Comment ça va, Sydney ? Qu'est-ce qu'il a dit, le docteur ? T'es pas malade, au moins ?

Je souris un peu. Il était gentil, tout de même, soucieux de mon bien-être, de ma santé. Alors, s'il était si gentil, comment en étais-je arrivée là ? N'était-ce pas plutôt moi qui, la plupart du temps, installais cette coûteuse relation entre nous ? Cette course à la perfection, même si c'était lui qui l'avait initiée, c'était quand même moi qui la permettais, qui lui répondais, pire, qui l'entretenais !

– Hou ! hou ! Syd, t'es là ?

– Je, oui, écoute, c'est que…

Deuxième profonde inspiration.

– Épuisement professionnel, Louis, le médecin m'a prescrit un repos complet de trois mois.

Je n'osai même pas parler des antidépresseurs. À part l'alcool qu'il consommait en abondance et la cigarette qu'il fumait sans pouvoir s'arrêter, je ne connaissais pas à Louis de dépendance à d'autres drogues que celle de la réussite. Mais la dépendance au succès n'était-elle pas parfois plus néfaste que la plus pure des héroïnes?

— Trois mois...

Il laissa échapper un long soupir de découragement.

— Pourras-tu te joindre à nous au moins pour le cocktail de ce soir? Tu sais, il y a ces investisseurs qui viennent...

Le lierre resserra son étau.

Et, avant même qu'il ne poursuive, je me précipitai pour enchaîner. Pour lui prouver que j'étais encore parfaite, même malade. Qu'il n'était nul besoin de me dire quoi faire.

— Écoute, je ferai une conférence téléphonique de la maison cet après-midi avec mon équipe. Je les mettrai au courant de la situation et passerai en revue les dossiers et urgences des prochains mois. Je te ferai un rapport avant la fin de la journée sur la façon dont nous pourrons approcher les choses pendant mon absence. Isabelle me remplacera ce soir.

Troisième profonde inspiration. Pour poursuivre. Pour me donner du courage.

Il n'y avait rien dont j'avais moins envie que de parler besogne. Éprouvant tout à coup une grande lassitude, je faillis céder à l'envie de pleurer qui me nouait la gorge. Pour la première fois de ma vie, je ne pouvais même pas m'encourager moi-même à me retrousser les manches et à retourner travailler. Un contrat, un dossier, un projet de plus; des concepts qui m'étaient devenus carrément insupportables.

Et que dire d'un cocktail?

Robe moulante et talons trop hauts. Vin rouge que tout le monde ingurgite parce qu'il faut bien oublier. Canapés que personne ne mange, parce qu'il faut bien maigrir. Reniflements et mains qui tremblent. Regards éteints et intérêts insidieux. Conversations vides. Rires gras. Pourquoi y allions-nous tous, si ce n'était que pour ressentir le bien-être éphémère que nous procurait la fourberie de se montrer parfait?

Quatrième profonde inspira... mais... quatrième profonde inspi...

Non, ça ne fonctionnait plus, là.

Et alors que je luttais contre la plante épiphyte qui, bien fixée à ma jugulaire, perquisitionnait maintenant mes poumons avec ses tiges rampantes, j'entendis Louis. Il respirait à grosses lampées. Le veinard.

Mais comment faisait-il ?

Je n'eus pas le temps d'examiner la question. Je manquai d'air. Le lierre m'asphyxia.

Le lierre ? N'étaient-ce pas plutôt les attentes trop grandes des autres qui m'étouffaient ?

Ou peut-être étaient-ce les miennes ?

Je m'agrippai au mince filet d'air que je trouvai et murmurai à Louis d'une voix faible que je devais y aller. Que je le rappellerais plus tard. Que je lui ferais parvenir le papier du médecin. Je refermai mon portable d'un geste brusque.

– Respire, ma belle, respire. Il y a de l'air pour tout le monde, même pour une pauvre fille comme toi. Allez, respire.

Je m'accrochai à la banquette crasseuse et j'ouvris la fenêtre. Le chauffeur me lança des coups d'œil préoccupés dans le rétroviseur. Mon cœur battait fort. Et, privée de toute hardiesse, je sentis que se livrerait encore une fois dans l'enceinte de ma tête mon vieux combat de toujours. Je ne pus rien faire pour l'arrêter.

C'était parti.

– Mesdames et messieurs, bienvenue au combat de ce soir ! Duuuuuuu côté droit, invaincue jusqu'à ce jour, pesant trois cents millions de tonnes, la redoutable, la terrible, l'effroyable Culpabilité ! Duuuuuuu côté gauche, pesant une demi-livre, le fragile, le délicat et à peine visible Besoin de s'Aimer ! Bon match !

– La cloche se fait entendre, et c'est le début de l'affrontement !

– Dans les quatre premiers rounds seulement, Culpabilité atteint la cible vingt-huit fois ! Facile d'ébranler Besoin de s'Aimer avec une telle avalanche de coups !

– Besoin de s'Aimer essaie d'entrer. Il est accueilli par la gauche de Culpabilité. L'aspirant se risque à tenter quelques attaques, mais elles ne sont pas efficaces et il en paie le prix. Culpabilité envoie un coup au corps de Besoin de s'Aimer, et ce dernier se retrouve au tapis ! Courageusement, il se relève. Il est sauvé par la cloche !

– Culpabilité met toute la gomme. Elle ridiculise totalement Besoin de s'Aimer.

– Mais ce dernier refuse de tomber!

– Oui! Il se contente d'encaisser, on dirait un vrai sac de sable. Le moins que l'on puisse dire, c'est que Besoin de s'Aimer n'offre pas beaucoup de résistance à la championne jusqu'ici…

– Culpabilité continue de frapper son adversaire. Puis, elle cache ses deux gants derrière son dos, pour tendre un piège à Besoin de s'Aimer. Et ce dernier mord à l'hameçon en se lançant sur la championne. Culpabilité laisse partir une droite qui frappe le côté droit de la tête de Besoin de s'Aimer. Ce dernier s'écroule. C'est terminé!

– Culpabilité conserve son titre. Elle a lancé deux cent vingt et un coups, dont deux cent vingt ont touché la cible avec un pourcentage d'efficacité presque parfait!

– Besoin de s'Aimer n'a atteint la cible que deux fois sur cent quatre-vingt-seize coups avec un résultat de moins de un pour cent d'efficacité. Quelle déception!

– Oui! Besoin de s'Aimer aurait pu se contenter de rester au plancher à la première attaque, mais il a choisi de se battre. Pathétique!

Le taxi me déposa sur le trottoir. Sous la pluie, je le regardai s'éloigner comme si je venais de perdre mon seul ami.

– Allez, salut! Dis, on se reverra? À Noël peut-être?

Je m'avançai d'un pas traînant jusqu'à la porte et la déverrouillai. Du courrier m'attendait. Plus qu'à l'accoutumée, me sembla-t-il. Je me penchai machinalement pour cueillir le tout et j'achevai de gravir l'interminable escalier qui se poursuivait vers l'intérieur, jusqu'au troisième étage.

Une facture de téléphone, trois de cartes de crédit, un rappel du dentiste pour le prochain blanchiment, le bulletin de mon chirurgien plastique, *The Economist*, le remboursement des assurances pour les médicaments de Nicolas… Je ne me rendis pas à la fin de la pile.

Je jetai mes clés sur la table du vestibule, traversai le couloir aux murs jaune pâle parfaitement assortis au mobilier faussement antique de chez Williams-Sonoma, m'enfargeai dans mes pensées pour enfin m'effondrer de tout mon long sur le grand sofa du salon, éreintée.

Je laissai tomber mes paupières et, les yeux clos, je tentai de rapiécer ma raison. S'il vous plaît, mon Dieu, faites quelque chose…

– Il était temps que tu me fasses signe !

– Je vous demande pardon ?

– Tu tiens déjà tout ce qu'il faut !

Je baissai mon regard. Dans mes mains, tenant toujours la pile de courrier, une grande enveloppe brune attira mon attention. Le papier était flétri, décoloré. On aurait dit que le paquet avait fait le tour du monde. Mon nom y était griffonné en grosses lettres, d'une écriture enfantine : « Mademoiselle Sydney Hughes. »

Enfin, une distraction dans cette journée pourrie.

Je tournai l'enveloppe dans tous les sens, l'inspectant d'un œil étonné, puis, je la décachetai d'un geste expert. Une liasse de papiers, calligraphiés par une main d'enfant appliquée. On avait même écrit à l'aide d'une règle.

Je me rendis à la dernière page. Je sursautai en y lisant mon nom, ma propre signature de jeunesse.

La date indiquait le 25 février 1985.

Est-ce que je délirais ? L'Effexor était-il plus fort que l'avait prétendu le médecin ? Ah, mais non, impossible, je n'en avais pas encore pris un seul comprimé.

J'étais donc sobre, et voilà que je tenais dans mes mains une lettre qui m'arrivait tout droit du passé, signée par moi-même à l'âge de dix ans !

Je me redressai et plaçai un coussin derrière mon dos.

5

MONTRÉAL, CANADA, 2005

Chère Sydney,

Tu es maintenant grande et il y a juste toi qui peux nous sauver. J'ai dix ans et je sais maintenant que je ne peux pas rester moi-même. Il faut que je me transforme parce que je veux faire ma place dans ma famille, dans ma classe, avec mes amis. Peut-être que tu vas être fâchée contre moi d'avoir fait ce que j'ai fait, mais je n'ai plus le choix et je sens que je n'ai plus beaucoup de temps.

Alors voilà. J'ai choisi quatre traits de caractère qui ne sont pas à moi. J'y ai pensé longtemps. Ce sont des comportements qui vont nous protéger du rejet et nous aider à être acceptées et aimées.

Je t'en supplie, Syd, tu es maintenant une adulte, aide-moi!

Parce que je sais que ces comportements vont m'aider, maintenant. Mais je veux être certaine que nous pourrons revenir à notre vraie personne quand nous serons plus fortes. Alors, maintenant que tu es grande et que tu n'as plus peur de personne, c'est le temps de revenir à notre vrai moi.

Je te demande de nous sauver, d'aller chercher qui nous sommes, de te battre pour nous, ce que moi, je n'ai pas pu faire.

Je sais qu'il y a en toi un grand trou. Je sais que, tous les jours, tu ne comprends pas qui tu es et que tu ne peux pas croire qu'il s'agisse de toi. Il est temps, Sydney, d'enlever ces quatre masques et de me retrouver!

Hébétée, je laissai tomber les feuilles sur mes genoux.

Était-ce une mauvaise farce? Se pouvait-il qu'à dix ans, j'aie pu être consciente de tant de choses et écrire une lettre pareille?

Et si c'était vrai, comment diable cette lettre avait-elle bien pu se rendre jusqu'à moi?

– Sans blague...

Et puis, pendant qu'on y était, comment était-il possible que cette lettre arrive aujourd'hui? La journée même où je m'écrasais face contre terre au beau milieu de ma vie?

– Pfff! N'importe quoi!

Aujourd'hui, tandis que j'allais enfin pouvoir me droguer sans confession et tenter d'oublier qui j'étais, moi, et toutes les règles que je m'imposais sans relâche. Aujourd'hui, je recevais cette lettre qui me suppliait de retourner dans les profondeurs de ma personne pour y faire du ménage?

– Euh, vous savez, c'est sans façon, je vous remercie.

– Vous êtes sûre?

– Non, merci, vraiment.

Farce ou pas, je n'avais aucune envie de faire le saut à l'intérieur de moi-même. Je n'y étais jamais bien, jamais heureuse.

Épuisée et confuse, je me dirigeai vers la cuisine et je larguai tout le paquet à la poubelle d'un geste violent. Pour dire à l'univers de me foutre la paix. Moi ou pas moi, véritable personnalité ou pas, je n'en pouvais plus de ne pas être à la hauteur.

Je pris dans mon sac le tube d'Effexor. J'eus un geste d'hésitation en pensant à moi, enfant. Puis, en silence, j'avalai un cachet. Le premier d'une longue prescription pour guérir de moi.

J'espérai que la gélule soit aussi forte que possible, le plus précipitamment possible, surtout. «Trois à quatre semaines», avait dit le docteur, avant que ne fassent effet les médicaments. Décidément, ce doux oasis n'arriverait pas assez vite.

Des bruits de clés se firent entendre. Accoudée sur le comptoir de la cuisine, le regard rivé sur la poubelle toujours béante, j'entendis la porte d'entrée claquer. Quelques pas et la tête de Nicolas apparut au bout du corridor.

J'eus l'impression que la température s'était tout à coup refroidie.

– Je suis désolé, j'ai voulu t'appeler, mais j'ai été pris en réunion toute la journée. Alors, comment s'est passé ton rendez-vous chez le médecin?

Je frissonnai et resserrai sur moi mon mince pull noir. Ce Prada qui m'avait anesthésié l'esprit le temps d'un après-midi de shopping s'avérait à ce moment même incapable de me réchauffer le cœur.

– Bon sang, Syd, ne vois-tu pas que cet homme n'est qu'un primate enchaîné dans son caractère autoritaire et contrôlant? Qu'il est à la merci des événements?

– Mais qui est-ce qui parle, à la fin?

– C'est moi! Jack!

– Le petit qui vit en moi?

– Je ne suis pas petit!

– Mais je croyais que tu ne venais que dans mes rêves…

– Eh non, je suis là tout le temps. Que tu le veuilles ou non. Tu as tellement essayé de te débarrasser de moi… Ça ne fonctionne plus, maintenant. C'est terminé. Je suis de retour.

– Mais, Jack, de quoi est-ce que tu parles?

– Alors, ce mec?

– Mais… euh, c'est que… écoute… il a de beaux yeux bleus, très doux, et une gentillesse qui, quand il se décide à l'étaler au grand jour, fait de lui le plus mignon des maris, le meilleur des amis.

– Non mais, est-ce que tu t'entends? Et le reste du temps, justement, quand il ne l'étale pas au grand jour?

– Eh bien, je…

– Je vais te dire, moi. Votre mariage, c'est de la frime! C'est construit à partir de personnalités instables qui veulent le bien mais qui sont trop confuses pour aller chercher le bonheur à l'unique endroit où il se trouve, à l'intérieur de soi.

– Mais Jack, d'où sors-tu tout ça? Qui es-tu au juste?

– Mais c'est chiant, à la fin! Vous nagez tous les deux en pleine culpabilité et chacun s'en sort grâce à la bouée qu'il trouve; pour l'un, c'est l'attaque et pour l'autre, la soumission. Et devine lequel des deux est soumis, je te prie?

Nicolas me regardait. Sa question, banale, avait traversé le couloir. Mais, je connaissais trop bien la véritable interprétation que je devais faire de ces mots. Et, je l'aurais juré, mon mari, tout intégré dans la société qu'il était, n'était pas prêt à entendre ma réponse:

– Épuisement professionnel. Trois mois d'arrêt. Antidépresseurs, lâchai-je dans un souffle.

Il me rejoignit dans la cuisine, ouvrit une armoire, saisit un verre et, sans un mot, se servit de l'eau. Le regard austère, il but précipitamment en respirant très fort, ce qui eut pour effet de m'apeurer sur la discussion qui se préparait. Je reculai.

– Et que dit le bureau? lança-t-il.

Je haussai les épaules d'un air qui se voulut détaché. Louis n'avait pas bien le choix. Je lui enverrais le papier du médecin et je serais payée par les assurances.

– Plein salaire?

– Non, cinquante pour cent.

Je baissai la tête et j'ajoutai:

– Tu... tu t'en fais pour l'argent?

– Non, mais je me demande si tu ne te donnes pas des excuses. Ne prends pas ça mal, tu sais, s'il s'agit d'anxiété, ça se combat avec les médicaments, mais il faut que tu retournes travailler pour y faire face. Il faut que tu travailles, même si tu ne le veux pas!

J'écarquillai les yeux. Je me sentais attaquée, acculée au pied du mur. Je fus prise de panique.

Il fallait à tout prix me défendre, convaincre l'autre, et pour finir, le rassurer que tout rentrerait dans l'ordre. Que tout serait comme avant. Qu'il n'y avait aucune perturbation de l'ordinaire. Et surtout, surtout, que j'étais tout à fait normale.

Normale.

Je rassemblai mon courage. Un petit pécule de bravoure, jalousement conservé pour les urgences.

– Mais qu'est-ce que tu me dis, là, que je ne suis pas malade, que j'invente tout ça, que je délire?

– Mais non, tu déformes tout ce que je dis. Tu comprends toujours ce que tu veux comprendre. Je crois seulement qu'il faut prendre le taureau par les cornes et que c'est en retournant travailler et en faisant face à ton anxiété que tu guériras plus vite. Et pour les antidépresseurs, je te le jure, ils te feront le plus grand bien !

– C'est ça, dis tout de suite que je suis bonne pour l'asile !

Je m'arrêtai. Je sentais que je m'enfonçais dans le marais boueux des conversations sans but. Celles qui tournent en rond et qui font du mal pour rien. Pourtant, j'avais en moi ce besoin viscéral de m'expliquer, de convaincre l'autre de ma santé mentale. Personne ne devait penser que je n'étais pas intelligente.

Je le regardai un instant, alors qu'il s'était appuyé, l'air insolent, contre le mur.

Comme nous étions loin l'un de l'autre.

Et pourtant, ne faisions-nous pas tout ensemble ?

Car n'était-ce pas ensemble que, tous les soirs, nous nous enlisions dans l'alcool en espérant inconsciemment que les effets analgésiques du nectar nous feraient oublier ces émotions que nous ne voulions pas voir et qui nous démangeaient l'*ego* ?

N'était-ce pas ensemble que, tous les matins, nous nous parions infatigablement de nos plus beaux vêtements en espérant inconsciemment que ces atours griffés nous protégeraient de ce que nous redoutions le plus : ce que les autres pensaient de nous ?

Et, finalement, n'était-ce pas ensemble que, chaque jour, nous nous gavions d'Urbanyl contre notre anxiété, de Zelnorm pour traiter notre colon irritable, de Bromazépam pour dormir, ou encore de Modafinil pour ne pas dormir, en espérant que cela nous ferait oublier que nos malaises sont peut-être le résultat de notre façon de vivre ?

Quel gâchis !

Quel leurre, surtout !

La porte de la cuisine claqua et je suivis du regard Nicolas qui sortait les ordures. Ne voyait-il pas ce que je voyais moi-même depuis quelques jours ? Ne voyait-il pas lui aussi le mirage qui nous emprisonnait chacun dans un halo grisâtre ?

Peut-être n'avait-il pas eu, comme moi, un choc assez grand pour ouvrir enfin les yeux ?

Car, je m'en rendais bien compte, n'était-ce pas ce que j'avais vu et entendu la semaine précédente qui avait déclenché en moi les étourdissements et, par le fait même, ma grande sortie chez le médecin?

Oh, je n'avais pas fait exprès, ce soir-là. Je m'étais même mise au lit en début de soirée. De toute façon, ne nous couchions-nous pas toujours à des heures différentes? Moi, tôt, pour dormir le plus possible et ne plus souffrir? Lui, tard, pour se fatiguer le plus possible et ne plus rien sentir?

Mais cette nuit-là, je m'étais éveillée dans l'obscurité. Le réveil indiquait deux heures. Aussi, ne trouvant pas Nicolas près de moi, je m'étais levée. Ne le voyant pas dans son bureau, j'avais marché jusqu'au salon.

Du corridor, j'avais remarqué sur les murs les flots dansants d'une faible lumière. Et puis, débouchant dans le salon, le crépitement grisaillé que crachait le téléviseur avait suffi pour éclairer Nicolas dans toute sa décrépitude. Un tableau qui, il m'avait semblé à ce moment-là, m'avait jeté en plein visage la détresse inavouée du monde entier.

Nico était affalé sur le divan et son bras droit pendait nonchalamment dans le vide. Sa main tenait étroitement un mouchoir de papier humide qui paraissait flotter dans les airs. Son pantalon était baissé, la braguette descendue de moitié, l'engrenage encore pris dans un des plis de son caleçon quadrillé. Son pénis était mou, recroquevillé, vidé de son plaisir mais rempli d'amertume. Il pendait vers le téléviseur, pareil à un mendiant qui en quémande encore, d'une voix sourde, un peu honteux, pour ne pas trop se faire remarquer.

Mais, si sa verge semblait aux prises avec quelques remords, mon mari, lui, paraissait dormir d'un sommeil enfin réparateur, une trêve salvatrice dans sa réalité souffrante, gracieuseté du porno et du plaisir éphémère du sexe. Son ventre se soulevait doucement à chaque respiration, provoquant un léger frémissement de la petite flaque visqueuse de sperme qui s'était formée dans son poil.

Sur la table du salon trônait le DVD qui m'avait renvoyé l'image d'une femme-enfant au sourire affecté et aux seins démesurés. À quatre pattes, la tête tournée vers moi, elle me présentait son anus bien occupé.

Nous nous étions toisées. Elle, m'offrant pendant un instant et sans discrimination la promesse d'un bonheur rassasié; moi, la jugeant de tout mon bagage de demoiselle bien élevée.

Mais elle avait vite gagné ce bref combat de convenances. Car si, de par mon statut, je m'étais permis de la blâmer, elle, du haut de sa servitude, ne s'était pas gênée pour me jeter en plein visage mon inaptitude à assouvir mon mari.

Et puis, il y avait ce vagin qu'elle tenait grand ouvert avec son pouce et son majeur alors qu'elle y enfonçait son index. Que m'avait-il fait ressentir, sinon que, même du mien, je n'en pouvais plus! Que même le sexe, pour moi, était devenu une tâche dans laquelle je devais continuellement me surpasser?

Alors, s'était produite une chose surprenante: j'avais envié sa vassalité.

De sa position de professionnelle du cul, que d'hommes elle devait attirer! Alors que moi, je ne pouvais en retenir un seul.

– Oh, mais tu te trompes, m'avait-elle chanté en souriant. Parce que, pour moi aussi, le mandat est non négociable et je dois être compétitive autant dans ma vie professionnelle, personnelle que sexuelle.

Alors, cette fille, elle était comme moi? Qu'une forêt qu'on avait complètement déboisée, arbre après arbre? Un grand trou au beau milieu de la nature qui se remplissait comme il le pouvait?

J'avais fermé les yeux. Puis, j'avais pleuré un peu, en silence. Car debout près de mon mari endormi, je m'étais sentie impuissante devant l'ampleur de notre pénitence humaine. Je m'étais sentie désarmée, surtout, devant notre condamnation à demeurer à jamais inassouvis.

Ensuite, j'avais lourdement tourné les talons et j'étais retournée me coucher.

Dans la chambre, j'avais démarré le ventilateur au niveau maximum. Il ne faisait pas chaud, au contraire, mais j'avais espéré que le bruit du moteur me fasse penser à autre chose. Et, la tête calée dans l'oreiller moelleux, l'édredon bien rembourré autour de mon corps, incapable de m'endormir, j'avais regardé l'engin tourner au plafond un long moment.

Puis, j'avais pensé à ce collègue qui, la veille, m'avait invitée à prendre un café. Était-ce le fruit du hasard que ces deux événements se fussent déroulés à une journée d'intervalle?

Je l'avais suivi, curieuse, et nous étions allés dans un petit bistro voisin. Impassiblement, sans que je le lui demande, son latté au lait de soya à peine entamé, il m'avait raconté son histoire. Cela faisait dix ans qu'il était marié à une très belle femme, il avait trois magnifiques enfants et il était très heureux. Seulement, voilà, sa vie sexuelle ne lui convenait pas. Il recherchait une personne avec qui il pourrait explorer les plaisirs charnels que sa vie d'homme marié ne lui accordait plus. Enfin, il souhaitait que cette personne soit, dans l'ordre, sensuelle, belle et convenable.

– Mais, avait-il dit en levant le doigt dans les airs, il y a une condition.

Je ne crois pas avoir même répondu.

– Il faut que je sois certain, avait-il poursuivi sans attendre de réponse, qu'elle ne tombera pas amoureuse de moi.

Il avait paru heureux de lui-même et avait enchaîné en m'avouant finalement que, étant mariée, carriériste et jolie, il avait tout de suite pensé à moi. J'étais la première candidate sur sa liste.

Je l'avais considéré un long moment. Et, je crois même avoir été flattée de sa proposition. Ah bon? Vous me trouvez jolie? Mais le portable avait sonné, Louis m'avait rappelée d'urgence au bureau.

J'avais été sauvée par la cloche.

Mais que se serait-il passé si je n'avais pas reçu d'appel? Aurais-je été, comme Nico, obnubilée par la promesse d'une joie immédiate?

Probablement.

Alors, Nico, cette fille, mon collègue et moi, étions-nous tous inconscients?

C'était cette nuit-là que Jack m'était apparu et que ma tête avait commencé à tourner. Le lendemain, en état de choc, j'avais pris rendez-vous avec mon médecin.

Et si la lettre disait vraie? Si, réellement, je n'étais pas moi-même? Si ce que je racontais et pensais ne représentait pas le plus profond de ma personne? Si tous les assauts contre moi-même m'avaient menée là, dans cette cuisine, sous les yeux réprobateurs de mon mari, les antidépresseurs dans une main et une occasion en or de me retrouver dans l'autre?

Cela ne valait-il pas la peine d'aller vérifier?

6

MONTRÉAL, CANADA, 2005

J'ouvris brusquement les yeux et regardai le plafond pendant un moment.

– Où suis-je?

Mon regard balaya la chambre.

Sans que je le sache, la vie m'offrait quelques minutes de répit avant que la marée montante de l'océan de la réalité n'affluât dans mon lit.

– Ah oui. Oh, merde!

Je me retrouvai assise, prise de panique devant l'instabilité de mon univers.

– Épuisement professionnel, trois mois d'arrêt, antidépresseurs.

Les mots du médecin résonnèrent dans ma tête. Puis, ceux de mon mari. *Peut-être a-t-il raison,* pensai-je, *peut-être que je traverse seulement une période de remise en question toute bête.* Peut-être que tout rentrerait dans l'ordre beaucoup plus rapidement si je retournais travailler plutôt que de rester à ruminer mes pensées et surtout à prendre au sérieux une lettre débile écrite par je ne sais qui.

La lettre.

En réfléchissant un moment, quelque chose m'accrochait. Je me rappelais avoir lu un passage la veille où l'auteur relatait un épisode de mon enfance que moi seule pouvais connaître.

Une petite fête d'enfants chez une tante, avec mes cousins. Un tirage de cadeaux où je n'avais pas eu du tout de chance et où j'avais gagné un horrible album de photos tandis que les autres sautillaient de joie avec leur train en bois, leur tirelire en forme de chien et autres bidules colorés. Je m'étais collée à ma mère, j'avais pleurniché sur ma malchance – maman, ce n'est pas juste! Celle-ci, probablement fatiguée de la fête, n'avait eu aucune tolérance pour ma réaction et, devant tous, m'avait servi une semonce colossale, dénonçant de sa voix nasillarde mes quatre cents coups, mon caractère infâme, mon épouvantable égoïsme et la honte extrême que tout cela provoquait chez elle. Avaient suivi une claque digne de ce nom, une joue en feu, des rires d'enfants et un coin pour le reste de l'après-midi.

Nous étions vingt ans plus tard et je ressentais toujours, comme si c'était la veille, la même culpabilité me glacer le dos et me paralyser la colonne vertébrale. J'éprouvai, en m'agrippant à mon oreiller, la honte profonde d'une enfant prise en défaut et que l'on a exposée au regard de tous. Et mon cœur battait à tout rompre de me savoir jugée.

Après tout ce temps, la blessure était plus éprouvante que jamais. L'image aussi vibrante. La boule qui s'était formée au creux de mon ventre ce jour-là n'avait jamais fondu. Je ne l'avais qu'oubliée au fond de moi-même.

Et l'abcès remontait, là, au même moment. Il était dans ma gorge, il allait sortir, crever, exploser comme l'orage. Je me penchai juste à temps pour éclater en sanglots et vomir sur le plancher.

Je fus douloureusement secouée de spasmes. De hoquets. De crampes.

Ce furent de longues minutes de convulsions, d'éructations, de déjections. La tête projetée vers le bas, comme si la vie me forçait à haleter dans mes propres déchets et à me regarder en face. Mon Dieu, que tout cela faisait mal!

Se pouvait-il qu'un simple souvenir en apparence banal puisse engendrer tant de douleur? Était-il possible qu'un événement auquel je n'avais jamais repensé depuis plus de vingt ans rende mouvant un sable que je croyais avoir cimenté?

Je sanglotai, laissant de la morve souiller mes draps.

Je reniflai et tentai de respirer.

Lentement, mon corps se calma.

Et comme lorsque la tempête se dissipe et que doucement le temps s'éclaircit pour révéler un grand arbre qui n'est pas tombé, j'étais toujours là, quelques feuilles en moins.

Je m'assis sur le bord du lit, affaiblie. Je regardai de mes yeux fatigués les dégâts de mon âme sur le plancher. Farce ou pas, cette lettre m'offrait bel et bien une sortie de secours. Qu'avais-je à perdre sinon une personnalité dans laquelle je ne me reconnaissais pas, sinon un moule dans lequel je m'entêtais à me liquéfier mais qui n'était pas à ma taille?

Je ne savais que trop bien ce qui m'attendait si je ne prenais pas ce chemin.

Je me reposerais, me calmerais, me droguerais et oublierais. Puis, fraîche et dispose, et temporairement amnésique, je reprendrais le chemin du travail. J'en aurais pour une année ou deux d'une paix d'esprit relative, métro-boulot-cocktail-dodo, et puis tout recommencerait graduellement.

Le trou au creux de ma gorge se reformerait, les étourdissements reprendraient, une lassitude profonde s'installerait bien au fond de mon âme et ce serait le début d'une autre crise. C'est à ce moment que mon mari, mon patron, mon père, et qui d'autre encore, lèveraient les yeux au ciel d'impatience. Je brûlerais de culpabilité face à leur réaction, fermerais les yeux, prendrais une grande respiration et avalerais un ou deux Effexor (ou peut-être m'aurait-on prescrit quelque chose de plus fort encore) en souriant.

– Alors, est-ce que tu en as assez de te sentir mal?

– Oui, Jack! Je n'en peux plus! Je n'en peux plus! Aide-moi!

– Est-ce que tu n'en peux plus de toujours être perdante à ce jeu de la vie?

– Oui, oui, oui!

– Alors pars, pars à la recherche du monde d'en dessous, celui que tu ne peux pas voir, celui qui réside au fond de toi et qui, constamment, te parle sans que tu l'entendes. Ce monde, c'est l'atout caché de ton jeu, celui qui te permettra enfin d'entrer dans ton cœur et d'y découvrir qui tu es. Et peut-être, alors, pourras-tu gagner la partie.

– Oui!

Je revins à moi-même et me rendis compte que j'avais crié tout haut mon aversion à incarner cette personne que je n'étais pas. Je me levai, dépliant mon long corps un peu vidé de ses souillures. Et, toute nue, je m'engageai dans le corridor en marmonnant.

– Je me choisis! Pour une fois, je me choisis! Merde, je me choisis! Vous allez voir!

Je fis le va-et-vient entre la salle de bains et la chambre à coucher, traversant le corridor en marchant vite et fort, agitant les bras dans les airs et me parlant à moi-même. Je me trouvais belle, à poil, avec mon seau et mon éponge, accroupie dans ma propre vomissure.

Je souris de ma décision de m'aimer.

L'odeur était nauséabonde, les effluves m'attaquaient de toute part. Je m'en foutais, tordant l'éponge au-dessus de la bassine. Laissant se noyer sans remords la partie de moi-même qui partait en morceaux jaunâtres et gluants.

Tout à coup, je me mis à rire. Quelle chance inouïe! Car, si j'étais si forte devant cette puanteur, c'était parce que je savais que de l'enfance, j'étais venue me sauver et que, par tous les saints, j'allais m'écouter cette fois-ci! J'allais laisser la parole à l'enfant en moi. Je partirais, guidée par elle, à la recherche de moi-même. Un voyage extraordinaire au cours duquel j'irais trouver qui j'étais!

Je jetai le liquide souillé, toujours le sourire aux lèvres.

– Il y avait *Indiana Jones à la recherche du temple perdu*, et maintenant, il y a Sydney Hughes à la recherche d'elle-même!

J'éclatai de rire et m'arrêtai dans le corridor pour demander au mur:

– Pardon monsieur, vous ne m'auriez pas vue passer par hasard? C'est que je me suis perdue il y a de cela vingt ans et je tente de me retrouver!

Et alors que j'attendais avec audace que le mur me réponde, j'entendis le camion des éboueurs passer. Je me rappelai soudain que j'avais jeté la lettre dans la poubelle. Je me précipitai à la fenêtre avec désespoir.

Le camion tournait au coin de la rue.

7

MONTRÉAL, CANADA, 2005

– C'est un miracle ! Un signe de la providence ! Une preuve que tout ceci n'est pas une farce !

Je soufflai de bonheur et m'arrêtai un moment dans la cour pour inspecter ma trouvaille. Je jubilais : Nicolas n'avait jamais mis les ordures au bord du chemin. Il ne les avait que déposées dans la cour arrière. Cela avait été un jeu d'enfant pour moi de retrouver le précieux paquet dans le sac.

J'examinai l'enveloppe brune et chiffonnée, qui sentait maintenant les restes des dîners des soirées précédentes. Elle avait été postée deux semaines auparavant, de Menton, en France.

– Mais qu'est-ce que c'est que cette ville ? Jamais entendu parler.

Je me servis un café et j'entrepris la lecture de la lettre. Au complet cette fois-ci.

Il faut que j'enfile quatre masques différents et je te demande aujourd'hui de les enlever. Parce que tu es grande maintenant, tu n'as plus à avoir peur d'être toi-même. Pour chacun de ces masques, il te faudra défaire ce que j'ai fait et que tu as renforcé au fil des ans. C'est possible, Sydney. Tu es forte maintenant. Et même si tu ne le sens pas, cette force est en toi.

Mais il faut que tu partes. Parce que tu ne pourras pas enlever tous ces masques dans ton environnement présent.

Tu vois que l'enveloppe vient de Menton. Il y a là-bas quelqu'un qui parle en mon nom et qui te dira quel est le premier masque.

Je ne sais pas où tu en es dans ta vie, Sydney. Mais il ne faut pas que tu aies peur de partir. Pars maintenant si tu veux retrouver ta vie!

Je te donne un dernier conseil. Il faut absolument que tu n'écoutes personne d'autre que moi! C'est très important. Ne te fais pas confiance jusqu'à ce que je te dise le contraire. C'est très important si tu veux réussir à nous reconstruire.

À Menton, Martha Greich t'attend, au 20, avenue de Verdun, appartement 5. Bon voyage, et puisses-tu nous sauver, chère Sydney. À bientôt peut-être.

Signé: Sydney Hughes

Cancún, 25 février 1985

– Cancún? lâchai-je d'un ton perplexe.
– Lance-toi, Sydney, lance-toi dans le vide, tu atterriras dans un magnifique champ de fleurs.
– Ah oui? Quel genre de fleurs au juste, Jack?
– Pfff! Ce que tu peux être de mauvaise foi!
Je passai la journée à louvoyer entre la béatitude et l'inquiétude. D'un côté, l'extase de savoir que quelqu'un était venu me sauver; de l'autre, le désarroi de savoir qu'aucune des personnes de mon entourage ne cautionnerait ce que je m'apprêtais à faire.
Ce fut donc dans l'espoir de gagner l'approbation de mon mari que je me mis au travail. Je préparai avec attention, non, avec perfection, un repas sans glucides. Nous suivions à la lettre le South Beach Diet et nous n'avions pas mangé un bout de carotte ni un morceau de pain depuis deux ans.

Je concoctai donc une recette composée de légumes à faibles indices glycémiques et de viandes fraîchement coupées pour aller chercher notre ration quotidienne de protéines. Je saupoudrai la salade d'épinards de graines de lin broyées afin de compléter notre apport en oméga 3 et en fibres, puis, je lâchai la barre à laquelle j'étais agrippée depuis tant d'années.

– Voilà, Jack, je me lance dans le vide, t'es content?

– Oui.

Le soir venu, au beau milieu du repas, je posai l'enveloppe sur la table, devant Nicolas.

– J'ai reçu ça hier. C'est une lettre de moi-même. Je... je me, enfin, je me serais écrit cela apparemment lorsque j'avais dix ans.

Pas un mot, pas même un regard.

Le rejet.

Nicolas posa sa fourchette sur la table, saisit lentement l'enveloppe et en sortit les feuillets. Je le regardai avec appréhension lire les premiers paragraphes.

– Dis-moi, Syd, dit-il d'un ton condescendant qui me plongeait chaque fois dans une incertitude profonde quant à mes propres capacités mentales. Est-ce que tu crois qu'il est possible d'écrire de façon aussi explicite à propos de choses aussi complexes lorsque l'on a dix ans?

– Les enfants, répondis-je apeurée, ne sont pas moins intelligents que les adultes. Je veux dire, ils... ils raisonnent seulement de manière différente.

Il me regarda, dubitatif. Ses grands yeux bleus étaient rieurs, son sourire, moqueur et il tenait l'enveloppe au-dessus du bol à salade comme s'il s'agissait de sa déclaration d'impôts.

– Merde, Jack, il est où, ton champ de fleurs?

– Ma pauvre, tu n'as pas sauté au bon endroit...

Je baissai les yeux et fixai ma salade d'épinards. J'y comptai pendant quelques minutes les amandes que j'avais fait griller dans l'huile d'olive extra vierge. J'aurais voulu me gifler. Mais qu'est-ce qui m'avait pris de vouloir tout lui dire? Est-ce que je pensais vraiment qu'il allait croire cette foutaise, trouver cela intéressant?

J'étais sur un terrain glissant. Il fallait jouer le jeu et me sortir du pétrin où je venais de m'enliser.

Il faut absolument que tu n'écoutes personne d'autre que moi! C'est très important. Ne te fais pas confiance jusqu'à ce que je te dise le contraire. C'est très important si tu veux réussir à nous reconstruire.

Ce dernier conseil résonna dans ma tête alors que je tendais le bras pour reprendre l'enveloppe.

– Est-ce que ton père est au courant?

– Non! répondis-je épouvantée.

Il était temps de ramener cette conversation sur la terre. Je m'efforçai de lui faire mon plus beau sourire.

– Non, il ne le sait pas et à quoi bon lui dire? Tu as certainement raison, Nico, ce ne sont que des bêtises.

– Évidemment! Moi, ce que je me demande, c'est qui peut bien t'écrire des conneries pareilles?! Une blague, certainement de ta sœur ou de Jeanne, elle est assez excentrique pour ça!

Je ris jaune et me levai pour aller chercher quelque chose dans la cuisine. Mais une fois rendue, je me balançai d'un pied à l'autre derrière le comptoir, hésitante. Je ne savais plus ce que je venais chercher, et je scrutai les armoires des yeux. N'importe quoi, me dis-je, n'importe quoi pour ne pas avoir à sombrer dans une discussion dans laquelle je finirais par me révéler anormale.

– Une lettre de toi-même. Non mais, sans blague! siffla Nicolas, perfide. Tiens, poursuivit-il, je ne sais pas si tu as remarqué, mais j'ai acheté du pain.

Je le regardai beurrer généreusement une tartine de pain aux douze grains d'un air intéressé, soulagée du nouveau tournant que prenait la conversation.

– Mais mon chéri, c'est interdit, la diète est stricte là-dessus.

– Oui, mais on m'a dit aujourd'hui que l'on peut manger du pain à condition qu'il soit entier et enduit de beurre, car le gras a comme propriété de ralentir la digestion des glucides. Génial, non?

Oui, c'est génial, me dis-je, abasourdie.

C'était perdu d'avance. Même si je voulais désespérément avoir l'approbation de mon mari, je savais que ce n'était pas possible. *N'écoute personne, n'écoute personne!* me répétai-je.

– Ah bon? Je ne savais pas. Tu me fais une tartine?

Le repas se termina dans le silence le plus complet. Une trêve que j'accueillis avec joie. Ce n'est que tard dans la nuit que je glissai sans bruit, sous le réveille-matin, une lettre pour Nicolas.

Je n'avais rien à perdre.

Je devais partir, je le savais maintenant au plus profond de moi-même. Et le faire sans l'approbation de mon mari, de mon père même, était déjà un grand pas vers cette métamorphose dont parlait la lettre.

— Tu voudrais crouler sous l'amour fou, surfer sur le succès, nager dans l'abondance financière, t'enrober de vêtements de luxe, te perdre au cours de voyages fastueux dans les plus beaux pays et les plus beaux hôtels. Tu voudrais, tu voudrais, tu voudrais. Mais qu'est-ce que tu as, là, maintenant, en ce soir de mai 2005 ? Un mari que tu n'aimes pas, un boulot qui te brûle à petit feu, une estime de toi que...

— Jack ?

— Quoi ?

— Jack, est-ce que je saute au bon endroit, là ?

— Ah, euh, un petit peu à gauche... vooooilà. Vas-y !

LE PREMIER MASQUE
OU LE MARIAGE DE MARTHA

L'enfer, c'est les autres.

JEAN-PAUL SARTRE

8

MONTRÉAL, CANADA, 2005

J'étais assise sur un de ces bancs inconfortables d'aéroport.
Je rechignais. J'étais arrivée avec le lever du soleil, m'élançant
vers le comptoir d'Air France, toutes ailes déployées. Mais, mon
enthousiasme s'était vite ébréché. Le premier vol pour Nice ne
partait qu'à 17 h.

– Bon, Jack, qu'est-ce qu'on fait, là, maintenant ?

– Ben, on attend.

Et c'est ce que je fis, j'attendis.

Je regardai lentement autour de moi, tentant d'esquiver
Jack et le trop-plein de questions qui menaçait de m'assaillir à
tout moment.

Combien de fois m'étais-je retrouvée dans un aéroport
au cours des dernières années ? Heureusement pour moi,
presque chaque semaine, je devais me rendre quelque part
en Amérique du Nord pour aller déblatérer des chiffres et
des lettres à des analystes financiers angoissés dont le travail
était de douter – avec raison – de gens comme moi. Le voyage
était une échappatoire. Les analystes, un fléau auquel il me
fallait quotidiennement faire face. Mais, toujours, j'étais polie,
toujours, j'inclinais la tête devant eux avec déférence, mue par
une inusable volonté d'être acceptée.

– Ah, Jack ! Je te le jure, j'en ai plus que marre de cette
dépendance à l'acceptation !

– Je ne te le fais pas dire ! Tu voues un respect incommen-
surable à n'importe qui ! Et quand c'est mon tour, sans blague,

il ne reste plus rien, que des miettes. Je me sens comme un chien affamé qu'on nourrit au compte-gouttes une fois par an. Tu vois l'image ?

– Euh… oui.

– Et alors ?

– Alors, quoi ? dis-je en levant les yeux d'exaspération.

– Tu as fait de moi un mendiant et c'est tout ce que tu trouves à dire ? J'ai maigri, si tu me voyais !

– Est-ce que les gens en général se font autant malmener que moi par leur conscience, Jack ?

– Eh ben, ma vieille, on n'est pas près de s'entendre…

– Je suis ici, non ? J'ai sauté dans le champ de fleurs…

– OK. Disons que c'est un bon début.

– Je peux continuer, là ?

– Oui.

Les aéroports étaient pour moi des lieux où l'anonymat et l'indifférence étaient cultivés avec application. Des fourmilières où la seule reine était le temps et dont les habitants n'étaient jamais les mêmes d'une aurore à l'autre. On y courait, on y marchait, on y mangeait et, le plus souvent, on y patientait, longtemps, sans jamais vraiment se soucier de l'autre. Ainsi, et uniquement dans ce délectable lieu farci d'incognitos, je me permettais de ne rien faire du tout, de regarder le temps passer, et cela, sans me faire juger. Mais surtout, sans me juger, moi.

L'inlassable fourmi, l'espace d'un moment, se permettait d'être cigale.

– Mais où elle est, la jolie dame qui nous offre à boire, d'habitude ?

– Nous ne sommes pas dans le salon VIP, Jack.

– Eh ben, pourquoi on n'y va pas, au salon VIP ?

– Pas aujourd'hui.

Aujourd'hui, assise sur ma petite chaise en plastique bleu, alors que je louchais sur les hommes d'affaires qui traversaient les magnifiques portes en bois d'acajou du salon VIP, je ne pouvais me résigner à me joindre à eux. C'était comme si ces portes m'avaient ramenée tout droit d'où je venais tout juste péniblement de m'extirper.

– Bon, c'est bien beau, tout cela, mais il n'y a rien à faire et tu veux pas aller au salon VIP. Tout ça commence à gruger l'excitation qui nous a portés jusqu'ici !

Je me rembrunis. Jack avait raison. Tout ce temps pour penser était néfaste.

– Tu vas te développer un mal de dos, assise comme ça sur cette chaise pourrie ! Et puis, qu'est-ce qui t'a prise de dépenser tout à coup mille dollars pour un stupide billet d'avion ? Nico ne sera pas content. Tu es censée mettre tout ton argent de côté, pour plus tard, pour la maison au bord de l'eau !

Je secouai la tête. Il n'était pas question de me laisser faire !

– Je pensais que tu étais de mon côté, Jack. Ce n'est pas toi qui m'as dit hier de sauter dans le vide ?

– Ah non, ça, c'est Jack. Il en a fait un peu trop ces temps-ci, on l'a envoyé se coucher. Il ne nous embêtera plus pour un moment !

– Mais qui êtes-vous ? Vous êtes combien, là-dedans ?

– …

– Mais répondez-moi ! Vous êtes chez moi, quand même !

– …

– Pfff ! Et… et… et puis, ce n'est pas un stupide billet d'avion ! Je m'en vais retrouver ma vraie personnalité ! Et vous savez quoi ? Ça fait dix ans que je ne fais que ça, mettre de l'argent de côté. Il commence à être temps que j'en profite un peu. Et puis Nico, aux dernières nouvelles, à ce que je sache, il dormait en ronflant ! Alors, ne me faites plus chier avec ça !

Je pouffai de rire et tout de suite, un peu honteuse, je regardai autour de moi, espérant que personne ne m'avait vue. Mais j'avais été ferme et j'étais fière de moi. Je n'écouterais que Syd, enfant.

Comme pour m'emplir davantage de détermination, je sortis la lettre de ma poche pour la relire une quinzième fois.

Je me penchai sur elle pour y chercher un passage qui m'avait particulièrement frappée : *Tu crois que tu as été maîtresse de tes choix pendant toutes ces années, mais ta vie a été gérée par les caractères que j'ai trouvés. À la limite, Sydney, tu n'es même pas là, tu es ce que j'ai créé.*

– Je ne suis même pas là, murmurai-je dans un filet de voix, éberluée par cette possibilité.

Se pouvait-il qu'une enfant de dix ans puisse déjà savoir ce qu'à trente ans, nous cherchons toujours ?

Un garçon passa devant moi, tenant d'une main indolente le bras de ce que je supposai être son père. Sa petite casquette bien enfoncée sur sa tête, il m'aperçut et me dévisagea le plus longtemps qu'il le put. Son regard à la fois lucide et énigmatique me fit frissonner.

Qu'en était-il de lui?

Qu'en était-il de tous les autres enfants?

Est-ce que tous passaient par le même cheminement?

Je pensai tout à coup à ma nièce de dix ans, Sarah. Traversait-elle ces mêmes moments d'angoisse profonde, où l'on réalise qu'il n'est pas possible de rester soi-même si l'on désire être aimé?

Sarah, la seule enfant de la famille. Sans être vraiment près d'elle, il y avait quelque chose dans cette gamine qui me fascinait, ce pouvoir de n'en faire qu'à sa tête, d'être vraie, d'être heureuse, de ne pas avoir honte d'elle-même. En y pensant bien, ma relation avec cette enfant était peut-être la seule véritable que j'avais.

Une pensée me vint soudain, alors que je visualisais la forte individualité de Sarah. Il est vrai que, dernièrement, ma nièce était devenue un peu plus sombre. Elle laissait de moins en moins poindre sa vivacité d'esprit dans ses réponses. Je sursautai.

Se pouvait-il que ma nièce fût en pleine transformation?

Je regardai ma montre, 8 heures. Sarah était toujours à la maison, probablement encore à se préparer pour l'école. J'avais tout juste le temps de l'attraper. Ce fut ma sœur qui me répondit.

– Salut Sam, dis-je, ça va?

– Oui, me répondit mon aînée d'un ton curieux. Il se passe quelque chose?

– Non, non, je voulais simplement dire un petit bonjour à Sarah avant qu'elle ne quitte pour l'école. Elle me manque, tout à coup. C'est ma filleule, après tout!

– Bon, je te la passe, on se reparle plus tard?

– C'est ça, oui.

Je patientai un moment, me demandant soudainement ce que j'allais bien pouvoir demander à ma nièce. Comment ne pas lui faire peur?

– Allo?

– Bonjour, Sarah!

– Salut, tante Syd! Ça va?

– Très bien. Tu te prépares pour l'école?

– Ouais.

– Écoute ma chérie, j'ai une drôle de question à te poser.

– Mmm?

– Pourquoi est-ce que tu as tout à coup abandonné tes cours de ballet il y a quelques semaines? Tu aimais ça pourtant...

– Ben, parce que ça ne me tentait plus.

– Est-ce que c'est parce que les gens ont ri de toi, ou que tu as senti de la pression de la part de tes professeurs?

– Non.

– Je me souviens que tu es tombée dans ton dernier spectacle. Est-ce que c'est ça qui t'a fait tout abandonner? Tu as eu honte? On t'a dit quelque chose?

Silence.

Je pouvais l'entendre, Sarah respirait un peu plus vite au bout de la ligne. Mal à l'aise, j'eus la vague impression que j'étais en train d'enfoncer des mots dans la bouche de ma nièce. Et ce n'était pas du tout ce que je voulais faire.

J'embrayai le moteur de mes méninges en cinquième vitesse afin de prendre le virage serré que m'imposait le monde secret de cette enfant. Mais Sarah enchaîna avant que je ne trouve quoi que ce soit:

– Écoute, tante Syd, je ne sais pas pourquoi tu me demandes tout ça ce matin, mais je ne danserai plus, un point c'est tout.

– Mais, trésor, il doit bien y avoir une raison. Laisse-moi te poser cette autre question: est-ce que tu te sens obligée de changer de personnalité en ce moment pour être aimée des autres?

Je me mordis immédiatement les joues. Mon approche était mauvaise et je sentis Sarah s'impatienter. Je persistai tout de même:

– Est-ce que tu essaies de jouer à des jeux quelquefois, comme par exemple à être une actrice, à ne plus être Sarah, à...

– Tante Syd, arrête. Je ne sais pas ce que tu cherches, mais je ne danserai plus, je n'ai pas le choix. Mais où es-tu? Est-ce que tu m'appelles d'un aéroport?

Je bondis. Voilà ce que je cherchais.

– Quoi, tu n'as pas le choix? Qu'est-ce que tu veux dire? Dis-moi, Sarah, qu'est-ce que tu veux dire?

J'entendis la gamine se ressaisir brusquement en se levant d'un bond.

– Il faut que j'y aille, ma tante, je dois finir de me préparer. Salut !

Sarah raccrocha à toute vitesse.

Je souris en me disant qu'elle avait eu un moment de panique. Elle avait eu peur. J'avais donc réussi à entrouvrir de quelques millimètres la porte de l'univers de plus en plus impénétrable de Sarah.

Je retournai d'un pas lent vers mon fauteuil et réfléchis longuement à la conversation qui venait d'avoir lieu. *Ai-je bien compris ? Sarah n'a pas le choix d'arrêter de danser ?*

Mon cœur se serra.

Alors, tout se révélait être vrai et ma filleule serait, elle aussi, en train de changer de personnalité ? Sa mère, ses professeurs, ses petites amies, son demi-frère et sa demi-sœur, son beau-père, la société tout entière, autant de gens pour pousser cette petite personne fragile à se surpasser. Autant de gens pour demander l'impossible à cette enfant qui ne pouvait donner davantage que ce qu'elle était.

– Non mais, vraiment, qu'est-ce que c'est que ce délire ?

Je secouai la tête en levant les yeux au ciel. *Suis-je folle ou quoi ? Est-ce que j'imagine tout cela ?* Une enfant était simplement en train de me dire qu'elle n'avait plus envie de faire du ballet et voilà que je croyais percevoir des appels au secours.

Et puis quoi ? J'irais voir ma sœur pour lui expliquer bien tranquillement que sa fille était en pleine transformation psychologique et que, bientôt, elle ne serait plus elle-même, qu'il lui fallait absolument empêcher cela ?

Je soupirai longuement. Je sentis pénétrer dans l'antre de mon cynisme cette rivalité de toujours, cette vieille rengaine du bon contre le mauvais, du rêve contre la réalité, de l'athéisme contre la foi, de la normalité contre l'excentricité, de la voix de mon père contre celle de mon cœur. Et j'avais peur, car je savais que ce n'était jamais moi qui gagnais mais bien ce côté de moi-même que je connaissais trop. Il m'attendait toujours au virage, peu importe la situation dans laquelle je me trouvais.

Mais, cette fois-ci, j'allais tenter de ne pas l'écouter. Je n'écouterais que cette lettre, que les paroles d'une enfant de dix ans qui me sauveraient. Et je pris au même moment l'engagement profond de porter secours à ma nièce du même coup.

– Alors, on y va, au salon VIP?

– Jack, non!

– Pfff…

9

Montréal, Canada, 2005

Il était fort et implacable. Devant sa classe de trente élèves, il sentait l'importance capitale de son rôle, celui de mettre sur le droit chemin toutes ces petites âmes perdues. Et c'était ce qu'il faisait depuis plus de trente-cinq ans maintenant. Mais cette année était la dernière pour Charles Hughes, car une retraite bien confortable l'attendait dans un mois.

Il respira d'aise. Il était fier de ce qu'il avait accompli, fier d'avoir aidé sa communauté à éduquer ses rejetons de la bonne façon, de la seule façon qui soit : dans la droiture.

Les gamins étaient silencieux, appliqués à résoudre un problème mathématique. Une homogénéité régnait dans les rangs et cela lui plaisait, le rassurait surtout. Cela avait sur lui l'effet calmant d'une longue rivière paisible où rien ne se passe que le son des petits clapotis, égaux les uns aux autres.

Il se pencha afin de nettoyer l'une de ses chaussures italiennes, qu'il frotta avec minutie.

Que de souvenirs dans cette salle de classe. Que d'enfants il avait pris sous son aile, les sculptant, les redressant, faisant en sorte que le mistral de la vie leur glisse plus doucement sur la peau. Et il ne pouvait être de plus belle récompense pour lui que de savoir qu'untel était devenu vice-président d'une grande compagnie ou qu'un autre venait d'être reçu ingénieur. Il se gonflait d'orgueil à l'idée d'avoir joué un rôle primordial dans l'évolution de ces personnes. Il se félicitait de son esprit, de sa détermination et du sérieux avec lequel il avait mené sa carrière d'enseignant.

Et n'y avait-il pas cette directrice générale qui lui avait écrit l'autre jour? Comment s'appelait-elle déjà? Ah oui! Sophie McAndrew. Il se souvenait très bien d'elle. Petite fille de bonne famille, intelligente, rapide, parlant toujours au bon moment. Il la voyait souvent maintenant à la télévision, lors de ses discours. De son divan, il pouvait lire dans ses yeux la détermination qui l'habitait, il pouvait sentir toute la reconnaissance et le perfectionnisme auxquels elle carburait. Comme c'était motivant! Et cette façon qu'elle avait de croiser les bras lorsqu'elle accordait des entrevues, montrant à qui voulait le voir qu'il était impossible de l'attaquer. Cette femme ne se laissait pas faire et allait durement son chemin pour conserver la place d'élite qu'elle s'était taillée. Ses yeux étaient résistants, sa bouche rigide, son intelligence pure. Elle était parfaite.

Et, maintenant, elle lui écrivait pour le remercier de sa rigueur.

Il en bavait presque de fierté.

Mais lorsqu'il pensait à son plus beau chef-d'œuvre, c'étaient ses filles qui lui venaient à l'esprit. Sa progéniture. C'était son œuvre d'art ultime, celle qu'il céderait à la postérité, comme on lègue une inestimable collection privée à un grand musée. De belles jeunes femmes, brillantes, fortes, et haut placées dans la société. Et plus il investissait en elles, plus leur valeur sur le marché de la reconnaissance augmentait.

Ses yeux pétillaient juste à y penser.

C'est qu'il avait mis tout son savoir-faire dans l'éducation de Sydney et de Samantha. Et c'est à elles qu'il avait juré de donner le plus beau cadeau qui soit, celui d'être les premières. Celui d'être acceptées, adulées, enviées.

Oui, elles aussi, à l'instar de la directrice générale, étaient parfaites.

Oh! bien sûr, il y avait Sydney qui, de temps en temps, avait de petits soubresauts d'inquiétude, remettant en question cette perfection qu'elle maîtrisait si bien. Mais, chaque fois, tel un véritable entraîneur avec son athlète, il avait réussi à la ramener, à la motiver afin qu'elle réintègre les premiers rangs de la société.

Et il y avait Sam, aussi, qui était divorcée depuis quelques années. Au départ, il s'y était violemment opposé. «Il n'y a pas de divorce chez les Hughes ! » avait-il crié d'une voix dictatoriale. Mais, au fond, il comprenait. Car le mari de Sam n'avait pas été à la hauteur de leurs ambitions. Celui qu'ils avaient choisi était destiné à une grande carrière. Mais, rapidement, il était devenu apathique. Il n'avait plus eu soif de cette grandeur si gratifiée par tout un chacun. Charles en avait honte dans les fêtes de famille ou lors des grands dîners entre amis qu'ils donnaient, lui et sa femme. Et ce déshonneur avait été plus fort que celui d'avoir à supporter une tache au tableau de sa fille. Il avait finalement cédé et épaulé Sam afin qu'elle divorçât.

Tandis qu'il entendait le doux bruit de la respiration de ses élèves concentrés, il s'appuya sur le rebord de la fenêtre et regarda au loin. Oui, il avait réussi son plus beau projet de vie, celui de faire de sa famille une cellule parfaite, impliquée et acceptée dans sa communauté.

Il pouvait maintenant prendre sa retraite. Il avait accompli son devoir.

Pourtant, une pensée sombre le hantait depuis quelque temps.

Que ferait-il après ?

Cette idée seule lui faisait perdre pied.

Il y avait bien quelques bouquins qu'il se promettait de lire, des voyages qu'il voulait faire avec sa femme, des rénovations qu'il comptait terminer dans la maison de campagne. Mais après, que ferait-il pour se rendre utile ? Pour être important ? Pour perpétuer son alliance tacite avec l'élite sociale ?

Il chercha son souffle.

Se pourrait-il que son abonnement à l'utilité et à l'importance soit échu et non renouvelable ?

Non, il lui resterait toujours ses filles, sa famille. Toujours, elles auraient besoin de peaufinage, de retouches, comme une précieuse toile que l'on restaure année après année.

Il respira mieux. Il ne serait jamais inutile, il serait toujours normal et droit. Et puis, peut-être pourrait-il postuler au poste de directeur d'école qu'il avait vu annoncé l'autre jour ? Ou, encore mieux, peut-être pourrait-il s'impliquer en politique, devenir échevin, faire une différence pour sa ville ?

Oui, un avenir prometteur l'attendait.

Tout était sous contrôle.

Il prit un air satisfait et revint à ses étudiants.

10

AU-DESSUS DE L'ATLANTIQUE, 2005

Jack dormait depuis un bon moment déjà. Enfin, je le crus, puisqu'il ne me parlait plus depuis quelques heures. Le repas avait été servi, mangé, les plateaux ramassés, les lumières venaient d'être tamisées, les enfants s'endormaient et le premier film débutait.

Moi, je tenais dans mes mains une lettre que je m'étais écrite à l'âge de dix ans.

Moi, j'en étais à sauver ma personne.

La lettre, afin de m'aider, disait-elle, à retrouver ma vie d'enfant, me posait deux questions. Quel était mon souvenir le plus lointain, et qui étaient les premières personnes, à l'extérieur de ma famille, dont je pouvais me souvenir? Ces deux questions me gênaient depuis la veille. Et je ne m'y attaquais pas, comme si je n'avais aucune envie de retourner là-bas, dans cette obscurité repoussante qu'était devenue ma mémoire.

N'en avais-je pas eu assez, le jour d'avant, de vomir mon âme sur le plancher de ma chambre à coucher?

Et pourquoi ces devinettes? Est-ce que, enfant, je savais déjà que les réponses me mèneraient vers des indices?

À cette pensée, je fus subitement plus empressée de plonger dans ma mémoire et je fermai les yeux pour répondre à la première question.

Puis, je me souvins.

Je me rappelai ce samedi où mes parents, comme d'habitude, avaient rassemblé plusieurs de leurs amis pour une soirée. C'était toujours la même chose. Avant que les invités arrivent, papa nous prenait à l'écart. Il s'agenouillait devant nous, saisissait nos épaules qu'il empoignait fermement, puis nous regardait droit dans les yeux.

– Les filles, je ne veux pas entendre un mot. Vous allez vous tenir, ne pas crier, ne pas sauter. Je ne veux pas avoir honte de vous ce soir, c'est bien clair ?

– Oui, papa, répondions-nous immanquablement, en chœur.

Et les convives arrivaient, par petits groupes. Ils s'éparpillaient, quelques-uns dans la cuisine à prendre un verre avec maman, d'autres au salon à discuter avec papa. Et cela durait des heures, pendant que Sam et moi passions de bras en bras comme de jolies poupées présentées avec fierté.

Mais, ce soir-là, pour une raison que j'ignore, je m'étais retrouvée à la cuisine, ma petite robe relevée, à faire pipi à la vue de tous, dans un minuscule bol bleu clair. Pourquoi n'avais-je pas utilisé les toilettes ? Étais-je trop petite ? Y avait-il déjà ma sœur qui les occupait et qui pour m'agacer, refusait d'en sortir ? Et, surtout, m'y avait-on forcée ?

– Comme c'est mignon, s'étaient esclaffés les gens. Ha ! ha ! ha !

À ce rire, je frissonnai.

Mon premier souvenir ? J'avais, un soir de réception, sans pouvoir me l'expliquer aujourd'hui, pissé devant tout le monde.

Et je revis très clairement le récipient ovale bleu clair.

Pourquoi, me demandai-je, est-ce que je me souvenais de sa teinte avec tant de précision ? L'avais-je tant regardée alors que l'on riait de moi ? M'étais-je fondue à ce point dans sa couleur pour ne pas avoir à ressentir ma honte ?

Il n'y avait que des images floues dans ma tête, mais comme pour le souvenir de la fête chez ma tante, même si l'évocation était vague, le sentiment de honte, lui, était aussi intact et concret que si je venais de le vivre. Comme s'il ne m'avait jamais quittée et que je le portais sur mes épaules depuis ma tendre enfance.

Combien d'autres souvenirs et d'émotions encore avais-je avec moi dans mon sac à dos de la vie ?

Était-ce cela, par cette question, que j'avais voulu me faire comprendre? Ou était-ce plutôt l'ampleur de la honte qui m'habitait que j'avais voulu me montrer?

Je n'étais pas certaine de vouloir le savoir.

11

PLOSKA, ROUMANIE, 1939

– Non mais, c'est pas vrai, je rêve ! Comment est-ce qu'une chose pareille peut m'arriver ?

Martha avait lancé sa valise sur son lit dans un geste violent et regardait fébrilement autour d'elle, ne pouvant choisir ce qu'elle allait y mettre. Elle hoquetait et tentait de respirer profondément depuis un bon moment déjà, afin d'apaiser la longue crise de larmes qui l'avait secouée quelques minutes plus tôt, dans la cuisine.

Sa mère entra sans bruit dans sa chambre et se dirigea vers son grand placard de bois. Sans un mot, elle en sortit sa plus belle robe, celle en dentelle offerte par son grand-père, et la déposa délicatement sur le lit.

Elles se dévisagèrent longuement.

– Maman, gémit-elle, s'il te plaît…

– Nous t'attendons dans le salon, ma chérie. Tout est prêt. Dépêche-toi, nous n'avons pas beaucoup de temps.

Martha suivit sa mère des yeux et la regarda refermer tout doucement la porte derrière elle, comme si elle n'avait pas voulu réveiller de nouveau la colère de sa fille. Elle soupira, s'assit sur son lit et croisa les bras, assombrie.

N'avait-elle pas grandi bien tranquillement sur le domaine familial, dans sa Bucovine natale qu'elle aimait tant ? N'émergeait-elle pas à peine d'une adolescence heureuse ?

Dans cette région du nord-est de la Roumanie, sa vie n'avait été jusqu'à maintenant qu'un enchaînement de saisons heureuses, radieuses de simplicité. De folles courses à cheval dans les champs en été, où elle manquait constamment de se casser le cou. D'interminables après-midi de pêche à la truite, au printemps, d'où elle revenait perpétuellement bredouille. De paresseuses balades en carriole en hiver pendant lesquelles elle refaisait inlassablement le monde.

Et voilà qu'on lui demandait d'abandonner tout cela sans dire un mot, sans verser la moindre larme!

Cela n'avait aucun sens!

Ahurie, dépassée par les événements, Martha pensa à la journée de la veille. Avec son père, tôt le matin, elle était allée inspecter leurs terres.

Comme d'habitude, Darius Greich avait soufflé sur ses doigts pour les réchauffer et avait lentement attelé la jument. L'animal, décoré d'une parure rouge écarlate identifiant son appartenance, avait henni à pleins naseaux et avait relevé la tête fièrement. Le temps était froid en cette matinée et Darius avait étendu une épaisse couverture de fourrure sur sa fille, pelotonnée au fond de la carriole. Puis, il s'était assis près d'elle et, d'un claquement de langue, avait lancé le signal du départ. La jument était partie au galop, emportant père et fille, heureux de se retrouver seuls et de se raconter des histoires.

– Ma fille, avait lancé le père, notre terre est si grande que moi-même je n'en ai jamais vu le bout!

Et Martha avait pouffé de rire en mimant la phrase en même temps que lui. C'était la millième fois qu'il la répétait.

– C'est fini, oui, de se moquer de moi? avait répondu son père en souriant.

Martha ne s'était jamais lassée de ces promenades pendant lesquelles elle admirait le paysage si généreux de la Bucovine. Aux staccatos du trot de la jument, les collines et vallons semblaient valser à l'horizon dans une symphonie de couleurs, changeant du pâle au flamboyant selon les saisons. Les longues clôtures de bois vieilli s'étalaient dans les terres en zigzag et tapissaient le tout de formes bizarres qu'elle s'amusait à comparer à tout ce qui lui était familier.

– Regarde celui-là, papa! Il a la forme du nez d'oncle Georges! avait-elle dit cette journée-là.

Son père avait ri de bon cœur de la plaisanterie de sa fille. La promenade s'était poursuivie, entrecoupée de forêts sombres et de prairies lumineuses. Et Martha avait offert son visage au grand vent de la Bucovine, pleine de rêves et libre comme l'air.

Mais la Roumanie était un pays fragile depuis la Première Guerre mondiale, et la crise économique de 1929 avait éliminé les minces chances que cette contrée avait eues d'adopter un système démocratique. Et alors que Martha avait grandi, son pays avait, au contraire, vécu une longue régression. Depuis un an, le Parti antisémite et fasciste avait pris le pouvoir et la croix gammée trônait dorénavant sur la devanture de l'hôtel de ville de Czernowitz, capitale de la Bucovine.

Maintenant, quand elle accompagnait sa mère en ville pour faire des courses, il lui était interdit de parler yiddish et les deux femmes ne s'adressaient la parole qu'en allemand, en se dévisageant. Elle ne pouvait même plus lire son quotidien préféré, tous les journaux juifs de la région ayant été fermés.

Martha le savait, la guerre arrivait à grands pas, ils étaient juifs et ils devraient s'enfuir. Ce n'était qu'une question de temps.

Mais pourquoi maintenant? Et surtout, pourquoi elle seulement?

Elle se leva et envoya un grand coup de pied dans sa commode. Elle fulminait. Et son magnifique visage, d'ordinaire si doux, était crispé de colère. Ce n'était pas tant la guerre qui l'enrageait, mais bien ce que celle-ci allait la forcer à vivre!

Cela faisait quelques mois qu'elle avait rencontré Albert, à la soirée dansante organisée par son grand-père. Elle l'avait trouvé gentil au début, sans plus. Elle avait même bien voulu danser avec lui, ce soir-là, pour lui faire plaisir, et pour se désennuyer surtout.

Depuis, il ne la lâchait plus, la couvrant de cadeaux et de compliments. Et malgré ses protestations, il avait demandé sa main à son père. Elle avait refusé et Darius Greich avait gentiment transmis la réponse négative de sa fille au pauvre jeune homme dépité.

Mais, avec la guerre qui cognait maintenant à leur porte, pensa-t-elle, ce salaud en avait profité pour revenir à la charge.

– Je suis Français d'origine, avait-il dit à ses parents. Si nous nous marions, je pourrai l'emmener avec moi en France. Elle sera en sécurité là-bas et je pourrai obtenir une excellente situation grâce à mon diplôme d'ingénieur. Croyez-moi, c'est pour la survie de votre fille que je vous implore de me donner sa main! Pensez à sa vie!

Elle s'était levée d'un bond en faisant tomber sa chaise.

– Jamais! Vous m'entendez? avait-elle déclaré en se tournant vers ses parents. Je veux rester avec vous, nous fuirons ensemble! Il n'est pas question que je parte me cacher et que je vous abandonne. Je ne l'aime pas!

Elle s'était tenue droite, belle et imposante. Et même dans sa rage, à bout de souffle, les yeux gonflés, elle avait suscité l'admiration de ceux qui se tenaient devant elle. Son père s'était levé et l'avait prise dans ses bras, doucement. Elle s'était laissé faire, s'abandonnant en toute confiance à son complice de toujours. Elle était certaine qu'il la protégerait, qu'il la garderait auprès de lui.

Il lui avait caressé les cheveux, comme lorsqu'elle était petite, et l'avait bercée dans un petit balancement de son grand corps protecteur.

– Ma fille, rien n'est plus comme avant. Je le sais, crois-moi. J'ai déjà vécu une guerre et lorsqu'elle nous prend dans ses filets, plus rien n'a de sens. Il ne faut que sauver sa peau.

– Non! Non! Je ne veux pas, papa, non, je t'en prie, je ne veux pas.

Et plus elle avait pleuré, plus il l'avait retenue dans ses bras.

– Je ne pourrais supporter que l'on te fasse du mal, ma fille, tu es le plus beau trésor de ma vie. C'est la seule façon pour toi de survivre. Il faut que tu partes. Fais-le pour moi.

– Non!

Elle s'était dégagée violemment de son étreinte. Elle avait regardé intensément son père, ne pouvant croire qu'il la rejetait, qu'il la poussait dans les bras de ce moins que rien. Mais, elle avait eu beau crier, taper du pied, rien ne l'avait sauvée. Son père avait haussé la voix et lui avait ordonné de faire ce qu'il fallait faire.

Elle ne l'avait jamais vu comme cela. Toujours, ils avaient été complices, toujours, ils s'étaient bien entendus, comme deux camarades de classe à l'affût de tous les mauvais coups.

Pour la première fois, son père s'opposait à elle. Pour la première fois, elle avait senti qu'il ne voulait pas qu'elle soit elle-même.

– Va chercher mon frère Georges, avait-il dit d'un ton sans vie à sa mère. Dis-lui qu'il vienne tout de suite et qu'il amène Judith, elle nous servira de témoin.

– Non, papa, je t'en supplie !

Elle s'était jetée à ses pieds et l'avait imploré du regard.

– Va, ma fille, avait-il dit en la relevant, va faire ta valise et enfiler une belle robe. Tu seras mariée cet après-midi. Albert, tu peux utiliser la salle d'eau pour te rafraîchir et te préparer. Je dois bien avoir une chemise propre pour toi.

Elle pleura tout au long de cette cérémonie courte et bizarre que l'on tint au beau milieu de la salle à manger. Son oncle, qui était rabbin, avait bâclé la cérémonie, aussi surpris et hébété que sa nièce de ce qui se déroulait sous ses yeux. Aucun violon ne se fit entendre et aucun drap blanc ne fut installé au sol, comme c'était la coutume. Et alors que, selon la tradition de la *Hochzeit* ou célébration du mariage, les époux devaient s'agenouiller devant les parents de la mariée pour la bénédiction, les genoux de Martha refusèrent de fléchir.

Le seul qui prit plaisir à participer à cette noce étrange fut Albert qui ne se fit pas prier pour embrasser sa nouvelle épouse de ses grosses lèvres humides. À l'approche de son visage, Martha recula de dégoût. Et une dernière fois, pendant l'ultime fraction de seconde qu'il lui restait d'amour-propre, elle regarda son père comme pour lui dire : Regarde ce que tu me fais faire, espèce de lâche !

Son père baissa les yeux, sa mère fondit en larmes et c'est dans une atmosphère lourde d'accusations et de regrets qu'ils se dirent adieu sans se regarder vraiment, tandis qu'Albert posait sa valise dans la carriole. Une vie qui avait si bien commencé venait abruptement de changer de direction.

Martha avait seize ans.

12

NICE, FRANCE, 2005

Je marchais lentement, mon petit sac rouge serré contre moi. Fébrile, j'essayais de me concentrer sur la complainte grégorienne que semblait émettre le tube d'Effexor placé dans mon sac juste avant de partir.

Tiketik, tiketik, tiketik.

Cela me rassurait de savoir que je pourrais toujours retourner à cette bouée. Car, à ce moment-là, précisément, une peur sourde et narquoise m'envahit et me força à tourner en rond dans la grande salle adjacente au carrousel de bagages.

Mais qu'est-ce que je fais ici, moi?

C'est en me réveillant au-dessus de l'Atlantique que j'avais commencé réellement à raisonner sur ce que j'allais faire à Menton. Car, bien plus concrète que la possibilité de me retrouver, de me reconstruire, il y avait la présence physique de cette fameuse miss Greich.

Le doute grondait en moi et s'appropriait de plus en plus ma raison. Mes nouvelles résolutions s'effritaient à la vitesse de l'éclair. Cela faisait quatre fois que ma valise passait sous mes yeux. Elle m'appelait sans relâche.

– Vas-y, prends-moi, je ne suis pas si lourde que ça, tu verras. Nous ferons un grand voyage ensemble!

Mais je ne pouvais me résoudre à l'attraper. Comme une chance qu'on ne saisit pas au passage. Un train en partance pour la prospérité et dans lequel on ne saute pas.

Je m'engluais plutôt dans les cercles vicieux que je dessinais à grands pas autour des paniers à bagages abandonnés.

L'incertitude installait ses quartiers et se mettait à l'aise. J'eus l'impression d'accueillir une vieille connaissance.

– Alors, on ne m'invite plus à prendre le thé?

– Bien, c'est que… non, ce n'est pas cela, je…

– Tu quoi? Tu pensais te débarrasser de moi aussi facilement? Moi, la ministre de l'Inquiétude?

– Non, enfin, euh, oui, j'espérais.

– Pfff! Tu y as pensé un peu? Et puis, c'est qui, cette miss Greich? Qu'est-ce que tu vas lui dire, pauvre sotte?

– Dois-je vraiment penser à cela maintenant?

– Mais, tu dois contrôler l'avenir! Tu dois contrôler les incidents possibles!

– Arrêtez! Vous voyez bien que vous me rendez folle! Vous savez bien que je ne peux pas contrôler le futur!

– Eh bien, c'est ça, la vie, ma vieille! Je ne sais pas où tu penses aller comme ça, mais tu vas agir comme tout le monde! Tu vas t'en faire au sujet des autres, de ce qu'ils disent. Tu vas t'en faire pour ce qui pourrait peut-être arriver chez miss Greich tout à l'heure. Tu vas faire naître en toi le plus de peurs possible. Tu vas penser très fort que les probabilités du futur qui sont hors de ton contrôle pourraient décider de ton destin!

– …

– Tu as peur?

– Oui, très peur.

– Très bien.

Je fis des cercles de plus en plus grands autour des paniers vides, comme pour me donner plus de temps pour penser, pour trouver des réponses. Mais je ne pus échapper à cette crise qui se préparait en moi depuis le décollage de l'avion.

Tiketik, tiketik, tiketik.

Je fermai les yeux et me sentis glisser. Un autre combat contre moi-même s'amorçait et je ne pouvais rien y faire. La prodigieuse diligence de la ministre de l'Incertitude contre l'étonnant décalage de Besoin de s'Aimer. Je perdis pied dans ma tête.

La peur.

La peur d'être anormale.

La peur de sonner à la porte de miss Greich et que celle-ci me traite de débile.

La peur que toute cette aventure ne soit qu'une blague. Que miss Greich ne soit qu'une invention de mon imagination trop fertile de gosse de dix ans!

Mais surtout, surtout, la peur qu'on se moque de moi. Mon Dieu! Qu'arriverait-il si les autres apprenaient ce que j'étais partie faire, sur un coup de tête, en laissant une vague lettre d'explication à mon mari et un bref message télécopié à mon patron incluant le billet du médecin? J'entendais mon père dans ma tête s'indigner: «Mais Sydney, que va penser le monde? Est-ce que tu veux que tous te montrent du doigt et se moquent de toi?»

Je m'arrêtai soudainement. Je levai la tête. Je m'aperçus que j'avais parlé à voix haute et que quelques personnes s'étaient retournées pour m'épier d'un regard intrigué.

C'en était trop.

Je courus m'enfermer dans les toilettes et y pleurai convulsivement. J'étouffais sous toute cette culpabilité. Celle de ne pas avoir eu l'aval de toute la planète pour partir à l'aventure. Celle de ne pas être comme les autres. Celle de ne pas arriver à plaire à tout le monde. Je m'en voulais de me poser tant de questions, de laisser toute grande ouverte la porte de ma conscience à l'incertitude et au doute.

Étais-je retournée à la case départ malgré ma courageuse traversée de l'Atlantique?

– Y a un truc qu'il va falloir qu'on m'explique. Pourquoi Besoin de s'Aimer revient toujours à la charge s'il sait qu'il perd tout le temps? Il n'en a pas assez de se faire casser la gueule?

– C'est un éternel optimiste… y a rien à y comprendre…

Je me réprimandai, brutalisant mes pensées, me traitant de tous les noms, de lâche, surtout. Lâche de ne pas être capable de faire fi de mes peurs, d'être sous le contrôle de tous ceux qui m'entouraient.

Je grimaçai devant ce que j'étais et, tout à coup, je m'envoyai une énorme claque au visage. Et pour la première fois, j'eus envie de mourir.

Mais, au moment où j'allais m'enfoncer dans ce long couloir sombre et sans issue, une voix me parvint.

N'écoute que moi, Sydney, n'écoute que moi!

Une enfant me tendit sa petite main douce au fond de l'endroit incertain où je me trouvais et m'offrit son plus beau sourire. *N'écoute que moi, Sydney*, répéta-t-elle, *tu peux nous sauver!* Et moi, à bout de force, K.-O. devant mes peurs, je m'abandonnai et tendis la main à mon tour. Oui, à quoi bon me tourmenter? Il n'y avait qu'à suivre cette enfant. Toucher ses doigts si petits et si doux.

Je pris une profonde respiration et je sentis en moi une émotion étrange. J'eus l'impression qu'au creux de mon ventre, une grande chaleur s'installait.

– Jack?

Était-il possible que… mon Dieu, oui, il ne pouvait s'agir que de cela, de l'énergie qui se crée lorsque l'on s'aime et que l'on se laisse aller, sans opposition aucune, à sa propre essence. Et en quelques secondes, alors que je tentais encore de comprendre cette nouvelle sensation, celle-ci m'envahit totalement.

Une bonne dizaine de minutes s'étaient écoulées lorsque je repris conscience. Quelqu'un me tapotait la joue.

– Mademoiselle, ça va?

J'émergeai à l'air pur et j'en pris une immense gorgée. Comme si tout cet épisode s'était déroulé dans un univers sous-marin. Avais-je trouvé mon Atlantide?

Je hoquetai et regardai autour de moi. Par terre, affalée sur le plancher crasseux des toilettes, j'avais dû m'endormir.

– Quelqu'un vous a fait du mal? Vous voulez aller à l'infirmerie?

– L'infirmerie? Pourquoi? Non, ça ira, madame, je vous remercie.

Je me levai péniblement. La dame m'aida à m'appuyer sur le comptoir des lavabos. Je levai les yeux vers mon reflet, apeurée. J'avais la joue droite bien rouge et bien enflée. Oui, quelqu'un m'avait fait du mal, quelqu'un m'avait bel et bien frappée.

Mais pourquoi cela devait-il être moi-même?

Amère, j'imbibai un essuie-main d'eau fraîche et le tapotai sur mon visage.

Sourire forcé adressé à la dame.

– Tout va bien maintenant, je vous le promets. Merci de votre aide, madame.

– Faites attention à vous, mademoiselle, dit doucement la vieille femme en déposant délicatement sa main sur mon épaule pour m'encourager. Vous êtes trop jeune et jolie pour vous faire du mal.

J'étais bien consciente de ce qui venait de se passer et mon sang était glacé d'horreur de savoir jusqu'où j'étais prête à aller pour garder ma personnalité créée de toutes pièces.

Mais de quoi avais-je si peur? Était-ce si mauvais d'être soi-même, de connaître la vérité? Les choses qui m'attendaient de l'autre côté du miroir étaient-elles si horribles que j'étais prête à me frapper pour me garder sous le joug d'une absence de personnalité?

Par contre, et justement, de me savoir prête à tout pour empêcher la vérité me donna soudainement des ailes. Cela devait être un secret grand et merveilleux pour que l'on veuille le cacher à ce point! Je souris pour la première fois depuis mon départ de Montréal.

J'étais à Nice. Ne serait-ce que pour les plages, cela valait la peine de sortir de cet aéroport! Déjà, dans ces toilettes minables, ça sentait bon les vacances et la crème solaire. Et puis, miss Greich, on se foutait bien de ce qu'elle penserait, cela valait bien le coût d'aller vérifier si elle gardait avec elle le secret de ma vérité.

Au diable mes peurs, la perfection, l'approbation, mon père, mon mari, mon patron! Tous, tous, ils pouvaient bien aller voir ailleurs si j'y étais! Je pris mon petit sac rouge d'un geste résolu, forte de cet épisode qui m'avait remplie d'un carburant nouveau auquel je goûtais tout à coup avec délectation.

Je me dirigeai d'un pas faible mais assuré vers le carrousel de bagages, je saisis ma valise, et ma chance par le fait même, et me tournai vers un comptoir de location de voitures. Mes yeux bouffis se désenflaient tranquillement, ma respiration se régularisait, ma pensée s'apaisait, tout irait bien.

1, 2, 3, soleil!

13

MONTRÉAL, CANADA, 2005

Sarah était assise à son petit bureau, à la tête de la première rangée, contre la fenêtre. Elle aurait voulu être derrière, mais comme elle était toute petite, ses professeurs la plaçaient toujours près du tableau. Cela l'irritait, car elle aurait voulu rêvasser à sa guise, regarder dehors. Du coup, bien à la vue de tous, elle était davantage réprimandée.

Mais, ce matin-là, autre chose l'exaspérait. Elle ne pouvait s'arrêter d'y penser. Toute son attention était rivée sur la conversation qu'elle avait eue avec sa tante le matin même. Elle y revenait toujours, n'arrivant pas à se concentrer sur le cours de mathématiques. Et pourtant, elle savait bien qu'elle avait besoin de cette leçon pour passer ses examens.

Malgré cela, c'était plus fort qu'elle.

Elle était intriguée par les questions de sa tante. Comment celle-ci pouvait-elle savoir qu'elle avait cessé tous ses cours de ballet à cause de la pression dont elle avait été victime, tant de ses professeurs que de ses amis ? Ce sentiment était caché bien loin au fond d'elle-même et elle ne l'avait laissé entrevoir à personne. D'ailleurs, cela avait été une décision rapide, sans équivoque, une décision qui faisait partie d'un plan beaucoup plus grand auquel elle réfléchissait depuis un bon moment déjà.

– Sarah, jeune fille, au tableau, s'il vous plaît.

– Oui, mademoiselle.

– Voulez-vous nous résoudre l'équation inscrite ?

L'enfant avança, hésitante. Les mathématiques n'étaient pas son fort. Elle aurait pu y comprendre quelque chose, mais tout allait toujours trop vite. Et plus elle tentait de déchiffrer les problèmes, plus elle se perdait dans le dédale des équations.

Bien sûr, elle s'efforçait toujours de suivre la classe. Cependant, la plupart du temps, elle se retrouvait rapidement essoufflée au beau milieu de l'explication de la matière. Alors, impuissante, elle lâchait prise, comme une coureuse qui n'arrive plus à suivre le peloton d'un marathon et qui finit par regarder les autres s'éloigner.

Néanmoins, elle était convaincue qu'elle pouvait le terminer, ce marathon. Elle ne pouvait simplement pas le faire aussi vite que les autres, voilà tout. Et c'est justement ce rythme lent qui ne faisait pas l'unanimité chez ses professeurs. « À quoi bon terminer si ce n'est pas pour gagner ? » lui disait-on.

Elle avança vers le tableau, prit une craie blanche et leva son bras vers l'équation. Elle réfléchit un instant.

– Je vois que mademoiselle a encore été trop occupée à rêver !

L'attaque était lancée. L'enfant baissa le bras et resta le nez contre le tableau, n'osant se retourner. Elle entendit derrière elle les élèves s'agiter sur leur chaise tandis que naissait un murmure narquois. On aurait dit une foule de curieux, excités, qui se seraient rassemblés en quelques instants autour d'une bagarre à peine amorcée.

La professeure, fatiguée de toujours répéter, d'être la seule autorité auprès de trente-cinq enfants en bas âge en mal d'amour, se laissa aller bien malgré elle à la cadence des encouragements de sa petite troupe.

– Mais à quoi est-ce que vous rêvez toute la journée ? Vous vous imaginez plus intelligente que tous les autres, si intelligente que vous n'avez pas besoin d'apprendre ? Eh bien, je vais vous dire, moi : bien au contraire, vous avez grand besoin d'écouter, car vous passez à peine vos matières, mademoiselle Sarah-je-sais-tout !

La classe pouffa de rire.

Sarah arrêta de respirer.

N'était-elle pas intelligente ? La danse, les mathématiques, ne réussissait-elle donc rien ? Alors qu'elle tenait encore la craie dans sa main, une grande honte de la force d'un ouragan la traversa. Puis, tout alla très vite.

Les fondements mêmes de l'océan de sa personne furent violemment secoués.

De grands bouts du magnifique corail qui habillait son âme furent immédiatement arrachés.

Et comme une automate, elle pivota vers la classe.

Elle prit une grande respiration et se lança, elle aussi, dans un grand éclat de rire. Ce qui eut pour effet de stopper net la lancée de la professeure. Puis, les yeux de Sarah embrassèrent tous les élèves, comme pour confirmer qu'elle faisait bien partie de leur bande et que l'objet de la risée n'était pas elle mais bien ce que l'enseignante venait de dire.

Cela fonctionna.

Les enfants se tournèrent vers l'institutrice et Sarah put respirer à nouveau. Elle avait gardé intacte son appartenance au groupe.

Mais elle sentit tout à coup les grosses gouttes de sueur qui perlaient le long de son dos. Son corps tremblait. Ses mains étaient moites.

Elle sentit qu'elle n'était plus tout à fait la même.

Elle riait en chœur avec les enfants, non pas de ce rire forcé mais bien en groupe, avec eux. Elle comprit que la force de la tempête de la honte avait été si grande qu'en quelques secondes, une partie d'elle avait été détruite à jamais et qu'une autre avait été laissée au passage. Elle serait maintenant parfaite et on ne rirait plus jamais d'elle. Elle était acceptée.

Ainsi, en quelques minutes, son premier masque venait d'être appliqué sur sa personnalité.

Elle retourna à sa place, forte de son nouveau trait de caractère mais encore consciente de la blessure à vif qu'avait laissé le corail arraché. Et ce fut cette douleur faible, presque éteinte, qui lui fit prendre la décision de répondre aux questions de sa tante. Car, alors que sa vraie personnalité disparaissait peu à peu, voilà que la volonté de survivre naissait en elle.

Il lui apparut soudainement que de révéler à sa tante la nature de son plan serait une excellente idée. Cela lui assurerait que sa vraie personnalité resterait à tout le moins gravée dans le souvenir de quelqu'un.

Elle prit le reste de la matinée pour réfléchir à ce qu'elle allait faire.

À l'heure du lunch, Sarah se rendit à la bibliothèque. Devant un ordinateur, elle grignota rapidement son sandwich au pain de blé entier fourré de tofu et de luzerne biologique fraîche. Elle n'avait pas de dessert, sa mère l'encourageait à perdre du poids, mais elle engloutit ses deux gélules d'oméga 3.

Sa tante était partie, cela ne faisait aucun doute. Elle savait qu'elle avait téléphoné d'un aéroport. La meilleure façon de la joindre était donc de lui envoyer un courrier électronique.

Tante Sydney,

Je ne t'ai pas dit la vérité ce matin. C'est parce que je ne peux pas parler de ce que je suis en train de faire. C'est un secret. Tu comprends? Mais j'ai décidé de te faire confiance, parce que tu fais partie des personnes les plus importantes dans ma vie et que tu es la seule à avoir deviné mon plan. Mais tu dois me promettre de ne rien dire à maman. D'accord?

Alors, oui, tu as raison, je suis en train de changer et c'est, comme je te l'ai dit, parce que je n'ai pas le choix, parce qu'il le faut. Il me semble que quoi que je fasse naturellement, je n'arrive pas à faire plaisir à qui que ce soit. Je n'arrive pas à être à la hauteur des attentes que l'on a de moi. Que ce soit dans le cours de ballet, dans la classe de mathématiques, à la maison. Je dois changer. Cela fait déjà quelque temps que j'y pense.

La vérité, c'est que je suis contente de savoir que je vais pouvoir changer et que, enfin, je serai aimée par tout le monde. C'est très important.

J'ai adopté un nouveau trait de personnalité ce matin. Cela s'est passé plus vite que je ne le pensais, mais je n'ai pas eu d'autre choix que de le faire tout de suite. J'en ai deux autres à développer et puis tout sera terminé. Je me demande si je réussirai à oublier comment j'étais avant.

Où es-tu partie, tante Sydney ? Je n'ai rien dit à personne. Tu peux compter sur moi. Tu me manques, tante Sydney, tu es la seule à qui je peux parler.

Sarah

14

Neuilly-sur-Seine, France, 1940

Agenouillée dans l'herbe humectée par l'aurore, elle jeta autour d'elle un regard furtif. Il n'y avait pas âme qui vive dans ce champ. Et cachées sous les lourdes branches d'un grand saule pleureur, elles étaient, pour le moment, à l'abri.

– C'est bon, dit-elle en rampant vers sa cousine, je crois que nous sommes seules. Il faut faire vite, nous n'avons pas beaucoup de temps.

Elle regarda Judith qui tremblait de peur et dont le visage se convulsait en de vilaines grimaces. Elle prit sa petite main dans la sienne. Cela faisait plus d'une année maintenant qu'elles étaient en France et Martha n'en revenait toujours pas de la présence de sa cousine auprès d'elle.

Cet horrible après-midi où elle avait suivi Albert dans la carriole était loin derrière elle. Doucement, au gré des jours sombres de la guerre, ce souvenir était devenu comme un songe qui s'embrumait dans sa tête. Mais, malgré cela, elle revoyait encore la scène où, juste avant de fouetter les chevaux et de donner le signal du départ, Albert avait eu un regard pour Judith. Il avait lancé d'une voix froide, poussant sa chance au-delà des limites permises :

– Si vous voulez, je la prends aussi. Cela en fera bien deux de sauvées !

Une bousculade et des cris de désespoir avaient suivi. Martha qui avait observé la scène sans bouger, avait eu l'impression que quelques secondes seulement avaient suffi pour que Judith se retrouvât près d'elle, en larmes. Le cheval, tirant la carriole, était parti au trot, et alors que sa cousine n'avait cessé de regarder derrière elle, Martha ne s'était jamais retournée vers ceux qui n'avaient pas su la protéger.

Elle avait levé la tête froidement et défié du regard son mari, comme pour lui dire :

– Je suis là, mais tu ne m'auras pas !

Toutefois, Albert, peut-être tenaillé lui-même par les tensions de la guerre, n'avait même pas attendu d'arriver à Neuilly-sur-Seine pour dévoiler toute sa personnalité perfide. Et c'est sur le bord de la route, à quelques heures à peine de Ploska, qu'il avait pris sa femme pour la première fois, pressant fermement son visage contre le bois rude de la carriole d'une main et tenant ses jupes de l'autre. Sous les yeux horrifiés de Judith, la joue gauche de Martha s'était lentement lacérée sur la charrette, suivant encore et encore les mouvements de jouissance d'Albert.

Et aujourd'hui, dans la lumière du matin qui allait et venait au rythme du doux mouvement des branches de l'arbre, sa cicatrice était un cruel rappel de cett événement.

Oui, cela faisait une année qu'elles étaient là et rien de ce qu'Albert avait promis ne s'était réalisé. Aucune situation ne l'attendait en France, aucune villa non plus, sinon un petit appartement poisseux, suintant la misère et ayant pignon au 5, rue du Chagrin. Une rue dont le seul nom donnait à Martha la nausée.

Elle avait compris rapidement que tout n'avait été que mensonge. À leur arrivée, Albert avait ouvert la porte et les avait poussées à l'intérieur de la grande pièce principale. Fatiguée de son voyage, une plaie ouverte sur la joue, les épaules raidies par l'étreinte de sa cousine accrochée à elle depuis la Roumanie, elle n'avait eu besoin que d'un regard vers Albert pour tout saisir. Il avait eu un rire fourbe.

– Vous n'avez tout de même pas cru que je disais la vérité ?

Judith, naïvement, s'était écriée :

– Mais Albert, vous avez dit à papa que…

– Idiote ! Je ne veux rien entendre. Et vous allez me nettoyer tout ça, maintenant ! Je veux dormir dans des draps propres ce soir !

Il avait parlé d'un ton sec et, avec sa cousine qui était venue se blottir dans ses bras, Martha n'avait pas osé répondre. Elle avait vu dans ses yeux que les coups n'allaient pas tarder et qu'il valait mieux repousser ce moment le plus longtemps possible.

– Je reviens dans deux heures! avait-il lâché en refermant la porte d'un grand coup, créant derrière lui un joli mouvement de poussière silencieuse qui avait virevolté dans la lumière du jour sous le regard ébahi des deux cousines.

Quelques jours à peine après leur arrivée, alors que Martha se creusait la tête pour trouver un moyen de se sortir de cette prison et de retourner en Roumanie, la nouvelle lui était parvenue que les frontières françaises étaient maintenant fermées. Plus personne n'entrait, plus personne ne sortait.

Les anciennes alliances entre la Roumanie et la France ne pouvaient plus être maintenues, et son pays natal se retrouvait seul devant l'URSS. Les juifs, avait-elle entendu dire, devaient maintenant porter l'étoile jaune à leur bras. La situation était sans issue. Avec nulle part où aller, sans argent, et surtout ne pouvant se faire remarquer, Martha et Judith avaient dû prendre leur mal en patience.

Une longue année de dénuement avait suivi, pendant laquelle les deux cousines avaient travaillé sans relâche afin de pouvoir payer et conserver le vieil appartement. Un humble toit, juste ce qu'il fallait de nourriture, voilà ce que, à deux, elles réussissaient à obtenir à la sueur de leur front.

Mais même si les journées de travail étaient longues et rudes, le plus horrible était ce qui les attendait le soir, quand Albert, abruti par sa journée d'alcool et de cartes, s'amusait à lancer un sou en l'air, riant de toutes ses dents qui jaunissaient à mesure que sa barbarie augmentait.

– Pile, soupirait Martha.

– Face, répondait Judith hébétée.

Et elles levaient toutes deux la tête, priant que, pour une fois, le sou serait subitement happé par un coup de vent salvateur et entraîné par la fenêtre. Mais il retombait toujours au sol, pointant du doigt celle qui, ce soir-là, devrait satisfaire l'homme de la maison.

Malgré le verdict du jour, ni l'une ni l'autre n'était jamais soulagée de se savoir épargnée. Puisque si l'une était forcée de se donner, l'autre était contrainte à tout entendre, sachant que son tour viendrait bientôt. Dans un cas comme dans l'autre, elles étaient toutes deux, chaque jour, violées.

Martha revint à elle-même et secoua la tête. Tout cela faisait maintenant partie du passé et seul le moment présent, avec ce qu'il offrait de possibilités, était important. Sa cousine approcha son petit visage défait.

— Qu'allons-nous faire, Martha ? dit Judith d'un air paniqué. C'est la guerre, nous sommes seules, nous n'avons nulle part où aller. Es-tu certaine que la fuite est la meilleure solution ?

— Judith, écoute-moi bien. Cela fait des semaines que je pense à un plan. Tu devras faire exactement ce que je dis, c'est bien compris ?

Judith s'agita. Martha l'agrippa par les épaules et la secoua très fort.

— Est-ce que tu préfères retourner chez Albert avec ce qui t'y attend tous les jours ? dit-elle avec véhémence.

— Non, Mati, non ! D'accord, je suis calme maintenant, je t'écoute.

— Voilà. J'ai caché de l'argent il y a quelque temps et depuis, j'ai pu mettre de côté plusieurs francs.

Sa cousine eut un air ébahi en voyant sortir une épaisse liasse de billets des poches de Martha.

— Mais comment as-tu fait ?

— Écoute-moi, Judith. Nous devons changer, toi et moi. Nous ne pouvons plus être les mêmes personnes. Il nous faudra beaucoup de courage, de sang-froid et de détachement pour fuir Albert et la guerre.

Elle hésita un moment.

— Écoute, j'ai pensé à des traits de caractère qui nous permettront de traverser tout cela plus facilement. J'ai écrit, pour toi et pour moi, quels seront les masques que nous devrons porter.

— Des masques ? Mais Mati, de quoi est-ce que tu parles ?

— Judith, je t'en supplie, essaie de comprendre !

Martha était exaspérée par la situation. Elle mit sa main sur sa joue ; sa cicatrice la faisait soudainement souffrir.

Mais comment expliquer à sa cousine qu'il y avait quelques semaines, alors qu'elle astiquait le plancher à s'en écorcher la peau des genoux, elle était tombée sur une dalle dont un des coins s'était décollé? Comment lui expliquer qu'elle avait tiré sur celui-ci pour découvrir sous la dalle une grande enveloppe chiffonnée par le temps?

Elle regarda sa cousine quelques instants. Judith respirait péniblement et attendait que Martha poursuivît. Mais celle-ci resta silencieuse.

C'était un de ces après-midi pendant lesquels Martha se retrouvait seule avec la corvée du ménage. Ce jour-là, alors qu'elle avait dégagé l'enveloppe coincée sous la dalle, elle avait repoussé le seau d'eau noircie, posé sa brosse, et s'était assise sur le plancher savonneux, intriguée.

Elle avait ouvert doucement le paquet et c'est sans voix qu'elle s'était laissée emporter par le contenu de la lettre. Un jeune homme en était l'auteur. Dans un dernier espoir, il avait confié son histoire à qui voudrait bien la lire. Il abandonnait dans cette lettre son âme, sa personne, pour se sauver, pour rester vivant.

C'est là que Martha avait compris qu'il était possible de se transformer, de se métamorphoser pour mieux faire face à l'horreur. Comme on change de chemise, il lui était possible de changer de personnalité.

– Il faut nous séparer, lâcha-t-elle d'un bloc.

– Quoi?! Qu'est-ce que tu dis? cria Judith.

– Nous allons prendre un autre nom et nous allons partir chacune de notre côté. C'est plus prudent. Nous nous retrouverons à la fin de la guerre, à Paris, pour rentrer chez nous en Roumanie.

– Non, Mati, pas toi, ne me laisse pas toute seule, je ne pourrai pas!

– Il le faut, Judith, il le faut. Il faut que tu changes, que tu deviennes forte, mesquine, égoïste, parce que même moi, je ne pourrai pas te protéger!

Il y eut un long silence, pendant lequel Judith pleura doucement. Martha regarda une fois de plus autour d'elle. Le jour était maintenant pleinement levé, le temps pressait.

– Judith, j'ai préparé deux enveloppes. Chacune d'elles comprend notre vraie personnalité et celle que nous nous apprêtons à prendre. Quand nous nous retrouverons, à Paris, alors que la guerre sera finie, il sera très important que nous échangions ces enveloppes, pour que nous puissions revenir à nous, à qui nous sommes vraiment. Tu comprends, Judith ?

– Je crois, oui.

Martha lui remit une des deux enveloppes ainsi que la moitié de la liasse de billets.

– Donne-moi ta main, Judith, et ensemble, enfilons ces masques.

– Ce sont les mêmes ? demanda-t-elle d'une petite voix d'enfant.

– Oui, je me suis dit que ce serait plus simple, répondit Martha, esquissant pour la première fois un petit sourire espiègle.

– Et comment les mettons-nous ?

– Ferme tes yeux, Judith, et écoute ma voix.

Ce furent deux jeunes filles différentes qui se relevèrent alors que le vent se mettait à siffler. Elles se regardèrent une dernière fois puis coururent, chacune de leur côté, sans jamais se retourner, en serrant sur leur poitrine une enveloppe.

Elles s'étaient toutes deux juré de n'arrêter de courir que lorsque la nuit serait venue.

15

CÔTE D'AZUR, FRANCE, 2005

– C'est là qu'on s'est connus, moi qui criais famine et toi qui posais nue... la bohèmeuuuu, la bohèmeuuuu, ça voulait dire, on est heureux...

J'avais emprunté la route de la basse corniche, en bord de mer, et je filais à toute allure entre l'océan et les montagnes, souriant de me sentir si près de moi-même. Le soleil me réchauffait l'âme et la Côte d'Azur semblait m'accueillir en son sein en me prodiguant mille attentions colorées.

Je respirais profondément l'air salin en chantonnant l'air d'Aznavour qui passait à la radio.

La crise qui m'avait secouée était loin derrière moi et, déjà, j'étais plus forte d'avoir gagné.

– Je suis là.

– Jack?

– Oui.

– Mais qu'est-ce qui se passe, Jack? Il n'y a que toi qui sois de mon côté? Tous les autres sont contre moi?

– C'est à peu près cela, oui.

– Mais qui sont-ils?

– Oh, y en a pour tous les goûts! Y a les ministres de la Culpabilité et de l'Inquiétude, que tu as déjà rencontrées, y a ceux de l'Atteinte de la Perfection, du Doute Affreux, de la Peur de Faire Rire de Soi, de la Honte Suprême, du Conform...

– Ça va, ça va, je crois que j'ai compris. Alors, toi, tu es...

– Besoin de s'Aimer, pour vous servir !

– Et ministre aussi ?

– Euh… non, pas moi.

– Mais, pourquoi m'as-tu dit que ton nom était Jack ?

– C'était pour passer incognito. Parce que Besoin de s'Aimer, tu sais, avec un nom pareil, je ne me fais pas souvent appeler à la Chambre des communes !

– Alors, c'est un gouvernement ?

– Enfin, personnellement, je trouve que ça ressemble davantage à une dictature…

Comment avais-je pu toutes ces années ne pas entendre le tapage du ministère de mes émotions ? Avais-je été à ce point occupée à tenter de me faire aimer que je n'avais même pas vu ni entendu ma personnalité périr sous le joug d'émotions despotes ?

Ma léthargie des vingt dernières années me sembla tout à coup impardonnable.

– Jack, que s'est-il passé, tout à l'heure, dans les toilettes ?

– Nous nous sommes battus, ma belle ! Et pour une fois, nous avons gagné ! Je suis tellement fier de toi ! Allez, profite bien de ta journée et sois légère !

– Tu n'es plus fâché contre moi ?

– Non. Depuis que tu as sauté, je te trouve formidable !

– Jack ?

– Oui ?

– Où étais-tu ? Je veux dire, pendant toutes ces années ?

– …

– Tu ne réponds pas ?

– C'est que… c'était affreux. Il y a eu un putsch. Tout le système a été renversé. C'est toi-même qui as donné le pouvoir à Culpabilité, j'ai vu le mémo de mes propres yeux. J'ai été expatrié.

– Expatrié ?

– Oui. Exilé, banni, viré ! Mais… t'en fais pas. J'ai survécu. Et puis, avec quelques potes, on s'est retrouvés.

– Des potes ?

– Oui, des potes. J'ai des amis, tu sais, je suis pas nul à ce point-là ! Confiance en Soi, Courage de se Pardonner, et d'autres, on a fini par former une sorte de résistance. Et me voilà.

– Vous êtes tous de retour?

– Oui, mais bon, pas tout à fait réhabilités, si tu vois ce que je veux dire. Allez, assez pour aujourd'hui! Sois légère, j'te dis!

Oui, il était facile de se sentir légère. Cet état d'esprit semblait si accessible et, une fois que l'on y était, si vaste et accueillant que je ne comprenais pas pourquoi je n'y restais pas tout naturellement, en tout temps.

« Sois légère », m'encourageait Jack.

Ne serait-il pas agréable de pouvoir jouir de cette légèreté, ne serait-ce que jusqu'à la fin de la journée?

J'y étais bien décidée.

Et c'est avec beaucoup d'émotions et surtout en souriant de toutes mes dents que je sonnai chez miss Greich, au 20, avenue de Verdun, appartement 5.

Il était 16 h.

Ma main tremblait, j'étais encore sous le choc.

C'est que j'étais montée au cinquième étage par un petit ascenseur minuscule. Un obstacle qui m'avait laissée sans voix pendant de longues minutes. J'avais une peur maladive des endroits restreints. Et alors que les portes s'étaient ouvertes devant moi, l'habitacle lilliputien m'avait fait l'effet d'un monstrueux tombeau dont je ne sortirais pas vivante.

J'avais regardé autour de moi. Aucune cage d'escalier en vue.

– Pas de panique, avais-je balbutié pour moi-même, si je me suis rendue jusqu'ici, alors tout est possible.

J'avais retenu d'une main la porte qui se refermait. J'avais posé un pied chancelant dans l'ascenseur, puis le deuxième. Alors que je m'agrippais à mon sac de toutes mes forces et que les portes se refermaient pour, me semblait-il, m'emmurer vivante, je m'étais demandé si, à dix ans, j'aurais éprouvé la même peur.

Sydney m'avait répondu: *N'écoute que moi, n'écoute que moi!*

Ainsi, lorsque je sonnai à la porte de miss Greich, je souriais de cette immense fierté que l'on ressent lorsque l'on a surmonté une grande peur. Ce courage était neuf, je le savais. Car jamais, il y a quelques jours à peine, je n'aurais grimpé dans cet ascenseur.

Je changeais, lentement.

Cela faisait trois jours exactement que j'avais reçu une lettre de moi-même.

J'attendis plusieurs minutes, haletante, si bien que la lumière du couloir s'éteignit et me plongea dans l'obscurité. Je sonnai de nouveau. Tout ce voyage et il n'y avait personne pour me répondre? Je me dandinais sur un pied, puis sur l'autre, nerveuse. Sans que je m'en aperçoive, un petit point s'installait en catimini au fond de mon âme.

C'était le ministre du Doute Affreux.

Un bruit de porte me fit tourner la tête subitement. Une voix faible s'éleva du fond du couloir.

– Miss Greich n'est pas là aujourd'hui, elle est chez sa cousine, à Paris.

– Elle n'est pas là! répétai-je, surprise qu'elle ne soit pas à ce rendez-vous crucial avec le destin. Est-ce que vous l'attendez bientôt? dis-je en scrutant le long couloir ténébreux.

Doute Affreux prenait du poids à une vitesse vertigineuse. Les idées les plus obscures se bousculaient dans ma tête et mon imagination vagabondait dans les tranchées de mes belles résolutions. Je regardai mes pieds, pris une grande respiration et relevai la tête. Non! Il n'était pas question que je retourne en enfer aujourd'hui!

Je demeurerais dans cet état d'esprit de paix, coûte que coûte!

Du revers de ma détermination, j'écrasai Doute Affreux d'une grande claque. Comme on aplatit une abeille qui en est tout juste à installer son dard.

– Aïe! Mais ça va pas, la tête! Vous êtes malade!

– Ce n'est qu'un avertissement, Doute Affreux, et va dire aux autres que je ne me laisserai pas faire! Ah… hum, c'est… monsieur le ministr…

– Du vent!

Des pas se rapprochèrent. Une boule de poil, qui me chatouilla la cheville, me fit sursauter. Et avant que je ne puisse me pencher pour voir ce que c'était, la lumière se fit et une vieille dame apparut, là, à quelques pas de moi.

Je lâchai un cri de surprise en apercevant un petit chien noir qui se mit aussitôt à aboyer de toutes ses forces.

– N'ayez pas peur, mademoiselle, je ne suis que la voisine, fit la vieille dame avec un sourire amusé en se montrant du doigt comme pour souligner qu'avec son âge, il était bien inutile de la redouter. Et puis, lui, continua-t-elle, c'est Rubis, il est aussi vieux que moi, mais en plus moche !

– Je suis désolée, madame, je n'ai pas voulu crier comme cela, c'est sorti tout seul ! Ce doit être la fatigue et le décalage horaire.

– Ah, mais vous devez être Sydney ?

Mon cœur bondit. Les aboiements du petit chien se firent encore plus forts et aigus. Ainsi, on m'attendait ! Toute cette histoire était donc vraie ! Je ne pouvais plus douter à présent, la preuve était là, devant moi, irréfutable.

On m'attendait !

– Oui, c'est moi, dis-je fièrement.

– Mais, il fallait le dire tout de suite ! Miss Greich espérait votre arrivée depuis plusieurs jours, mais une urgence l'a appelée auprès de sa cousine. Elle m'a demandé de vous faire savoir qu'elle serait de retour demain et elle vous prie de passer vers 17 h.

– J'y serai. Madame ?…

– Madame d'Agostini, termina la vieille dame en haussant la voix pour enterrer celle de son chien.

L'obscurité se fit de nouveau alors que les jappements de Rubis persistaient et bondissaient sur les murs en échos stridents.

– Madame d'Agostini, merci ! criai-je.

La voisine récupéra son chien, le blottit au creux de ses bras et s'en alla dans la pénombre en tentant de le calmer.

Déterminée à garder le sourire, forte de ma foi naissante, mais tout de même épuisée par le vol, par l'incident des toilettes et par Rubis, je retrouvai l'air frais sur la place publique, qui sentait bon les fleurs et le soleil.

La haute saison commençait à peine, l'été arrivait et, comme moi, on aurait dit que Menton explosait d'une joie nouvelle. Je regardai autour de moi et m'avançai d'un pas ferme vers le modeste hôtel Chambord, situé en face. Je pris une chambre donnant sur l'avenue de Verdun et m'effondrai sur le grand lit.

Les paupières lourdes, affalée sur les oreillers, il me vint à l'esprit que je n'avais toujours pas répondu à la deuxième question de la lettre. Qui étaient-elles, ces premières personnes, à l'extérieur de ma famille, dont je pouvais me souvenir ?

Et tandis que je me laissai doucement glisser, sans même m'être dévêtue, dans les bras cotonneux de Morphée, je me rappelai.

Bizarrement, ce qui remonta la pente escarpée de ma mémoire furent les souvenirs de mes amis de la petite école. Une bande bigarrée, en apparence joyeuse. Mais à quel point, je m'en rendais compte aujourd'hui, souffrante déjà des pires maux de la folie sociale.

Christine, la brillante élève ensevelie sous la pauvreté; Juliette, la jolie artiste prisonnière du conformisme; Sandra, la gymnaste étoile de l'école, celle dont je rêverai d'être l'amie tout au long des six années passées dans cette école; Sophie, la libertine pressée d'être une adulte; et puis tous les autres.

Était-ce ce petit groupe éclectique qui m'avait amenée à enfiler des masques?

Tout à coup, je ne doutai plus de l'étendue de leur ascendant sur mes choix de nouvelles personnalités.

Car même avec eux, dans un petit coin reculé d'une banlieue insignifiante de Montréal, j'avais tenté, par des efforts qui me semblaient aujourd'hui surhumains, de me faire accepter, de me faire aimer. Et même là, surtout là, j'avais été impitoyablement et inlassablement rejetée.

Comme j'avais voulu, durant toute ma vie, leur prouver, à tous ces enfants, à quel point j'en valais la peine.

Je me rappelai subitement que Sophie avait organisé une petite fête dans son garage de la rue Norduin, situé juste de l'autre côté du parc, centre de l'univers pour nous, petits humains de l'époque. Aujourd'hui, je sais bien que j'avais été invitée pour la seule et unique raison que je possédais un petit tourne-disque portatif. Je me rappelai avoir transporté mon petit paquet tout en marchant les quelques minutes qui me séparaient de la maison de Sophie, et ce, dans un grand état de fierté. J'étais invitée à une fête, enfin!

J'avais cogné à la porte du garage, on avait ouvert en la faisant glisser vers le haut, et puis, miracle, on m'avait accueillie chaudement.

– Mon Dieu, qu'est-ce qui se passe? avais-je demandé, surexcitée.

– Mais, c'est toi qui apportes la musique, m'avaient-ils répondu, c'est super!

Quel souvenir idiot!

Quelle ridicule bande d'amis!

Nous étions tous là, petits enfants, cherchant déjà avec quoi combler le grand vide que nous causait notre solitude émotive. Trahis par les grands, comment pouvions-nous avoir confiance en nous, les petits?

Non, ces enfants ne m'avaient rien apporté que d'affreux complexes avec lesquels je me débattais toujours.

Et ces «amis», où étaient-ils aujourd'hui? Étaient-ils aux prises, eux aussi, avec les séquelles d'une enfance troublée? Étaient-ils, eux aussi, quelque part sur la planète à la recherche de leur véritable personne?

Nous étions tous là, dans un garage. Nous aurions peut-être pu nous entraider. Malheureusement, nous n'avions fait que ce que nous savions faire.

Déjà sourds, nous n'avions pas entendu l'imploration de notre identité. Déjà aveugles, nous n'avions pas vu la détresse des autres. Puis, insensibles, nous avions masqué nos personnes.

Nous étions déjà, je le comprenais bien aujourd'hui, tous aussi blessés les uns que les autres.

Ainsi, avec ce souvenir, j'entrevoyais enfin peut-être à quel point, si ma honte était grande, celle des autres devait être tout aussi imposante.

À cette triste pensée, je m'endormis profondément. Je venais de saisir enfin que petits et grands, nous étions tous souffrants.

16

Paris, France, 2005

La vieille dame se pencha vers l'avant et prit doucement la main de sa cousine dans la sienne. Judith lui rendit son geste d'affection en souriant, comme pour lui dire que tout allait bien.

Martha avait de minces cheveux blancs coiffés vers l'arrière. Son visage diaphane laissait voir mille petites veines qui semblaient danser en de minuscules ruisseaux pourpres. Sur sa joue, les faibles traits d'une vieille cicatrice s'entêtaient à ne pas disparaître. Un fossile porteur d'histoire pris dans la roche du temps.

Elle humecta ses petites lèvres fines et pensa soudainement, en regardant sa cousine alitée, qu'elles étaient vieilles et que, bientôt, tout serait fini.

Elle soupira.

Elle avait quatre-vingt-deux ans.

– Tu sais, Judith, je viens d'avoir madame d'Agostini au téléphone. La petite Sydney Hughes est enfin à Menton.

– C'est pas vrai! Ah! Ainsi donc, voici la boucle qui se referme! répondit Judith, d'un air satisfait. Votre rencontre doit bien dater de vingt ans, maintenant?

– Oui, dit Martha en replaçant les couvertures.

– Vingt ans, répéta Judith d'un ton rêveur. Oui, je me rappelle bien cette petite, sur ce bateau. Mais, j'y pense, cela lui donne au moins trente ans aujourd'hui!

– C'est exact, dit-elle en se levant du lit pour s'installer plus confortablement au creux de la vieille chaise berçante qui trônait dans le coin de la pièce. Le hasard a drôlement fait les choses, tu ne trouves pas ?

— Au contraire, s'insurgea doucement Judith, je crois que le hasard nous a été favorable ! Tu étais la personne qu'il fallait pour aider cette petite.

Elle s'arrêta un moment, prise par ses réflexions.

— Mati, es-tu prête à la recevoir maintenant ? continua-t-elle.

— Oui, je la rencontre demain. Je devrai donc te quitter pour quelques jours.

— Va, va, c'est important. C'est un cheminement essentiel, marmonna Judith, hésitant entre la peur de mourir seule et le bonheur de savoir que quelqu'un renaissait.

Martha hocha la tête, perdue dans ses pensées. Une parade d'images lui traversait l'esprit. Quelques souvenirs enfouis qui refaisaient surface de temps à autre pour lui rappeler sa transformation à elle, une transformation cachée sous un saule pleureur à l'orée d'un champ de blé, soixante-cinq ans plus tôt.

Pendant toutes ces années de fuite, une chose lui avait donné du courage, une chose l'avait portée à bout de bras à travers les corps morts et les refuges, et lui avait permis de supporter la faim. Cette enveloppe qu'elle transportait sous son corsage, l'identité même de sa cousine, son âme, elle la protégerait, coûte que coûte. Et elle avait prié, mon Dieu qu'elle avait prié, pour que sa cousine fît de même.

— Oh ! Arrête, espèce de vieille biche à tête dure ! marmonna Judith. Je sais bien à quoi tu penses. Mais dis-toi bien que tu as fait ce qu'il fallait. Tu t'es protégée de la meilleure manière possible et tu m'as sauvée par le fait même !

Martha regarda sa cousine avec une grande tendresse, comme celle, protectrice, qu'éprouve une sœur pour sa cadette.

Elle n'avait retrouvé Judith que bien des années après la guerre, par un enchevêtrement inouï de hasards et de chance. Et les deux cousines, n'étant plus elles-mêmes, s'étaient longuement regardées, cherchant au fond de leurs yeux une lueur qui leur rappellerait leur profonde amitié.

La guerre avait fait ses ravages. La transformation les avait protégées. Et voilà que, après huit longues années à être quelqu'un de différent, elles étaient tombées dans les bras l'une de l'autre. Épuisées, elles avaient pleuré jusqu'à ce que se dissolve toute trace de la personnalité froide et dure dont elles ne voulaient plus.

– Oui, Judith, je sais. Mais parfois, il m'arrive de douter du bien-fondé de tout cela. Je me demande si nous nous sommes vraiment protégées, ou bien si nous n'avons pas simplement fermé les yeux pour ne pas voir la réalité en face.

– N'est-ce pas la même chose?

Martha sourit.

Oui, elles s'étaient protégées, mais est-ce que cela avait été utile? Car, lorsqu'elles s'étaient réveillées d'un long sommeil, telles des Belles au bois dormant, le choc avait été brutal. Si, à l'époque, Paris était prête à les accueillir, elles n'avaient cependant qu'une idée en tête, celle de retrouver leur famille en Bucovine.

Mais un horrible coup les heurta de plein fouet quand elles découvrirent qu'après la guerre, la Roumanie avait perdu près de trois millions d'habitants! Pire, une grande partie de la Bucovine, incluant tout leur domaine, appartenait maintenant à l'Ukraine communiste. Ainsi, s'il leur était possible de s'y rendre, jamais elles ne pourraient en sortir.

Et qui de leur famille était vivant? Qui était mort?

Jamais elles ne le sauraient.

Voyant le regard triste de sa cousine, et sentant ce qui se préparait dans la tête de celle-ci, Judith s'emporta.

– Ah! Tu ne vas pas recommencer avec tes histoires d'enfance joyeuse, de longs repas en famille, de magnifiques terres à perte de vue! Tu te fais du mal pour rien. Il est certain que sans l'horreur de la guerre, nous aurions probablement continué à grandir tranquillement, telles que nous étions, heureuses et entourées de la chaleur de nos familles. Mais la vie en a décidé autrement. Et puis, il n'y a pas seulement la guerre qui force les transformations. Ne l'oublie pas!

– Oui, fit Martha, surprise de la réaction enflammée de sa cousine.

– Tu l'as bien vu, continua Judith qui commençait à s'agiter dans son lit, avec la petite Hughes, c'était prévisible du troisième pont d'où nous l'observions!

Oui. Mais justement, n'avait-elle pas été trop loin avec Sydney Hughes? N'avait-elle pas poussé jusqu'à l'extrême ce jeu des masques? Elle n'avait voulu qu'aider cette enfant, mais que savait-elle au fond de ce procédé où il était possible de se transformer pour échapper à la douleur? Que savait-elle sinon ce qu'avait raconté Jacques Ledoyen dans sa lettre, celle-là même qu'elle avait retrouvée sous la dalle, au 5, rue du Chagrin? Si cela avait marché pour elle et sa cousine, comment pouvait-elle être certaine que cela fonctionnerait pour Sydney?

– Mon Dieu, Judith, qu'ai-je fait? J'ai joué à Dieu alors que je n'en avais pas le droit!

Martha se leva bien droite, horrifiée tout à coup de ses actes passés.

– Peut-être que Sydney ne s'en remettra pas, peut-être que j'ai mal fait, que j'ai mal agi? Judith…

Sa voix s'étouffa dans un gémissement et elle s'effondra sur sa chaise, sanglotant, le visage réfugié au creux de ses vieilles mains tremblantes.

– Martha, écoute-moi bien, dit Judith en se redressant péniblement sur son coude. Regarde-moi. Écoute bien ce que je vais te dire.

Martha s'arrêta un moment, surprise de l'autorité qui émanait de la voix d'habitude si douce de sa cousine. Elle attendit en retenant ses larmes.

– Tu n'as rien fait d'autre que d'enclencher un processus qui, avec ou sans toi, se serait enclenché de toute façon. Tu comprends? Avec ou sans toi…

– Mais, Judith, qu'est-ce que tu racontes, qu'est-ce que tu en sais?

– Parce que ceci est beaucoup plus grand que toi et moi. C'est… c'est un réseau.

– Un quoi? Judith, arrête, c'est la fièvre qui te fait parler, tu…

– Mati! Crois-tu vraiment que Jacques Ledoyen, toi, moi et Sydney Hughes soyons les seuls à avoir eux l'idée de se mettre des masques, de changer pour ne plus souffrir?

– Mais comment sais-tu cela?

– Pendant les années où nous avons été séparées, on m'a demandé d'être la gardienne de la vérité d'un enfant.

– Quoi! Mais, quand? Je veux dire, comment est-ce…

– Mais laisse-moi parler, bon sang! Oui, on m'a demandé d'être la gardienne de la vérité d'un petit garçon, pendant la guerre. Mais, je n'ai pas pu, Mati, je n'ai pas pu! Sachant que je n'étais pas moi-même, j'ai refusé. C'est bien pire que ce dont tu t'accuses. Moi, j'ai refusé de soutenir un enfant qui implorait mon aide!

Judith s'arrêta soudainement, prise d'une longue toux qui sonna creux au fond de sa poitrine, comme le glas de la mort qui résonne du fond de la campagne. Martha se précipita.

– Ne parle plus, ma chérie, repose-toi. Mon Dieu, Judith, que d'histoires, que de maux pour simplement mieux vivre!

Mais Judith leva la main en signe de protestation et regarda vers le ciel pour montrer son impatience envers les lamentations de sa cousine.

– Tu dois t'occuper de cette petite, Mati. Tu t'y es engagée! souffla-t-elle dans un filet de voix.

– D'accord, d'accord, j'irai, c'est promis. En attendant, je me demande bien qui de nous deux est la vieille biche à tête dure!

Judith s'arrêta dans sa toux, éblouie.

– Martha, c'est merveilleux, je crois que tu viens de faire une blague!

Et les deux vieilles dames rirent, l'une plus fort que l'autre, en se serrant les mains.

17

MONTRÉAL, CANADA, 2005

Il tournait en rond d'un pas fébrile dans le salon. Sa femme, épuisée, s'effondra sur le divan, lasse d'essayer de calmer son mari.

– Mais où est-elle passée, bon sang ? On ne part pas comme ça sans rien dire !

Il se tourna brusquement vers son épouse.

– Répète-moi exactement ce que Nicolas t'a dit !

– Mais ça fait quinze fois que je te le dis, répondit-elle, abattue.

– Encore ! dit-il d'un ton sec.

Elle poussa un long soupir.

– Il m'a simplement dit que Sydney a laissé une lettre pendant la nuit, dans laquelle elle dit partir pour un long voyage, afin de se reposer. Le médecin a apparemment diagnostiqué un épuisement professionnel, plus tôt cette semaine.

Il maugréa. Tout cela n'avait aucun sens. Sa fille, normalement si droite, si organisée, comment avait-elle pu quitter soudainement son travail, sa vie, pour partir à l'aventure ? Et qu'est-ce que c'était que cette histoire d'épuisement professionnel ? Cela sortait de nulle part ! Sa fille ne lui avait même pas dit qu'elle était fatiguée !

Il s'arrêta devant la fenêtre. Il n'aimait pas cela. Cette situation sur laquelle il n'avait aucun contrôle ne lui disait rien qui vaille. Qu'allait penser son gendre ? Lui, si parfait, si

113

professionnel. Et le patron de Sydney? Mon Dieu, allait-elle perdre son emploi? Et lui, qu'allait-il raconter son entourage, à ses amis et à ses collègues?

Il se frappa dans la main. Comment avait-elle pu se conduire de la sorte? Surtout, comment avait-elle pu partir sans lui en parler d'abord, sans avoir obtenu son consentement?

Il ne pouvait s'agir que d'une autre de ses crises. Celles qui normalement ne duraient pas longtemps et pendant lesquelles elle finissait par venir le supplier de l'aider. Et en bon père, c'est ce qu'il faisait. Il la rassurait, lui disait qu'elle était la meilleure et qu'être autre chose que Sydney Hughes, chef des affaires financières, n'était même pas une option.

– Debout, Sydney, debout!

Et il était fier car, toujours, elle se relevait, docile. Elle prenait une grande respiration, levait la tête et se replongeait avec élégance dans le courant rapide de la vie trépidante qu'il avait créé pour elle.

Il regarda sa femme d'un air dédaigneux. Elle ne paraissait pas comprendre l'urgence de la situation. Une de leurs brebis s'était échappée et il fallait absolument la retrouver, la ramener dans l'enclos, bien au chaud. Il lui était impossible de reconnaître que celle-ci pût savoir où elle allait et pourquoi elle y allait.

– J'arrive, ma fille, pensa-t-il. Tiens bon.

18

MENTON, FRANCE, 2005

Je faisais les cent pas dans le long couloir sombre depuis quelques minutes.

Qui sait ce qui m'attendait ?

Peut-être n'y avait-il pas grand-chose finalement de l'autre côté de cette porte. Que quelques mots pour me dire que j'étais une fille tout ce qu'il y a de plus ordinaire, peut-être.

Ou peut-être, au contraire, y avait-il un nouvel univers qui s'ouvrirait devant moi grâce à la révélation de grands pouvoirs ? Un *alter ego* plus fort et supérieur qui m'amènerait d'infinies possibilités.

– Allez, ma grande, me dis-je d'un ton convaincant, c'est maintenant que ça se passe. Au diable les questions !

Je frappai quelques coups et j'attendis.

Silence de mort.

La porte s'ouvrit.

Enfin.

– Ah !

Miss Greich s'approcha de moi en trois petits pas. Je ne bougeai pas, médusée. La petite vieille ne s'en offusqua point et saisit mon visage de ses mains plissées. De toute ma hauteur, je me penchai et je plongeai mes yeux dans le regard de celle qui détenait mon secret.

Nous nous regardâmes un moment. L'une vieille ; l'autre jeune. L'une s'étant trouvée ; l'autre se cherchant encore.

Miss Greich sourit, satisfaite.

– Venez, il est grand temps que l'on se parle. Venez, venez, je nous ai préparé un petit apéro sur le balcon.

Je la suivis des yeux pendant quelques instants, troublée.

Il me sembla que la vieille dame m'attendait depuis longtemps et qu'elle me recevait chez elle aujourd'hui avec exultation. Elle avait pris le temps de se parer d'une jolie robe printanière à grosses fleurs qui épousait légèrement son corps, montrant la taille fine qu'elle avait conservée. Je remarquai également ses chaussures dorées sur lesquelles s'enlaçaient les deux C de Chanel.

– Vous savez, Sydney, dit miss Greich de son étrange accent, je n'achète que de la qualité !

Et elle sourit en pointant ses chaussures.

– Mais, ne restez pas là, venez, je vous dis !

L'appartement n'était pas grand et la décoration semblait sortir tout droit d'un roman de Dostoïevski. De lourds meubles bruns, une grande glace ornée de fioritures ainsi qu'un long divan de velours bleu clair usé trônaient dans la salle à manger.

Miss Greich éteignit au passage le téléviseur, franchit une porte-fenêtre coulissante et continua d'avancer jusque sur le balcon.

– Venez, venez, lança-t-elle de nouveau. Vous prendrez bien un petit apéritif. J'ai acheté spécialement pour votre venue un Martini rouge, et vous me donnerez des nouvelles de ces biscuits apéro que j'ai trouvé à Vintimille, du côté italien.

Je hochai la tête en souriant et suivis la vieille dame. Le balcon de miss Greich était étroit et rempli de plantes de toutes sortes qu'elle avait dispersées pêle-mêle. Les pots en terre cuite s'effritaient et annonçaient dangereusement leur mort prochaine. Mais les fleurs et les arbustes ne semblaient pas s'en formaliser et étalaient leur feuillage dans un joyeux cafouillis. Un véritable bazar végétal suspendu au-dessus de l'océan !

– Venez voir, Sydney, dit miss Greich en écartant quelques plantes, j'ai la plus belle vue de tout Menton !

De par son emplacement perpendiculaire à la mer, l'appartement de miss Greich surplombait l'avenue principale de Menton et offrait en un coup d'œil toute la majesté imposante de la Côte d'Azur.

– Mon balcon est un authentique tapis volant, ma chère. Je l'ai ramené moi-même de la Roumanie! Voulez-vous faire un tour?

– Avec plaisir!

– Eh bien, allez-y! Je vous laisse conduire, moi, je suis trop vieille!

Miss Greich me poussa doucement vers le rebord du balcon. Perplexe, je m'avançai prudemment jusqu'à la rambarde. Un panorama aérien sans pareil s'étala devant moi.

– Ouah!

Ce simple balcon offrait bien plus que son petit jardin et de sa balustrade, on y découvrait toute la richesse de ce village du sud de la France.

À gauche, le ciel se laissait croquer par les sommets imposants des Alpes-Maritimes. À droite, il se laissait chatouiller par les vagues de la solennelle Méditerranée! Mais, ce qui surprenait le plus, c'était cette chaleureuse sensation d'être lové au sein de l'eau, du ciel et de la terre. Dans cette alcôve de la nature, une douce quiétude vous enveloppait.

Et je fus heureuse tout à coup de faire partie de ce majestueux tableau.

– Tu vas pas nous faire le coup de la fille pâmée devant la nature! C'est d'un mauvais goût. Retourne à ton travail aux affaires financières, bon sang, c'est pas sérieux tout ça!

– Le ministre du Besoin d'Approbation?

– Présent!

– Foutez le camp!

Je me tournai vers miss Greich. D'une main tremblante, celle-ci tentait péniblement de nous servir un verre.

– Laissez-moi vous aider, dis-je doucement en retirant délicatement la bouteille de ses mains.

– Merci, Sydney. Vous n'avez pas vraiment changé, vous savez. À l'exception de votre taille, bien sûr!

Je souris en lui tendant une coupe. Je remarquai pour la première fois la vilaine cicatrice qui barrait sa joue. Elle esquiva mon regard.

– Alors, mon enfant, vous ne vous souvenez pas de moi?

Tout en l'observant, je cherchai dans mes souvenirs. Je m'adossai à la chaise et pris une gorgée.

– Non, fis-je après un moment. Je suis désolée!

– Alors, peut-être une croisière, au Mexique, lorsque vous aviez dix ans?

– Si, je me rappelle un peu de ce voyage!

– J'y étais, moi aussi, et c'est là que nous nous sommes rencontrées.

– Vous connaissez mes parents? Vous êtes de leurs amis?

– Non, pas exactement mais, oui, je les ai rencontrés au cours de cette croisière. Nous ne nous sommes plus jamais revus depuis. Vous et moi non plus, d'ailleurs.

– Mais alors, quel est le lien qui nous unit? Vous savez, j'ai reçu une lettre de moi-même dans laquelle je…

– Je sais, Sydney, interrompit la vieille dame, je sais. Mais, parlons plutôt de cette croisière. De quoi vous rappelez-vous? Comment était votre relation avec vos parents? Creusez dans vos souvenirs.

Je réfléchis un instant en regardant la mer au loin, scrutant l'horizon comme mon passé pour y trouver la lumière.

– Je me rappelle quand même une chose. Je n'avais le droit de sortir de ma cabine qu'à des heures très précises. J'ai dû faire quelque chose, une bêtise, et on m'a punie.

Les souvenirs revenaient peu à peu. Et miss Greich, sentant le flot du passé revenir dans les yeux de sa protégée, prit soin de me laisser parler sans m'interrompre.

– Je me souviens également, poursuivis-je, que mes parents ne cessaient de me rappeler que j'avais intérêt à me tenir tranquille et à être sage. C'était une pression horrible. Oui, ça me revient, ce voyage a été extrêmement pénible. J'ai payé cher la bêtise que j'ai pu faire par la monnaie d'une obéissance qui devait être sans faille.

– Et c'est là que je suis entrée en jeu, dit miss Greich. Vous pleuriez, toute seule sur le pont, lorsque je vous ai vue pour la première fois. Je vous ai consolée et nous sommes devenues des amies.

La vieille dame prit une longue gorgée de son Martini avec l'air d'une gamine au sourire malicieux. Rongée par ma curiosité, je ne pus me contenir plus longtemps.

– Je vous en prie, miss Greich, racontez-moi ce qui s'est passé. Dites-moi ce que je fais ici!

– Vous aviez déjà commencé à réfléchir à votre transformation quand je vous ai connue. Et ce voyage a tout bousculé pour vous. Nous en avons longuement discuté ensemble et vous m'avez demandé de vous aider. Vous m'avez chargée de vous envoyer l'enveloppe, celle que vous avez reçue, lorsque vous auriez trente ans. Vous m'avez également demandé de vous révéler votre premier masque afin que vous puissiez vous en libérer.

– Mon premier masque...

– Oui, votre premier masque. Il s'agit de l'Atteinte de la Perfection. Vous avez décidé que pour vous faire aimer et accepter de vos parents et de votre entourage, il vous fallait atteindre la perfection en toute chose. La perfection, absolument partout.

La vieille dame s'arrêta pour reprendre son souffle, comme si le seul fait de penser à une perfection absolue lui rendait la respiration plus difficile.

– Mais oui, bien sûr, dis-je, comme pour me défendre, je fais bien les choses, c'est tout.

– Oui, renchérit doucement miss Greich, tout ce qui mérite d'être fait mérite d'être bien fait, n'est-ce pas?

Les yeux perdus dans l'infini du bleu de l'océan, je levai brusquement la tête.

– Quoi? Qu'est-ce que vous avez dit?

– Vous m'avez bien comprise, Sydney, tout ce qui mérite d'être fait mérite d'être bien fait.

Je restai bouche bée devant ce petit bout de phrase. Un court-circuit venu tout droit du passé pour me frapper en plein visage. Une grande vague de souvenirs enfouis et oubliés me submergea et je demeurai silencieuse pendant de longues minutes.

Miss Greich attendit poliment, replaçant les plis de sa robe de ses mains tremblantes.

Des dizaines de scènes s'entrechoquaient dans ma tête. Je me vis, comme si c'était la veille, faire mon petit lit le matin. Mon père, implacable, derrière moi, jugeant mon travail imparfait, qui défaisait le tout en scandant sa phrase favorite aux saveurs de pensionnat.

– Tu sauras, ma petite fille, disait-il, que tout ce qui mérite d'être fait mérite d'être bien fait. Allez, recommence.

Honte. Culpabilité.

Et je m'exécutais de mon mieux, apeurée.

– Vous avez raison, miss Greich, dis-je d'une voix faible, je connais bien cette phrase. Et toute ma vie, j'ai tant travaillé pour que tout soit parfait, et surtout pour que l'on ne me réprimande pas, pour que je n'aie pas à recommencer!

– Oui, c'est bien cela. Et il est grand temps que cela change, mon enfant. Mon rôle est aujourd'hui de vous dire que la perfection comme vous la connaissez n'existe pas. Vous m'avez chargée de vous rappeler, et ce sont là vos propres mots, que vous êtes déjà parfaite. Et qu'à partir du moment où vous faites de votre mieux, au meilleur de votre connaissance, vous êtes la perfection. Est-ce que vous comprenez, Sydney, ce que j'essaie de vous expliquer?

J'avais cessé de regarder l'océan, car on aurait dit que l'infini de la mer me donnait le vertige et qu'une tempête d'émotions se préparait au fond de ma gorge.

– Sydney, vous saviez, avant votre transformation, que tout ce que vous faisiez était déjà parfait. Lorsque vous êtes née, vous étiez un joli bébé, parfait. Vous exprimiez vos émotions, vous adoriez votre corps, vous réclamiez sans aucune honte votre dû. Mais, vous avez également vite réalisé que cette perfection humaine n'était pas celle que l'on attendait de vous. On attendait de vous que vous soyez surhumaine!

Miss Greich posa sa main sur mon genou.

– Mais c'est fini, maintenant, Sydney. Vous pouvez retourner vers cette perfection tout à fait humaine, celle où l'on se donne la liberté d'exister tel que l'on est, déjà parfait!

Miss Greich avait un grand sourire et tapotait maintenant ma jambe de toute sa maigre force, comme pour me réveiller d'un long sommeil.

– Considérez cette révélation comme le baiser que le Prince Charmant dépose sur les lèvres de Blanche Neige! dit-elle en riant. Vous avez été empoisonnée; mais, maintenant, vous pouvez vous réveiller en toute confiance!

– Alors, ai-je murmuré, presque gênée de le dire de moi-même, je suis parfaite?

– Oui, vous êtes parfaite! Nous le sommes tous!

Je pris la main de la vieille dame alors qu'un sentiment merveilleux montait en moi et venait calmer la tempête à peine amorcée.

– Mais, hé, ho, qu'est-ce que c'est que ce charabia ? Tu ne vas pas y croire, quand même ! Sydney, bordel, arrive en ville ! C'est qui, cette mamie qui délire ?!!

– Foutez-moi la paix, j'ai dit !

Une douce sensation me gagnait peu à peu. Un sentiment que je n'avais pas ressenti depuis vingt ans. Celui d'apprécier qui j'étais, simplement. Sans avoir à me demander comment être mieux, comment faire plus, toujours plus, pour être parfaite, sans défauts, et surtout, surtout, irréprochable.

– N'est-ce pas merveilleux ? demanda miss Greich. N'oubliez jamais ce que je viens de vous dire, car à partir de maintenant, il vous faut vous débarrasser de ce masque horrible, et pour cela, il est nécessaire de briser l'habitude des vingt dernières années, celle du même sentier sans cesse emprunté. Ainsi, répétez-vous l'antidote que vous vous êtes laissée à vous-même, sachez que la perfection n'existe pas. Que tout ce que vous êtes, ce que vous faites, est déjà perfection.

Miss Greich se leva et entra dans l'appartement.

– J'ai autre chose pour vous, cria-t-elle du salon, du haut de ses trois pommes.

Je pris une grande respiration et, les yeux fermés, me répétai mon antidote.

– Tu ne vas pas te débarrasser de nous comme ça, ma belle ! Oh que non !

– Allez-vous-en, c'est fini, maintenant. Je suis parfaite. Je suis parfaite. Je ne l'oublierai plus jamais !

Silence.

– Voilà, j'y suis.

Miss Greich réapparut, tout échevelée. On aurait dit qu'elle était suivie d'une auréole de poussière, comme si elle revenait tout droit du passé.

– Une dernière chose, Sydney. Vous m'avez également remis cette enveloppe.

Je reconnus la grosse enveloppe brune, vieillie de vingt ans.

– Oui, dit miss Greich, moi aussi, quand j'ai découvert mon enveloppe, à sa seule vue, mon cœur s'est mis à battre !

– Vous aussi, vous avez sauvé votre identité ?

– Oui, mais de façon un peu différente de la tienne. Disons que je l'ai fait plus tard, vers l'âge de dix-sept ans, et que c'est la guerre qui m'y a forcée.

– Dans mon cas, c'est vous qui m'avez en quelque sorte montré le chemin. Alors, vous, qui vous a aidée?

Miss Greich réfléchit quelques instants, semblant retourner très loin dans ses souvenirs.

– Eh bien, un jour, alors que j'habitais à Neuilly-sur-Seine pendant la première année de la guerre, j'ai trouvé une enveloppe que l'on avait cachée dans le plancher. J'ai vite compris que cette personne, pour sauver sa peau, avait dû abandonner sa personnalité et changer, rapidement. Son histoire horrible m'a tellement émue que j'ai toujours conservé cette enveloppe avec moi. J'ai même cherché cet homme pendant quelque temps, sans succès. J'aurais voulu lui dire à quel point il m'avait aidée… non, à quel point il m'avait sauvé la vie!

– Mais, si vous ne l'avez jamais trouvé, s'il n'a jamais pu récupérer son enveloppe, c'est qu'il n'a jamais pu revenir à sa vraie personnalité?

– J'en ai bien peur. Il doit errer aujourd'hui quelque part et sentir qu'il n'est pas lui-même. Il était une si belle personne. Il s'appelait Jacques Ledoyen. Je dois vous dire que, à travers sa lettre, je l'ai même aimé en secret! Mais, bah! C'est de l'histoire ancienne, tout ça!

Elle poussa son verre doucement vers moi et je le remplis de nouveau.

– Mais aujourd'hui, nous parlons de vous, mon enfant. Voici votre enveloppe. Vous l'ouvrirez plus tard, car elle ne me concerne pas. Cependant, je sais que son contenu vous guidera vers la découverte de votre deuxième masque.

Je pris l'enveloppe. Mille interrogations se bousculaient dans ma tête et alors que je m'apprêtais à poser la première, miss Greich m'interrompit.

– Je sais, Sydney, que vous avez plusieurs questions à me poser. Mais je vous ai dit tout ce que je pouvais vous dire. Ce n'est pas à moi de vous en apprendre davantage. Toutes les réponses viendront en temps et lieu, je vous le promets.

Mes yeux se posèrent de nouveau sur l'enveloppe que je tenais dans mes mains. Que contenait-elle? Que découvrir encore sur ma personne? Je souris en regardant miss Greich et levai mon verre.

– Buvons, chère miss Greich, buvons à la perfection!

19

MENTON, FRANCE, 2005

J'étais dans mon lit.

L'air était frais malgré le mois de mai, mais j'avais entrouvert la fenêtre pour laisser s'infiltrer la brise saline que m'envoyait la mer du soir. Avec le vent, le rideau se souleva dans un mouvement vaporeux tandis que je m'enroulais dans les draps propres.

Je pensai à ce que miss Greich m'avait dit une heure plus tôt, alors qu'elle m'avait retenue une dernière fois dans l'embrasure de la porte. Ses paroles m'avaient paru encore plus étranges que tout ce que la vieille dame m'avait révélé jusque-là.

– Sydney, j'ai oublié de te dire une chose très importante. Maintenant que tu es sur le chemin du retour vers ta véritable personnalité, tu seras, au fil des semaines, davantage connectée avec ton esprit et de moins en moins liée à la masse. Tu comprends?

J'avais fait signe que non.

– Bientôt, le contact entre ta pensée et celle de la collectivité sera interrompu. Tu ne penseras plus du point de vue de la société mais bien de celui de Sydney. Il se peut alors que des choses bizarres se passent en toi, des choses qui sont magnifiques mais auxquelles tu n'es pas habituée. Il ne faut pas avoir peur surtout, il faut les laisser venir à toi. C'est comme si tu regardais sous un angle différent un objet que tu aurais toujours observé de la même façon : tu ne verras plus les choses ni ne les entendras comme avant. Ne t'inquiète pas et profite du nouvel éclairage. Car la lumière, maintenant, elle vient de toi! D'accord?

– Oui, miss Greich, je crois que je comprends.

– Sydney, il ne te suffit pas d'oublier ce que tu as appris jusqu'à maintenant mais bien de réapprendre tout ce que tu savais à dix ans, avant que l'influence de ton entourage ne s'abatte sur toi. Il te faudra réapprendre non seulement à penser comme avant, mais aussi à voir, à sentir, à entendre et à toucher comme avant. Allez, va maintenant, je t'ai tout dit!

Et j'avais filé dans la pénombre du corridor, pressée de me retrouver seule pour découvrir le contenu du paquet que je serrais contre mon cœur.

Bien adossée sur de gros oreillers, je décachetai la grande enveloppe. Celle-ci ressemblait en tout point à la première que j'avais reçue. Je souris en imaginant le soin que j'avais dû mettre, enfant, à écrire de façon si appliquée. À quoi avais-je pensé à ce moment-là? Avais-je peur, avais-je confiance?

Je retirai la seule et unique feuille qui se trouvait à l'intérieur, une feuille norcie d'une écriture large. Encore une fois, j'avais écrit à l'aide d'une règle.

Chère Sydney,

Tu as rencontré miss Greich. J'espère que vous vous êtes bien entendues toutes les deux, car pour moi, elle a été une bonne amie, même si elle est plus vieille que moi.

J'ai beaucoup pleuré pendant ce voyage. J'étais toujours en punition et toute seule. Même Princesse n'était pas là pour que je lui raconte mes histoires. Nous avons fait garder la chienne par grand-maman, tu te souviens? Alors voilà, je me suis mise à pleurer, toute seule, dans un coin de ce grand bateau, et miss Greich m'a vue. Je l'ai tout de suite trouvée belle, et avec son accent bizarre, elle m'a rappelé les grandes dames des romans de la Comtesse de Ségur. Une espèce de Madame de Réan!

Je lui ai tout raconté.

Tu sais maintenant que tu es parfaite. C'est super, non? J'ai toujours trouvé extraordinaire de savoir ça, et je ne comprends pas pourquoi ma perfection ne fait pas plaisir à beaucoup de monde. C'est vraiment difficile de toujours vouloir atteindre la perfection et en plus, celle que les autres attendent de nous. Mais je n'ai pas le choix.

J'espère que tu es assez forte, maintenant, pour revenir à toi-même, c'est-à-dire à ta perfection, et pour ne plus t'inquiéter des autres!

Bon, maintenant, le deuxième masque. Rappelle-toi que j'en ai inventé quatre et qu'il te faut tous les enlever pour pouvoir être entièrement toi-même. Au fur et à mesure que tu retireras ces masques, tu seras de plus en plus forte, tu seras enfin toi!

Je t'envoie donc maintenant vers la prochaine personne qui nous a aidées, le deuxième gardien de notre vérité.

Patrick Hughes t'attend à San Francisco, en Californie. Tu le trouveras au 1314, rue Hayes. Bonne chance, chère Sydney, et je te retrouverai très bientôt, plus forte!

Signé: Sydney Hughes

Saint-Donat, 15 juin 1985

P.-S.: J'ai une troisième question pour toi. Quel est ton premier souvenir de Noël?

Je fus quelque peu désorientée pendant un moment, cherchant dans mes souvenirs qui pouvait bien être ce deuxième gardien de ma vérité.

Patrick Hughes? Ne s'agissait-il pas de mon oncle qui s'était suicidé il y avait de cela une quinzaine d'années environ?

Mon oncle, pensai-je, il était dans le coup, lui aussi? Je ne me rappelais même pas avoir été proche de lui! Mais je ne me souvenais pas de miss Greich non plus, et il devenait clair que j'avais probablement bloqué tout souvenir de ma transformation.

Je relevai subitement la tête.

– Mais… ça veut dire que…

Mon sang se glaça dans mes veines.

– Si Patrick Hughes est mort, dis-je tout haut, cela veut dire que la chaîne est brisée ?!

Je pensai avec horreur que je n'arriverais jamais à mon deuxième masque, à la Terre promise, celle où je découvrirais qui j'étais réellement.

– Ce n'est pas possible, criai-je à la chambre d'hôtel qui me contempla sans dire un mot. Aller si loin pour être forcée de m'arrêter en plein milieu de la chevauchée vers mon saint Graal !

Je me levai et arpentai la chambre de long en large, troublée. Certainement qu'enfant, je n'avais pas prévu que l'un des gardiens de ma vérité mettrait fin à ses jours !

Je tentai de me souvenir de la mort de Patrick, mais tout cela était si vague. Je me rappelais confusément un coup de téléphone dans la nuit, des bruits dans la cuisine, ma sœur et moi qui nous étions approchées, curieuses.

– Allez vous coucher, les enfants, c'est encore la nuit. Allez !

– Mais, papa, que se passe-t-il ?

– Au lit, j'ai dit, tout de suite !

Je me rappelai l'air dur de mon père, ses lèvres pincées, ses joues tendues. Ce regard que j'avais vu des milliers de fois lorsqu'il était contrarié, lorsque tout n'était pas parfait, lorsque je faisais une erreur.

C'était tout ce dont je me souvenais.

La vie, me sembla-t-il tout à coup, me narguait d'un cynisme peu courtois.

– Jack, au secours !

Et subitement, il m'apparut que mon aventure s'arrêterait là.

Abruptement et sans issue.

LE DEUXIÈME MASQUE
OU PATRICK CONTRE LA VIE

*Nous portons tous un masque, c'est bien connu,
et vient un moment où nous ne pouvons l'enlever
sans nous arracher la peau.*

ANDRÉ BERTHIAUME

20

MENTON, FRANCE, 2005

Je faisais mes bagages lentement, pliant mollement mes quelques vêtements et les entassant dans ma valise. Mes gestes étaient lents et j'espérais que cette lenteur finirait par faire venir les réponses que je cherchais dans mon passé, depuis la veille.

Je réfléchissais, ne pouvant me résigner à l'échec, ne pouvant me résoudre à abandonner la partie.

Je devais me sauver. Et il n'était pas question de me laisser aller à l'éternelle torture que Patrick Hughes, par sa mort, m'imposait.

– Pfff! Tu es venue pour savoir qui tu es et tout ce que tu apprends, c'est que tu ne sauras jamais rien! Ha! ha! Bravo pour le beau cadeau laissé par tonton Patrick!

– Mais, quand même, je... c'est que... c'est de mon salut dont il s'agit, de la découverte de ma personne!

– Et alors? Tout le monde s'en moque, de ton salut!

– Ben pas... pas moi. Jack, je t'en prie, mais où es-tu quand j'ai besoin de toi?

– Ton petit Jack, il ne fait pas le poids contre nous! Il se cache dans le fin fond du gouffre de tes peurs, et il pleure comme un gosse.

– Ah ça non, par exemple! Vous n'avez pas fini de nous faire chier?!

– Oh, les gros mots! Ce n'est pas permis d'être grossière, je vais le dire à papa Charles!

131

– M'en fous! Tu vas voir, je ne vais pas tout laisser tomber comme cela! Je vais trouver une solution!

– Vraiment?

– Oui, vraim…

Je m'arrêtai net, avec encore dans les mains mon pantalon à moitié plié.

Subitement, le rouge vif de mon petit sac posé sur la table m'obnubila. Bizarrement, je ne pus détacher mes yeux de l'objet, comme si je le découvrais pour la première fois. Sa couleur vibrante brilla de toutes parts, et se réverbéra jusque dans les encoignures de mon esprit.

– Hé, ho, on te parle, là. Tu nous écoutes?

– Non.

– Ouah, mais qu'est-ce qui se passe, là?

– Ben, je ne sais pas trop…

– Ce coup-là, y vient pas de nous, je te jure!

Quelque chose se passait en moi et cela m'inquiéta.

Je tentai à plusieurs reprises de détourner mon regard de mon sac, mais sans succès. Quand enfin j'y réussis, mes yeux furent attirés par le pantalon que je tenais toujours dans mes mains. Avais-je déjà remarqué que celui-ci avait, sur le côté, une troisième poche dont la couture était finement dissimulée par un ruban de soie de la même couleur?

Je regardai de plus près mon pantalon, ébahie.

Que m'arrivait-il?

Je lâchai le vêtement qui alla s'échouer lentement sur le lit et regardai autour de moi. Je ne rêvais pas. Plus rien n'était pareil. Ou plutôt si, tout était pareil mais de couleur différente. Tout irradiait d'une lumière vive que je n'avais jamais vue auparavant. Dans chaque objet, je pouvais trouver une particularité, un relief, une teinte qui m'apparaissaient nouveaux.

Je me dirigeai vers le balcon et j'ouvris toutes grandes les portes.

La rivière de fleurs qui s'étala à mes pieds sur l'avenue de Verdun resplendit dans une myriade de couleurs qui me firent bondir.

Les citronniers sautèrent sous mes yeux et, en agitant leurs branches, firent miroiter le soleil sur les centaines de fruits qui les parsemaient.

Je plissai les yeux, éblouie.

La fontaine jaillit dans un grand jet d'eau bleutée qui s'éleva comme une tour, toucha les nuages et retomba, pour aussitôt renaître en des milliers de gouttelettes sur lesquelles se reflétèrent les immeubles colorés de Menton.

L'avenue de Verdun n'était plus pour moi qu'une fresque démesurée regorgeant de couleurs et de textures qui représentaient le paradis terrestre de la vie.

Auguste scène.

Je m'agrippai à la grille de métal, étourdie, et les paroles de miss Greich me vinrent en tête. *C'est comme si tu regardais sous un angle différent un objet que tu aurais toujours observé de la même façon: tu ne verras plus les choses ni ne les entendras comme avant. Ne t'inquiète pas et profite du nouvel éclairage. Car la lumière, maintenant, elle vient de toi!*

Je fermai les paupières quelques instants, pour mieux apprécier cette transformation qui s'opérait en moi.

Alors que, depuis quelques jours, je m'étais psychologiquement préparée à un certain changement d'identité, j'étais loin de me douter que, physiquement, plus rien n'allait être semblable non plus!

Je pris une grande respiration. Je me demandai si je n'étais pas en train de regagner ma vision d'enfant. J'ouvris les yeux de nouveau et me courbai encore une fois vers la rue.

Je ne pus m'empêcher d'avoir une pensée pour Patrick.

Avait-il déjà, lui aussi, considéré la vie sous cet angle?

Je fus triste quelques instants pour cet oncle dont je me souvenais à peine et dont l'existence avait dû être bien ardue pour qu'il en vienne à se donner la mort. Avait-il eu la chance de découvrir, comme moi, ses masques? Avait-il pu retrouver ce pouvoir magique que constitue celui de voir la vie comme un enfant? ou s'était-il suicidé avant d'atteindre cet état de félicité?

Ces questions ne recevraient aucune réponse ce jour-là. Pour l'heure, j'avais retrouvé la vue, et il y avait ma valise qu'il fallait bien terminer et le problème de la mort de Patrick qu'il fallait bien résoudre. Je me convainquis qu'il devait à tout prix y avoir une solution, quelque part, un indice, un signe qui me permettrait de poursuivre la reconstruction de mon être.

En aucun cas, je ne pouvais retourner à ma vie d'avant, sachant ce que j'avais appris depuis peu.

Cette seule pensée me servit tout à coup de levier, propulsant en moi ce courage neuf que j'avais expérimenté dans l'ascenseur, chez miss Greich. Et dans ce feu d'artifice d'énergie nouvelle, je pensai que de toute façon j'avais ordre de ne pas m'écouter.

Je devais donc me rendre à San Francisco, que Patrick Hughes soit mort ou pas. J'avais une adresse, je savais qu'il s'était suicidé et je savais aussi que je lui avais remis une enveloppe il y avait de cela vingt ans. C'était suffisant pour commencer des recherches.

Oui, cela valait le coup d'aller voir.

Un instant, l'idée me traversa l'esprit de contacter mon père pour en apprendre davantage sur cet oncle mal aimé de la famille. Je me ravisai rapidement.

– Ooooooooooh nooooooooonnnn, dis-je tout haut en secouant la tête avec vigueur.

Je ne pouvais pas, dans ces circonstances, affronter mon père. Déjà, il devait être au courant de mon départ, de la lettre laissée à Nicolas et peut-être même du contenu de l'enveloppe que j'avais reçue. Je pouvais entendre dans ma tête sa voix réprobatrice, sèche et tranchante. Celle qui jugeait la non-perfection.

– Ah, ma vieille, Nicolas et ton père doivent s'en donner à cœur joie à l'heure qu'il est, à décortiquer tes défauts, tes faiblesses, celle surtout d'avoir cédé à la demande d'une enfant de dix ans!

– Cause toujours, je ne t'écoute pas.

– Laisse tomber, va, je gagne à tous les coups, tu le sais bien.

– Pas cette fois-ci! Et amenez-moi Jack, c'est un ordre!

– Tss, tss, tss! Pas si vite. Ça prend un projet de loi.

– Comment ça, un projet de loi? C'est moi qui décide et je vous ordonne de redonner les commandes à Jack!

– Le projet de loi.

– Le proj... Ah! et puis merde!

Je donnai un coup de pied sur la porte du balcon.

Non, il n'était pas question que je parle à mon père. Je n'aurais pas la force de m'expliquer et j'avais trop peur de céder, pour la millième fois, à l'implacable raisonnement parental. C'était un filet dans lequel je m'étais trop souvent retrouvée prisonnière.

Je pris la décision de m'expliquer avec mon père et mon mari, à mon retour, alors que je serais plus forte, dégagée de mes quatre masques. Pour le moment, il s'agissait de trouver une place sur un vol pour San Francisco.

– Encore un avion?! Et toutes tes économies, qu'est-ce que tu en fais?

– Et Jack?

– T'as le projet de loi?

– Non.

– Retourne à la maison, vite, avant que Nico ne veuille plus de toi. Tu pourras toujours lui expliquer que…

La sonnerie du téléphone se fit entendre, stridente dans la douceur du matin. Personne ne savait que j'étais là. Peut-être l'avais-je mentionné à miss Greich au passage?

Je décrochai.

– Tante Sydney?

– Sarah? Mais il doit être plus de deux heures du matin chez toi! Mon Dieu, qu'est-ce qui se passe? Et puis, comment tu as su que j'étais ici?

– Mais c'est toi qui me l'as dit dans ton dernier message! J'ai trouvé le numéro sur Internet, c'est tout.

– Ah, bien sûr, dis-je un peu penaude.

– Écoute, tante Syd, je ne sais pas comment, mais maman est tombée sur mes courriers électroniques et a trouvé ton message. Je n'ai pas pu t'appeler avant, cela fait deux jours que tout le monde me surveille!

L'enfant chuchotait dans le combiné et respirait rapidement. Sa peur et son inquiétude étaient palpables. Mon cœur se gonfla.

– Ce n'est rien, Sarah, ma chérie, tout ira bien, ne t'inquiète surtout pas!

J'avais parlé de ma voix la plus rassurante. Mais je sentais moi-même une peur sourde monter en moi.

– Tu ne comprends pas, tante Sydney. Ils savent maintenant où tu es et grand-père est parti à ta recherche!

– Quoi!?

Douche glaciale.

La peur qui m'avait doucement envahie quelques secondes auparavant me ravagea en un instant. Un torrent bouillant déferla dans mes veines à la vitesse de l'éclair.

Flots débordants.

Mon cœur battait à tout rompre.

Po-poum, po-poum, po-poum.

L'enfant, n'entendant que les ponctuations de ma respiration anxieuse, continua.

– Ils en ont parlé ensemble, tante Sydney. Ils disent que tu es dépressive et que tu es malade. Est-ce que c'est vrai?

Po-poum, po-poum, po-poum.

– Ils ont aussi parlé d'un homme qui s'appelle Patrick. Ils disent que tu aurais peut-être la même maladie que lui.

À ce nom, je repris mes esprits.

– Sarah… essaie de te souvenir, ma chérie, ont-ils dit autre chose sur cet homme, Patrick?

– Ils ont parlé d'une femme qui vivait avec lui et ils se demandaient si elle était toujours en vie.

– Une femme?! Est-ce qu'ils ont dit son nom?

J'avais oublié que je parlais avec une enfant effrayée. Je ne m'étais pas rendu compte, surtout, que par le seul geste de m'avoir téléphoné, l'enfant avait pris position contre sa propre mère, contre sa propre famille.

– Écoute, tante Sydney, je ne peux pas…

Sarah s'était arrêtée subitement.

– Sarah?

Expirant très vite, elle chuchota:

– Je ne peux plus parler, je suis surveillée!

– Écoute, voici ce qu'on va faire. De ton côté, il te faut créer une nouvelle adresse de courrier électronique, d'accord? Et du mien, je m'en irai d'ici au plus vite pour ne pas que l'on me trouve. N'aie plus peur, ma chérie, tout va très bien se passer et j'expliquerai tout à ta maman à mon retour.

– Tante Sydney, je dois te parler, le temps presse et je ne serai bientôt plus là!

Je me redressai.

– Mon trésor, je t'écoute, tu peux tout me dire. Dis-moi ce que je dois faire pour t'aider.

Je n'étais pas certaine de faire la bonne chose en demandant à l'enfant de me montrer le chemin. Mais j'avais ordre de ne pas me faire confiance et, du coup, j'étais davantage portée à placer ma foi en cette enfant qui savait encore ce que c'était que d'être vrai.

– Sarah, répétai-je, car elle ne parlait plus, ne peux-tu pas éviter cela, je veux dire, ta transformation? Ne pouvons-nous pas, toi et moi, faire en sorte que cela ne soit pas nécessaire? Pourquoi souffrir pour se protéger? Il faut que tu saches que cette protection fonctionne, oui, mais seulement un temps. On a vite fait de sentir le grand trou au fond de soi. On sent que quelque chose n'est pas ce qu'il devrait être, mais on ne sait pas que c'est soi-même, et puis…

– On vient, je dois absolument y aller. Je t'écrirai!

La petite raccrocha et je restai figée, le téléphone à la main. Parviendrais-je à aider Sarah? Je n'en étais plus du tout certaine.

Mais encore plus incertaine était ma volonté d'aider ma nièce.

Je sentis tout à coup que tout ceci était un jeu dangereux.

Pouvait-on jouer de la sorte avec l'identité de quelqu'un? Était-ce mon rôle? Avais-je le droit de m'interposer dans ce qui, me semblait-il, était peut-être un ordre des choses devenu naturel au fil des années, des siècles même peut-être? Et puis, était-il seulement possible qu'il en soit autrement?

Je me ressaisis lorsque l'image de mon père me revint à l'esprit. Alors que je ne pouvais m'expliquer pourquoi il traversait l'océan afin de me retrouver, je savais qu'il me fallait à tout prix sortir de cet hôtel, de cette ville, le plus vite possible!

Je fermai ma valise en vitesse.

21

TUCSON, ÉTATS-UNIS, 1986

Une voiture le dépassa avec fracas. De ses yeux livides, il suivit les faisceaux de lumière rouges jusqu'à ce qu'ils disparussent dans la nuit naissante.

Ses jambes étaient lourdes. Une course folle l'avait mené jusque-là, et mille petites gouttelettes de sueur s'acharnaient à perler sur sa peau.

Il ralentit sa course. Regarda ses pieds qu'il sentit tout à coup douloureux.

Ses souliers de course blancs faisaient contraste avec l'opacité de la pénombre. Et à chaque pas, ils reflétaient sur la chaussée noire la vaporeuse auréole qui émanait de la lune.

Alors qu'il reprenait son souffle, il tenta de contenir ses pensées, de se concentrer sur autre chose. La nuit qui passait, la brise légère qui venait enfin dissiper la lourde chaleur de la journée, l'asphalte qui s'allongeait, interminable, devant lui.

Mais son esprit, intransigeant, ne lui laissa aucun répit.

Qu'allait-il devenir?

Rien n'aurait pu le préparer à ce qu'il venait de découvrir. Le choc avait été si grand, si violent, que la seule chose qu'il avait trouvée à faire avait été de fuir, de courir, de s'essouffler jusqu'à en perdre la vie. Lui qui, à peine quelques heures auparavant, s'enorgueillissait de la légèreté nouvelle de son cœur. Lui qui, pareil à un explorateur qui a quitté son port natal depuis une éternité et qui aperçoit au loin le paradis terrestre, avait naïvement crié « Terre! »

Mais ce qui semblait être un véritable éden s'était avéré n'être qu'une île déserte, une grande plaie ouverte sur l'océan, puant la cruauté. Un cauchemar qu'il ne voulait pas, ce jour-là, aborder.

Comment avait-on pu projeter autant de haine sur un enfant ?

Et surtout, comment lui-même, gamin, avait-il pu croire un instant qu'il aurait la force d'encaisser un tel coup une fois adulte ?

– Pfff ! Quel idiot je peux être ! dit-il tout haut en crispant les mains de rage.

Quelques mois auparavant, alors qu'il rentrait de chez le médecin, son sac rempli de médicaments et son âme vidée de toute autonomie, il avait trouvé dans sa boîte aux lettres une enveloppe, envoyée par lui-même alors qu'il avait dix ans. Dans ce message venu tout droit du passé, il se suppliait de se sauver, de se retrouver.

Bien sûr, il avait été étonné, sceptique même. Mais comment, lorsque l'on était dans un état aussi délabré que le sien, pouvait-on dire non à une deuxième chance ?

Ne traînait-il pas depuis trop longtemps maintenant cette dépression de plus en plus oppressante ? Son entourage, de plus en plus inquiet, ne faisait-il pas qu'amplifier sa peine par une sollicitude exagérée et bourrée de préjugés ?

Alors, il y avait cru. Oh oui ! De tout son être. Et à trente-six ans, farci de médicaments, Patrick Hughes s'était agrippé à cette lettre comme à une bouée qu'il aurait trouvée après d'interminables années passées seul en mer.

Un véritable message d'espoir.

Mieux. Un drapeau blanc qui se serait levé au milieu du champ de bataille qu'était devenue son existence.

Alors, s'était-il dit le soir même dans son lit, si le destin lui donnait une deuxième chance, celle de se connaître vraiment, il se devait de la saisir. Il se devait de se débarrasser de ce boulet qu'il traînait derrière lui depuis sa venue en ce bas monde.

Se pouvait-il, même, qu'il apprenne à être heureux ?

La découverte de son premier masque s'était si bien déroulée. La rencontre du gardien de sa vérité, à deux pas de la maison de son enfance. Le rire et le sentiment de légèreté qui avaient suivi. Pour la première fois, la sensation d'avoir une place bien méritée sur terre, parmi les siens.

Il sourit tout en continuant de marcher. La simple pensée de ce fugace bout de bonheur lui rendit les événements plus acceptables.

Il s'accrocha à cette réminiscence pendant un moment.

À la maison, tout le monde l'avait trouvé mieux, incrédule devant son attitude soudain plus confiante. Et ses yeux qui soutenaient dorénavant leur regard un peu plus longtemps que d'habitude...

Oui, à la découverte de son premier masque, la transformation avait été sidérante. Pantois, il avait même vu son physique changer. Ses épaules s'étaient redressées. Son pas, raffermi. Ses mains, décrispées. Sa mâchoire, même, s'était relâchée.

Il aurait juré qu'il avait grandi, tant il avait senti en lui le déploiement d'une titanesque personnalité dont il ne soupçonnait même pas l'existence !

Il s'était rapproché de son frère. De sa mère aussi qui, depuis qu'elle avait été abandonnée par son mari, n'avait guère su comment gérer la mélancolie de son fils. Ces quelques semaines lui avaient offert tant de moments heureux qu'il reporta plusieurs fois son départ vers la découverte de son deuxième masque.

Comme un enfant qui lèche lentement sa sucette, il avait fait durer le plaisir.

À sa plus grande surprise, son frère, celui-là même qui s'était lentement éloigné de lui, l'avait invité à passer un week-end à la campagne. Heureux, léger, il s'y était rendu, croyant ferme à des jours nouveaux.

On l'avait gentiment accueilli. Il avait joué avec les enfants. Et dans la fraîcheur de l'eau douce et céruléenne du lac, sous le regard protecteur de son frère aîné, il avait eu la prodigieuse impression de renaître.

Béat et, pour une fois, davantage à l'écoute des autres que de sa propre affliction, il avait aperçu sa nièce, Sydney, jouant à l'écart. Elle était timide, à l'étroit dans son petit corps, et il avait semblé à Patrick qu'elle cherchait sans cesse du regard le reflet de l'attitude à laquelle se convertir.

Oh ! Il connaissait trop bien cet état d'âme.

Sans trop réfléchir, lentement, il s'était approché de la gamine. Elle était assise seule sur le radeau, une île déserte au beau milieu du lac, les pieds se balançant dans l'eau.

– Alors, petite Sydney, tu n'as pas encore trouvé ta place, n'est-ce pas ?

Il avait lancé une longue ligne et s'était demandé si l'enfant allait mordre à l'hameçon. Il se savait en terrain glissant. La moitié de sa famille le trouvait fou, l'autre, gravement dépressif. Il était rare qu'on le laissât s'approcher des enfants. D'être là seulement, en famille à la campagne, était un luxe que son frère ne lui avait jamais accordé auparavant. Il devait être prudent. Il voulait aider l'enfant mais ne voulait pas la brusquer.

Or, voilà qu'à sa grande surprise, Sydney avait levé la tête, étonnée de la question mais heureuse de l'intérêt. Elle lui avait offert un généreux sourire.

– Non, oncle Patrick, je suis en train de faire ma place. Je l'aurai bientôt !

Radieuse d'avoir trouvé quelqu'un avec qui elle pourrait être enfin de connivence, elle avait glissé sa petite main dans la sienne.

Quel bel après-midi ! C'était comme si tout le monde avait décidé d'être heureux, envoûté par la magnanimité accordée par la nature. L'attendrissante brise du nord, fort affairée dans les feuillages des bouleaux. Le clapotis léger de l'eau titillant le rivage. Le balancement rassurant du radeau au cœur du lac. La quiétude de l'ombre des grands parasols. Le déjeuner sur l'herbe aplatie et la crème glacée à la vanille fondant sur une montagne prometteuse de croustade aux bleuets fraîchement cueillis.

Oui, l'espace d'un après-midi d'été, tout le monde avait été joyeux. Sa petite nièce, adorable sous son chapeau rose, s'était confiée à lui. Et sans qu'il eût eu besoin de le lui proposer, elle lui avait demandé d'être le gardien de l'un de ses masques.

Il avait été sidéré.

Jusqu'à ce moment-là, il s'était cru seul dans cette quête de soi. Pourtant, avec cette révélation, tout un monde s'ouvrait inopinément devant lui. Par cette gamine qui le regardait en souriant de ses grands yeux bruns, il entrevoyait soudainement tout un univers dans lequel les enfants se battaient pour ne pas se perdre.

Était-ce seulement possible?

Tout cela était pourtant bien réel. Son bonheur, sa présence ici et cette petite fille le prouvaient.

Il allait aider sa nièce.

Et il avait répondu oui à l'enfant en saisissant son chapeau et en lui ébouriffant la chevelure. De longs cheveux blonds qui déjà fonçaient, comme pour laisser place à quelqu'un d'autre.

Depuis, la réalité était devenue tout autre.

La joie de vivre, non, l'euphorie qui l'avait habité l'espace de quelques mois s'en était allée aussi brutalement qu'elle était venue. Et ce soir-là, à marcher dans la nuit, son maigre sac sur le dos, il s'en voulait, se haïssait même de s'être infligé une telle souffrance.

Comment avait-il pu se faire autant de mal à lui-même? N'avait-il pas compris qu'il ne pourrait pas davantage cohabiter avec un tel secret à trente-six ans qu'à dix? que la douleur serait toujours aussi vivante et impitoyable?

Il pensa tout à coup au deuxième gardien de sa vérité. Avait-il su ce qu'il y avait dans l'enveloppe avant de la lui remettre? Était-il au courant? Savait-il qu'il avait assassiné d'un coup un adulte qui tentait désespérément de se retrouver?

Et puis, lui, Patrick, quel était son devoir, à présent? N'était-il pas lui-même un des gardiens de la vérité de sa nièce? Subitement, l'idée le traversa qu'il était peut-être porteur d'une ignoble révélation qui, le temps venu, ferait de Sydney un haillon humain morcelé entre le passé et le présent.

Il s'arrêta sur le bord de la route. Respira lentement. Tenta de reprendre son souffle. Même s'il ne faisait que marcher, son désarroi le suffoquait.

Les hurlements des coyotes du désert le rassurèrent un peu pendant qu'il inhala l'air frais de la nuit.

Toute cette vie passée à mendier une raison d'être l'écœurait. Toute cette société où il n'était pas permis d'être soi-même, où, chaque jour, on laissait se chloroformer des enfants afin qu'ils puissent se fondre dans le moule pervers de l'humanité, tout cela lui donnait la nausée.

La nausée.

Non, il refusait de faire partie de ce monde. De ces deux mondes. Celui de la surface et celui du dessous. Aucun des deux ne lui semblait mieux que l'autre. L'un mentait, l'autre éternisait la douleur de l'homme.

Pouvait-il leur échapper?

Y avait-il entre les deux un endroit neutre où il pourrait poser son âme fatiguée?

Il tourna la tête. Deux yeux jaunes l'observaient dans le noir. Il sourit d'un air triste. Il avait entendu quelque part que le coyote aimait s'amuser et qu'il lui arrivait même de jouer avec sa victime avant de la dévorer.

Et il lui sembla que c'était exactement ce que la vie faisait avec lui.

22

NEW YORK, ÉTATS-UNIS, 2005

J'étais assise depuis une bonne heure déjà dans un café Internet de l'aéroport John F. Kennedy de New York. Je soupirais d'exaspération. En transit vers San Francisco, j'avais quelques heures devant moi. Mais le temps qui passait trop vite m'inquiétait.

J'avais pensé pouvoir trouver quelque chose sur le suicide de mon oncle dans les archives des journaux de San Francisco, mais rien. Cela faisait un bon moment que je cherchais, que je pianotais toutes sortes de mots-clés sur les moteurs de recherche. Aucun indice.

Et pourtant, Google m'offrait le monde et faisait scintiller sans arrêt mon curseur, promesse d'un cosmos infini de renseignements.

L'ampleur de la galaxie cybernétique fit lentement naître en moi une pénible agoraphobie. Le Net. À la fois plein et vide de sens. Infiniment petit et grand. Si chargé d'informations mais si souvent sans réponse. À la fois généreux et avare. Comme peut l'être l'univers.

Je délaissai le clavier et me laissai tomber sur le dossier de ma chaise. Je réfléchis en levant une main pour héler la serveuse. Soudain, j'avais un besoin pressant d'alcool.

– Tu sais bien qu'il n'aime pas ça quand tu bois.

– Oui, je sais. Merci de me le rappeler.

– Qu'est-ce que tu vas aller foutre à San Francisco? Tu n'as qu'un nom, une année, un suicide. C'est tout.

– Arrête, tu sais bien que je n'ai pas le droit de t'écouter. J'ai des ordres.

– D'une gamine de dix ans, oui! Tu es en train de faire une folle de toi…

Soupir.

Je saisis un journal qui traînait près de moi et le feuilletai machinalement. *Crise en Irak*, titrait le quotidien en grosses lettres. Je le dépliai et une grande photo couleur me sauta en plein visage. Elle me prit par les sentiments et me menaça de nausée en me jetant sous les yeux avec désinvolture le cadavre d'un enfant lapidé dont le crâne, ouvert, laissait entrevoir les méninges éparses d'une petite cervelle à peine développée. *Suivez la guerre dans notre galerie de photos!*

Je repliai vite le journal et le remis à sa place, horrifiée.

Puis, je levai la tête. Je remarquai un écran géant au fond de la salle qui crachait CNN en continu. *The War Network*.

– Ah non, dis-je en levant la main devant moi comme pour me protéger. Assez!

Je me sentis coupable.

Qu'étais-je censée faire de tout ceci, sinon développer un sentiment d'inadéquation toujours grandissant?

La vie humaine. Elle était là, étalée devant moi, exposée assidûment sur tous les canaux de communication à ma disposition, avec son lot d'injustices, de conflits, de paradoxes, d'incohérences.

D'un côté, la pollution, les guerres, les catastrophes climatiques, les épidémies, et autant d'éléments destructeurs; de l'autre, la consommation, le plaisir, la beauté, la longévité, et autant d'éléments illusoires.

Toute cette information, n'était-ce pas là justement la contradiction de nos vies? Ce contact continu avec l'existence de tout un chacun, était-ce naturel? Et puis, étais-je vraiment supposée être exposée à tout cela? Étais-je outillée pour comprendre ce flot d'informations incessant?

Pourquoi me lançait-on tous les jours ces non-sens si, continuellement, à moi, on me demandait d'être droite, normale et rentable autant financièrement que physiquement?

Qu'attendait-on de moi, sinon de ne pas déranger, de faire mon boulot, de ne pas, surtout, écouter la révolte silencieuse qui grondait en moi?

Puis, cela m'apparut, limpide.

– Une folle de moi, vous dites?

– Parfaitement!

– Mais nous sommes tous fous, mon vieux, alors qu'est-ce que ça peut bien foutre?!

– …

Soudainement, je me donnai une grande claque sur la cuisse. Prise d'un fou rire.

– Regardez ça! fis-je en pointant le journal. Tous les jours, on nous montre que nous sommes fous. Et tous les jours, on nous demande de faire comme si de rien n'était. Alors, que j'aie l'air d'une folle, est-ce vraiment un problème?

– …

– Ça t'en bouche un coin, hein, MONSIEUR le ministre de je-sais-pas-quoi?

La serveuse déposa un verre de vin rouge près du clavier et me regarda d'un drôle d'air. Je lui dis bonjour et saisis ma coupe. Je regardai la jeune femme s'éloigner et en l'entendant maugréer, je pris une longue gorgée, presque heureuse de ma prise de conscience.

J'entendis l'ordinateur émettre une tonalité aiguë et je ramenai immédiatement mon attention sur l'écran. Ma messagerie était ouverte et quelqu'un était en ligne. Une frayeur m'effleura; j'espérais vivement que ce ne fût pas mon père. Je cliquai sur l'icône. Je ne reconnus pas l'adresse électronique et mes yeux se dirigèrent immédiatement sur l'identité de l'internaute.

C'était Sarah.

– Oui, je suis là! m'empressai-je de taper à toute vitesse comme si, brutalement, le temps manquait pour sauver cette petite.

– Ne peux pas parler longtemps. J'ai entendu des conversations. Je suis toujours surveillée.

– Je suis là pour toi, ma chérie. Je vais bientôt être de retour pour m'occuper de toi. Ne t'inquiète de rien!

– Syd, tu ne vas pas au bon endroit. Patrick Hughes s'est suicidé à Tucson.

Étonnée, je réfléchis un instant. Mon oncle m'aurait donc dit qu'il se rendait à San Francisco mais n'y serait jamais allé?

– Tu en es certaine, ma chérie ? Tucson, en Arizona ?

– Oui, c'est ce que j'ai entendu. Je...

J'attendis, le souffle coupé, sachant que l'enfant était surveillée. Je n'osai même pas répondre, craignant que le bruit qu'émettrait l'ordinateur à la réception de mon message trahisse Sarah. Après de longues minutes d'attente, comme je le redoutais, l'indicateur de sa présence en ligne s'éteignit.

Je pris une autre gorgée de vin.

Je savais que ma nièce était en pleine mutation et que, de loin, je ne pouvais rien pour elle. Mais j'hésitais entre revenir à la maison pour sauver Sarah et continuer l'aventure afin de me sauver moi-même. Je ne savais plus dans quel coin de la planète me lancer !

– En plus de faire une folle de toi, te voilà hyper égoïste maintenant ? N'as-tu rien appris ?

– Parce que tu penses que c'est facile de prendre ce genre de décision ? Je ne me suis jamais choisie, moi, tu sauras ! Jamais je ne me suis fait passer en premier, jamais, seulement cette merde de perfection...

– Mon cœur saigne...

– Ça, c'est pour Jack ! dis-je en levant ma coupe.

Je terminai mon verre d'un coup sec et regardai le plafond.

L'alcool me réchauffa la gorge et me fit légèrement tourner la tête.

Déjà, le simple fait de partir à la recherche de mon identité dans le but de me ressusciter était une folle aventure. Alors, est-ce que de revenir à la maison pour convaincre ma sœur du destin fatal de sa fille était seulement possible ?

Mon père était à mes trousses. Il me soupçonnait d'être en pleine dégringolade sur la pente raide de la dépression. Personne ne croirait un traître mot du tableau que je brosserais. Assurément, je serais mise à l'écart. Isolée, incomprise, je ne serais pas davantage en position d'aider Sarah que ma propre cause.

Et pour la deuxième fois depuis le début de cette odyssée, je pensai à mon mari.

Nicolas.

Qu'en était-il de lui dans tout cela ? Comment avait-il réagi à la note que je lui avais laissée ? Était-il au courant de l'escapade de mon père pour me retrouver à Menton ? Était-il derrière tout cela ?

Je trouvais très étrange qu'il n'eût aucunement tenté de me joindre. Pas même un courrier électronique. Il était vrai que notre relation ne tenait plus qu'à un fil. Celui des souvenirs heureux. Ceux avec lesquels, à force de les chérir, on espère ardemment recomposer notre présent.

Nous étions mariés depuis six ans.

Dans les prémices de notre relation, j'avais ressenti pour lui une inexplicable attraction, aussi intellectuelle que physique. Ce n'est pas tant, pensai-je, qu'il était spécialement beau ou particulièrement intelligent. C'était peut-être tout simplement qu'il s'était intéressé à moi.

Nous nous étions rapidement mariés afin de sceller ce que nous croyions tous les deux être une rencontre forgée par le destin lui-même.

Cela avait été le début d'un attachement qui était rapidement devenu une accoutumance malsaine. Une vassalité à une nouvelle interprétation de soi, définie par le couple. Un asservissement à la pensée et à l'approbation de l'autre.

Six ans à peine pour passer de ce que l'on croit être la délicieuse félicité de l'amour à se demander tous les jours ce qu'on fait là. Deux étrangers prisonniers du piège de la méconnaissance de soi.

Ainsi, coincée entre mon père sévère, mon mari exigeant et mon patron astreignant, j'étouffais. Je m'étais construit moi-même ma sainte Trinité de la domination.

J'étais de plus en plus rongée par le doute, par la culpabilité. Ce trou qui avait sans cesse grandi au fond de ma gorge avait fait de moi une personne absolument mal dans sa peau. Autant à l'extérieur qu'à l'intérieur.

Je me demandai tout à coup quel impact cette transformation, cette découverte de moi-même, aurait sur ma relation amoureuse mourante.

Est-ce que cela donnerait un souffle nouveau à ce tandem boiteux ?

Ou, au contraire, est-ce que cela me révélerait à ce point à moi-même que je comprendrais une fois pour toutes quels étaient mes vrais besoins ?

Je souris. J'avais ma réponse.

Encore une fois, depuis le début de cette chasse aux trésors, j'en étais convaincue. Je me choisissais. Il fallait à tout prix que je continue à rassembler les morceaux du puzzle de ma personne.

Dans une prière silencieuse pour la survie de Sarah, je ramassai mes affaires, payai l'addition et courus changer mon vol.

Direction : Tucson.

– Et nous, personne ne nous demande notre avis ? Tu abandonnes Sarah sans l'ombre d'une arrière-pensée ?

– Ta gueule !

– Ce que tu peux être grossière…

23

Montréal, Canada, 2005

L'enfant rangeait quelques affaires dans sa chambre.

Il y avait déjà plusieurs jours que Sarah se tenait tranquille, consciente que ses mouvements et paroles étaient surveillés, disséqués, analysés. Mais elle n'avait pas peur. Elle savait que sa tante était là. Elle savait aussi qu'elle avait un plan, que sa personnalité était en train de changer et que, bientôt, elle serait reçue avec mention dans la ligue de la normalité.

Du mesuré.

De l'ordinaire.

Terminées, les interminables semonces. Celles qui faisaient naître en elle cette effroyable culpabilité. Fini, le sentiment de ne pas être à la hauteur!

Pour la paix, pour la sienne, pour celle de ses parents, de ses professeurs et de tous ceux qui l'entouraient, elle changeait. Pour devenir ce qu'on lui demandait d'être, elle se transformait.

Elle était plutôt contente de son plan. Trois masques, dont deux déjà enfilés. Tout se déroulait bien. Et elle était en train de ranger son petit pupitre blanc, classant les mille crayons de couleurs, les ciseaux et la colle dans une jolie boîte rose, lorsque sa demi-sœur fit irruption.

Elle sursauta un peu sur le coup. Puis, elle pensa que c'était vendredi soir et qu'elle avait oublié que Dominique et son frère arrivaient pour le week-end.

– Salut, fit Sarah, peu contente de voir Dominique s'introduire brusquement dans sa chambre et dans sa vie.

– Qu'est-ce que tu fais? demanda Dominique d'une voix inquisitrice, inquiète que l'on puisse s'amuser avant qu'elle ne fût là.

Sarah l'épia, tentant de gagner quelques secondes avant de répondre.

Se pouvait-il que Dominique soit en pleine transformation elle aussi?

Sarah aurait tant voulu partager avec elle son désarroi. Mais son regard de condamnée et ses yeux qui n'avaient de cesse d'implorer ne lui inspiraient rien qui vaille.

Non, pensa-t-elle.

Soit Dominique avait déjà fini sa transformation, ce qui expliquerait son éternel comportement de mendiante d'affection, soit elle était assurément inconsciente de cette pression sociale que Sarah trouvait si lourde.

– Je range mes affaires, répondit-elle doucement. Je faisais de la place pour toi.

Dominique s'affala d'un coup sur le lit de Sarah. Lentement, les bourrelets de son ventre firent irruption un à un sous le bord de son chandail bleu pâle trop petit pour elle.

Sarah l'observa du coin de l'œil.

Dominique avait un visage bouffi, caché sous d'énormes joues qui s'avançaient vers l'avant, écarlates en tout temps. Des yeux en amande se taillaient une petite place à peine visible dans cet amas de peau, de sorte qu'il était très difficile de deviner ses expressions. Ses petits seins naissants se confondaient avec le gras de son ventre.

Sarah eut l'impression que cette enfant allait exploser.

Une idée lui vint soudain. Peut-être était-ce là le camouflage de Dominique? Peut-être vivait-elle, sous cet amoncellement de graisse, une certaine sécurité de se savoir cachée? Une pléthore de lipides qui la protégeait des coups durs de la vie?

Sarah sentit tout à coup pour sa demi-sœur une compassion nouvelle. Au fond, ce n'était pas qu'elle ne l'aimait pas, mais plutôt qu'elle se sentait envahie par sa présence.

Tous les week-ends, on lui imposait d'accepter comme son frère et sa sœur ces deux étrangers qu'à peine un an auparavant elle ne connaissait pas. Et on lui demandait, sans équivoque, sans savoir si cela lui chantait ou pas, de leur faire de la place. Pire, de les aimer sans condition.

Tout cela était bien lourd pour ses petites épaules. Elle qui avait déjà essuyé l'abandon d'un père et la culpabilité d'une mère de ne pas avoir su faire de son mariage une union heureuse.

En quelques mois, son monde avait été bouleversé.

Dorénavant, son nouveau beau-père vivait avec eux et, tous les vendredis, Dominique et Samuel faisaient leur apparition.

Dorénavant, il lui fallait tout partager, même sa chambre. Le seul coin qui lui appartenait.

C'était le havre de paix dans lequel elle avait rangé méticuleusement ses trésors, son petit pupitre, sa bibliothèque et ses précieux livres, ses oursons et ses dessins. C'était l'unique endroit où il lui était possible de se terrer quand la vie se faisait trop pressante sur son âme de fillette. Elle se faisait une joie d'être la reine de ce royaume, même si elle le savait éphémère.

Et cette boulotte qui arrivait, qui s'écrasait dans ses affaires. Cela la répugnait.

L'enfant obèse faisait craquer sous son poids sa petite chaise de bureau. Jouait grossièrement avec ses crayons. Détruisait sans le vouloir, à grands coups de gestes malhabiles, son univers bien à elle.

La première fois que cela s'était produit, Sarah avait couru vers sa mère pour s'en plaindre, dégoûtée. Pour dire qu'on lui volait sa place.

Sa mère s'était tournée vers elle.

Oh oui ! pensa Sarah. Elle se rappelait très clairement de cette soirée. Elle s'était tenue debout, incrédule devant la réaction de sa mère.

Ce qui avait d'abord commencé par un petit reproche s'était rapidement envenimé et transformé en une terrible semonce. Il avait semblé à Sarah qu'une main invisible avait jeté de l'huile sur cet incident qui aurait pu n'être qu'un feu de paille.

Sans que Sarah n'eût dit un mot, le ton avait monté. Le doigt pointé vers elle, sa mère avait crié de plus en plus fort, reproché de plus en plus de choses. L'enfant, tout à coup, n'était pas qu'une petite égoïste, mais bien une effrontée, une impertinente qui faisait tout pour rendre les autres malheureux.

Sarah n'avait pas bronché, tremblante devant une hargne qu'elle ne comprenait pas.

Elle avait eu honte. Honte d'elle-même. Honte d'avoir pensé, ne serait-ce qu'un instant, qu'on lui redonnerait les clés de son palais. Qu'on comprendrait qu'il y avait des choses qui étaient à elle et qu'elle ne voulait pas les partager.

Oui, cet incident avait été très important, pensa-t-elle en observant Dominique qui, le nez dans sa garde-robe, venait de décrocher un pull et tentait péniblement de l'enfiler. Cet événement lui avait permis de forger et d'enfiler son deuxième masque et c'était tout aussi bien.

Elle prit une longue respiration.

Bientôt, tout ceci serait fini et elle ne serait plus consciente de rien.

– Attends, Dom, dit-elle, je vais t'aider.

Et deux petites filles se regardèrent. L'une transformée et souffrant déjà dans un chandail trop petit. L'autre en pleine métamorphose, avec encore l'espoir que cela la sauverait.

24

TUCSON, ÉTATS-UNIS, 1988

Patrick était très concentré. Il tentait de se remémorer les techniques de nœuds qu'il avait apprises gamin.

C'était vague dans son esprit et cela le rendait de mauvaise humeur.

Au lieu du souvenir des nœuds, tout ce qu'il réussissait à trouver au fond de sa mémoire était des images de son père, décrépit par l'alcool et la haine.

Son père, il pensait le connaître. Mais rien n'aurait pu le lui révéler autant que cette lettre envoyée par lui-même. Oui, ce deuxième masque, il n'avait jamais pu s'en remettre, se dit-il en secouant la tête. Il n'était censé passer à Tucson que pour récupérer cette deuxième révélation. Mais voilà que, meurtri à jamais, il avait dégringolé d'un coup la montagne de l'estime de soi.

Alors qu'il se sentait bien depuis le début de cette aventure, excité à l'idée de se retrouver, de se démarquer par une raison d'être qui serait valable, la fatalité lui était tombée dessus comme un grand coup de massue.

Il ne s'était jamais relevé.

À Tucson, donc, il était resté. Et à San Francisco, terre promise du troisième masque, il n'était jamais allé.

Il eut une pensée pour Annie. Cet ange du ciel.

Oui. Un ange qui lui était apparu au plus profond de son désarroi. La Providence personnifiée qui l'avait attrapé dans sa chute et sauvé d'une descente aux enfers imminente.

Douce et forte Annie. C'était bien pour elle qu'il avait continué à encaisser cette vie de merde. Pour elle, pour ses grands yeux bleus, pour sa magnifique bouche invitante, il avait retardé son projet de quitter le monde. Pour elle, il avait repoussé l'abdication de son trône, puisque si de son royaume il ne restait plus rien, il restait quand même Annie.

Car Annie croyait en lui. Pire, elle l'aimait.

Cela faisait maintenant deux ans qu'ils étaient amoureux. Qu'il lui faisait l'amour lentement, tous les soirs, en s'agrippant à son cœur comme à une bouée de sauvetage. Elle était merveilleusement belle. Il était beau. Ils avaient presque l'air d'un couple normal.

Il la serrait si fort pendant l'amour, c'était comme s'il avait voulu l'essorer et s'abreuver de sa sueur afin de s'imprégner sa force. Son affriolante confiance en elle. Son copieux talent à aimer la vie.

Qu'avait-elle eu de plus que lui? Quel don avait-elle reçu que lui n'avait pas eu?

Au départ, devant tant de beauté, de force paisible, de joie de vivre, il avait été envieux. Mais, très vite, son désir pour elle avait grandi. Et de la posséder chaque soir était devenu un rituel essentiel. Comme le vampire qui se désaltère du sang de la vie afin de ne pas mourir, il s'abreuvait à sa force pour ne pas baisser les bras.

Ainsi leur amour était né. Entre le fracas de la tempête de sa vie à lui et la solide énergie de sa vie à elle. Et grâce à Annie, il avait tenu le coup, malgré la puissance du cyclone suicidaire qui frappait d'un mouvement incessant le rivage de ses pensées.

Mais depuis quelque temps, il était à bout de forces.

Il lui était impossible, il le savait aujourd'hui, de faire un pas de plus, un sourire de plus. Il sentait les images cruelles du massacre de son enfance envahir son être. Un film d'horreur qui tournait en boucle et qui le rendait fou.

Les crises se rapprochaient, de plus en plus violentes. Tellement qu'elles l'obligeaient à s'asseoir là où il se trouvait et à se parler à lui-même pour se rassurer.

Combien de fois Annie l'avait-elle tiré de sa torpeur ainsi, alors qu'en pleine bataille avec ses souvenirs, il se tenait la tête, suant à grosses gouttes en se balançant d'un côté à l'autre?

Annie. Dans sa lettre d'adieu, il avait été si maladroit.

Mais comment expliquer que, avant l'amour, avant la vie, avant toute chose, il y a cette volonté atroce mais imposante de quitter à jamais ce monde dans lequel il n'y a pas de place pour soi?

Comment expliquer que si on quitte, c'est justement parce qu'on aime? pour éviter surtout que tout ceci ne devienne qu'une vulgaire histoire de cul dans laquelle on a éjaculé sa peine et sa misère?

Annie. La seule personne qu'il ait aimée.

Il regarda d'un air satisfait son nœud enfin terminé. Il avait trouvé, au beau milieu d'une piste fréquemment empruntée par les joggeurs matinaux, un magnifique mesquite. Ces arbres du désert dont on utilisait aujourd'hui la sève pour contrôler le diabète.

Il rit. On se servait de ces arbres pour sauver des vies, et lui, il s'en servirait pour se l'enlever.

La plus grosse branche tiendrait le coup.

Il regarda sa montre alors qu'il se préparait à attacher le lourd cordage. Dix-sept heures. Le soleil était encore haut mais avait perdu de sa fulgurante ténacité du midi. Il n'était pas inquiet. Personne ne passerait ici par cette chaleur et il lui restait plusieurs heures devant lui avant le crépuscule. Tout serait bientôt fini, et un joggeur le trouverait demain matin.

Il ne lui restait qu'une tâche à accomplir avant de partir.

Il ramassa quelques branches sèches éparpillées çà et là autour de lui et les empila soigneusement au milieu d'un petit cercle de pierres qu'il avait monté à son arrivée. Il termina avec quelques boules de papier journal, craqua une allumette et y mit le feu.

Le tout éclata en quelques secondes. Suant déjà sous le soleil, il eut encore plus chaud, sans pouvoir croire que cela était possible, sous les impardonnables quarante-cinq degrés Celsius de Tucson en juillet.

Il attendit que le feu prît, puis sortit de son sac une grande enveloppe brune. Il la regarda attentivement, souriant presque devant la petite écriture d'enfant de sa nièce.

— Pardonne-moi, Sydney, dit-il à haute voix, mais je n'ai pas le choix. Je ne courrai pas le risque de t'entraîner dans les méandres des souvenirs douloureux de l'enfance. Je sais que j'avais promis mais, crois-moi, l'ignorance est parfois mille fois mieux que de savoir.

Il déposa l'enveloppe sur les flammes, sans l'ouvrir, et malgré une légère hésitation de dernière seconde, il fut content de lui-même. Il pensa aussi à son frère. Il aurait été d'accord avec ce geste de sauvetage. Et bizarrement, il le sentit sourire. Charles était fier de lui.

Comme c'est étrange, pensa-t-il. Ayant recherché l'approbation de son frère toute sa vie, il la trouvait enfin, sur une piste en plein désert, seul à détruire la véritable identité d'une enfant de dix ans.

Il secoua la tête pour se sortir de ses pensées. Il lui fallait partir à tout prix de ce monde qui le rendait fou et qu'il ne parviendrait jamais à comprendre.

Il se pencha pour s'assurer qu'il ne restait plus rien de l'enveloppe de Sydney, éteignit le feu avec son pied puis vérifia la solidité de la corde et du nœud en tirant un bon coup. Satisfait, il déplia sous la branche le petit tabouret qu'il avait apporté avec lui, y grimpa et passa ensuite lentement la corde rugueuse autour de son cou trempé de sueur.

La chaleur était sans pitié. Sa tête soudainement s'alourdit.

Il leva les yeux vers l'horizon.

Debout sur son banc, la corde au cou, brûlant sous le soleil, il mit ses mains dans son dos et regarda longuement le désert Sonoran qui s'étalait à ses pieds.

Il dit au revoir à la vie, cette vieille chipie qui l'avait si souvent trahi. Et à sa grande surprise, elle lui apparut.

Il cligna des yeux.

Oui, la vie s'était bel et bien arrêtée non loin de là pour le regarder mourir. Il l'entendit répondre à ses adieux dans une brise de dérision.

– Je trouve bien ironique, lui souffla-t-elle, que tu choisisses de mettre fin à tes jours dans le désert, justement là où je persiste malgré l'austérité de la terre.

Il haussa les épaules en guise de réponse, et la corde rugueuse lui brûla le cou.

Mais la vie eut pitié de lui, et pour ne pas qu'il mourût seul, elle anima le désert d'un grand vent. Brusquement, le soleil disparut sous un nuage et de vieux saguaros aux longs bras se regroupèrent autour de lui. Les cactus géants grandirent et se multiplièrent jusqu'à former une imposante foule venue admirer le spectacle de l'homme qui s'en va.

Patrick sourit et ferma les yeux.

Il n'était plus seul.

Dans quelques minutes, tout serait fini. Et c'est à ce moment-là seulement, il en éprouva la certitude, qu'il fut absolument heureux.

Il fit basculer le tabouret.

Les nuages se dispersèrent, le vent cessa et les saguaros reprirent leur place. Et la vie, triste, s'envola dans une brise légère. Elle caressa au passage les cheveux de celui qu'elle avait mal aimé.

25

Tucson, États-Unis, 2005

Cela faisait combien de temps que je n'avais pas dormi, à l'exception de ces quelques heures dans l'avion? Épuisée, je me calai dans le siège arrière du taxi qui roulait depuis quelques minutes. Je fermai les yeux.

Ce n'était pas que physique. J'étais émotionnellement éprouvée, et ce, autant par cette expédition pantagruélique qu'est la quête de soi que par la curiosité grandissante que m'inspirait le mystère de la mort de mon oncle.

Je me sentais exténuée, mais fière tout de même de mon courage, de m'être rendue jusque-là, dans ce taxi où je me délectais un peu trop du simple confort moelleux du vieux siège en cuir.

À l'aise, je pensai tout à coup à la troisième question. À mon plus lointain souvenir de Noël.

Étonnée, je trouvai au fond de ma mémoire un souvenir joyeux.

Mon père avait l'habitude autrefois d'édulcorer abondamment son café. C'était un rituel sacré. Le repas achevé, il se servait une phénoménale tasse de sa décoction préférée, puis y jetait un nombre tout aussi imposant de dés de sucre, sous nos regards toujours médusés. Le dernier cube introduit, l'étape suivante consistait à remuer le liquide à l'aide d'une cuillère afin d'obtenir une substance presque sirupeuse. Le son de l'ustensile se fracassant sans cesse contre les parois de la tasse servait à chaque fois aux convives une onctueuse chanson que fredonnaient en chœur le café et le sucre – ding, dang, ding, dang.

À l'époque, nous fêtions la Nativité au sous-sol, la famille entourant le petit sapin en plastique, celui à l'indomptable et bizarre frondaison argentée.

Ce soir-là, on m'avait tendu mon cadeau et j'avais entendu, tout à coup, cette même chanson – ding, dang, ding, dang.

Confuse, je me souviens avoir regardé mon père. Il m'avait montré ses mains en souriant, pour me montrer qu'elles étaient bien vides. Le bruit ne pouvait donc pas venir de lui. Pourtant, en saisissant mon présent, la mystérieuse musique avait repris – ding, dang, ding, dang.

– Mais arrête, papa! avais-je lancé, agacée par un jeu dont je ne comprenais pas les subtilités.

– Mais, avait-il répondu en riant, je ne fais rien, je te jure.

Je me rappelai de son rire à ce moment-là. Cela l'avait beaucoup amusé de me voir si intriguée. Et puis, j'avais déchiré l'emballage coloré pour y découvrir une grande école. Celle-ci, à l'image des anciennes institutions de campagne, toute blanche avec des lucarnes, avait sur son perron, juste au-dessus de la porte d'entrée, une cloche.

Ce souvenir fit monter en moi une chaleureuse émotion. Celle d'avoir senti, ce Noël-là, l'espace d'un instant, une véritable complicité avec mon père. J'avais obtenu son attention. Je l'avais même fait rire!

Tout ça grâce à une mystérieuse petite chanson – ding, dang, ding, dang.

Assise dans un avion en direction de mon identité, je me demandai si nous serions complices encore une fois, un jour, mon père et moi. Et je fus soudainement reconnaissante à l'enfant que j'avais été de m'avoir conduite jusqu'à ce doux souvenir.

Ainsi, tout n'était pas que honte. Il y avait de l'espoir.

Cela me remplit de courage et je m'assoupis, souriante.

Quel bonheur de n'écouter qu'une enfant de dix ans. Avec elle, comme j'étais loin de ma vie. Celle qui, à peine quelques jours auparavant, m'étourdissait. Le travail abrutissant, les réunions insipides, les courses absurdes entre le coiffeur et les cocktails, tout cela me paraissait subitement voguer à des années-lumière du présent!

Mais alors, s'il y avait de l'espoir, comment en étais-je arrivée à vivre tant de honte et de culpabilité ? Comment en étais-je venue à craindre mon père, Nico, ma propre famille ? Comment les avais-je laissés s'immiscer dans ma personne à ce point ? Était-ce vraiment la personnalité que je m'étais forgée à dix ans qui me maintenait dans la recherche constante de la perfection afin de plaire à tout le monde ?

Car, si j'avais fait du progrès dans les derniers jours, j'appréhendais toujours la réaction de mon entourage. Il y avait de l'espoir, certes, mais je n'étais pas encore libérée de l'épuisante obsession de vouloir répondre aux attentes de tout un chacun.

Mais j'allais me sortir de là. J'avais maintenant la chanson du café et du sucre en tête pour me le rappeler.

Et puis, tout ne se passait-il pas au-delà de mes espérances ? À New York, une fois prévenue de l'endroit où Patrick Hughes était mort, une fois les billets d'avion pour San Francisco échangés pour ceux de Tucson, j'avais disposé de quelques heures supplémentaires pour continuer mes recherches.

Cette fois-ci, en ajoutant Tucson aux mots-clés, de nombreux articles de journaux étaient apparus dans les résultats. Cela avait été si facile. Quelques reportages révélaient l'histoire sordide de mon oncle.

Un joggeur avait trouvé Patrick Hughes au petit matin, au beau milieu d'un sentier, pendu solidement à une grosse branche d'arbre. Sous lui, on avait trouvé un vieux saguaro séché et des restes de papiers brûlés.

À la lecture de ces articles, mon cœur s'était crispé. Je m'étais demandé quelle souffrance abominable avait pu mener mon oncle jusqu'à ce sentier. Quelles avaient été ses dernières pensées ? Était-il concentré en faisant le nœud de la corde ? Avait-il peur ou était-il au contraire heureux d'enfin quitter une société où seul le mensonge d'une perfection illusoire était permis ?

En somme, Patrick Hughes, était-il comme moi ?

Les articles relataient les faits sans trop poser de questions. Il n'y avait pas eu d'enquête. La compagne de la victime avait témoigné de l'instabilité mentale de Patrick Hughes, ce qui avait suffi à la police pour clore le dossier.

161

Mais l'information qui par-dessus tout m'avait intéressée était le nom de cette compagne. La clé du deuxième masque.

Annie Foley.

Heureusement, dans l'annuaire, il n'y en avait que vingt-trois. De l'aéroport, j'avais donc vingt-trois fois composé le numéro d'Annie Foley, espérant à chaque fois qu'elle fût encore là. Qu'elle n'eût pas fui devant la mort et la déchirante douleur qui l'accompagnait.

Mais aucune de ces femmes n'avait de lien avec Patrick Hughes. Aucune, sauf la dernière, qui avait répondu d'une voix douce.

J'avais joué le tout pour le tout.

– Mon nom est Sydney Hughes, je suis sur les traces de mon oncle, Patrick Hughes, décédé il y a dix-sept ans.

Un long silence avait suivi. Une pause lourde de sens pendant laquelle j'avais cru percevoir toutes les images du passé d'Annie Foley.

Attente.

Espoir.

Annie allait-elle accepter de replonger vers des souvenirs qu'elle voulait sûrement oublier?

Ou allait-elle plutôt dire non à ce courant d'air malvenu du passé, fermer la fenêtre d'un coup et tirer les rideaux?

– Oui, Sydney, je sais qui tu es. Je me doutais bien que tu m'appellerais un jour. Est-ce que tu es à Tucson?

– Non, mais je suis en route. Je suis à JFK.

– D'accord, je t'attends.

Mon cœur avait bondi. Tout cela devenait rocambolesque. À cette seconde même, plus que la découverte de mon deuxième masque, j'avais eu envie de connaître cette femme. D'en savoir davantage sur mon oncle, sur le mystère de sa mort.

L'espace d'un instant, je m'étais même crue investie du pouvoir d'aider Annie.

Alors, dans ce taxi qui roulait tranquillement vers toutes ces révélations, je souriais, les yeux mi-clos. La fenêtre était ouverte. Mes cheveux volaient au vent. L'air était chaud. On aurait dit que la vie était simple.

Perdue dans mes pensées, je suivais vaguement le chemin. Je m'aperçus que nous avions déjà rejoint l'avenue indiquée par Annie. Comme une petite fille, je sautai sur mon siège, remplie d'excitation. Je serrai les mains, troublée, et regardai les numéros passer, un à un.

1035, 1037, 1039, 104...

Ce que je vis me tétanisa.

Les chiffres se figèrent sur les parois adhésives de mon abasourdissement.

Puis, tout se passa rapidement.

Une grande silhouette s'agitait à quelques maisons de là. Un homme gesticulait derrière la petite clôture bleue qui entourait la demeure. Sans aucun doute, la femme avec qui il s'entretenait n'avait aucune intention de le laisser passer.

Mon père, Charles Hughes, m'apparut, vert de rage.

De justesse, malgré ma fatigue, j'eus le réflexe de me tapir sur la banquette arrière. Dans un souffle, livide, je suppliai le chauffeur de ne pas s'arrêter.

Je cessai de respirer et j'attendis en silence.

Et, soudainement, sous le regard intrigué d'un homme et d'une femme en pleine discussion, un taxi jaune qui s'était avancé lentement accéléra d'un coup pour disparaître rapidement au bout de la rue.

– Ma pauvre vieille, quelle était cette stupide chanson, déjà? Dang, dang, dong dang?

– Où est Jack?

– Il est parti.

– Je ne vous crois pas!

– Il t'a abandonnée, encore une fois! Tu nous appartiens, maintenant.

26

Tucson, États-Unis, 1986

– Et je vous présente ma fille, Annie. Annie, voici Patrick Hughes!

Annie se leva à peine de son siège pour serrer la main de l'étranger. Mais qui était-ce, pensa-t-elle, et qu'est-ce qu'il venait faire chez elle? Et surtout, comment se faisait-il que son père le traitât comme si c'était son propre fils?

Quelques minutes plus tôt, on avait sonné à la porte, alors qu'ils s'apprêtaient à se mettre à table pour le repas de l'Action de grâce. Un repas sacré pour la famille Foley. Au timbre de la sonnette, son père, au beau milieu de la prière, avait maugréé un mauvais mot.

– Chéri, je t'en prie, avait lancé sa mère, pas devant la petite!

– Maman, j'ai quand même vingt-trois ans, alors arrête de m'appeler la petite!

Il était allé voir qui était l'intrus qui les dérangeait pendant ce rassemblement familial. À peine la porte ouverte, son père était devenu tout sourire en s'écriant:

– Patrick! Mon cher Patrick! Te voilà enfin, il y a des mois que je t'attends! Tu en as mis, du temps!

Son père avait serré l'étranger dans ses bras, comme un enfant prodigue revenu au bercail après de longues années d'absence. Annie avait fait la moue. Elle s'était assise dans le grand divan jaune du salon jouxtant le vestibule, un peu jalouse de toute cette attention que l'on accordait au nouveau venu.

Son père, elle devait le partager déjà avec tant d'autres enfants. Pédopsychiatre de renom, Andy Foley était perpétuellement penché sur ses livres ou ses dossiers. Et bien qu'il prodiguât aux enfants et à sa fille une sollicitude et une attention affectueuse, il était rare de le voir aussi enthousiaste envers quelqu'un, surtout un adulte !

– Je suis enchanté de vous connaître, Annie, mais je vous en prie, restez assise ! dit Patrick Hughes d'une voix douce en se penchant vers elle pour lui serrer la main.

Elle lui rendit un vague sourire. Elle observa avec attention son visage doré dans le filet de lumière que diffusait la lampe près d'elle. Elle s'aperçut qu'il était très bel homme. Elle se pencha un peu plus en avant et garda sa main dans la sienne un quart de seconde de plus, afin de mieux étudier encore le nouveau venu.

Très grand, le visage carré, une magnifique chevelure brune abondante, il se dégageait de lui un calme silencieux. Celui, rassurant, d'un capitaine ayant ramené son bateau à bon port.

– Enchantée, lui répondit-elle d'une voix douce, pour ne pas faire fuir les magnifiques yeux bruns dans lesquels elle était plongée.

– Mais tu dois manger avec nous, Patrick, dit Andy Foley en lui passant le bras autour des épaules. Mieux que ça, je compte bien que tu passes le week-end avec nous, en famille !

Mais qu'est-ce qu'il lui prenait ? Qui était donc cet homme ? Beau, d'accord, mais tout de même un intrus !

Annie interrogea sa mère du regard. Celle-ci, plutôt que de répondre à ses questions silencieuses, eut un regard de connivence avec son mari.

– Allez, dit-elle, enjouée, tout le monde à table, il y en a pour une armée et ça va refroidir !

Le traditionnel repas américain de l'Action de grâce. Où la nourriture abonde sur la table. Où, tout à coup, il fait bon vivre, et où les gens sont tout simplement reconnaissants d'être ensemble. Cette atmosphère sembla plaire à l'étranger et il entreprit de mettre tout le monde à l'aise avec ses histoires du Québec et son drôle d'accent.

Mais Annie dut attendre encore un peu. Ce ne fut qu'au fil du repas et un peu grâce au délectable enivrement qu'apportait le bon vin qu'elle en apprit davantage sur le mystérieux visiteur. Son père et Patrick Hughes s'étaient rencontrés dans une pourvoirie du Québec il y avait de cela vingt-cinq ans, au cours d'un des nombreux voyages de pêche d'Andy Foley. Patrick avait dix ans et accompagnait son propre père.

Leurs chemins s'étaient croisés.

– Et comment va ton père ? lança Andy joyeusement.

– Il n'est plus avec nous, malheureusement.

– Oh, je suis désolé !

– Non, cela fait très longtemps maintenant, ce n'est rien.

Mais Annie intervint. Elle trouvait bizarre toute cette situation.

– Mais dis-moi, papa, vous êtes restés en contact tous les deux pendant tout ce temps ? Toi et un enfant de dix ans ?

Son ton était inquisiteur et moqueur. Il y avait anguille sous roche et toute cette comédie ne lui disait rien qui vaille. Un silence inconfortable s'installa pendant lequel Andy Foley se racla la gorge.

– Et ne me dis pas, insista-t-elle, qu'effectivement vous êtes restés en contact, car tu ne savais même pas que son père était mort !

– Annie ! avait coupé sa mère. Comment oses-tu être aussi blessante envers monsieur Hughes ?

– Mais enfin, maman, avoue que toute cette histoire est louche !

– Je comprends votre fille, interrompit doucement Patrick. Mon arrivée impromptue doit déranger votre repas en famille et il est normal qu'Annie se pose des questions. Mais n'ayez crainte, mademoiselle, ajouta-t-il en se tournant vers la jeune blonde, je ne vous dérangerai pas très longtemps.

– Tu nous dérangeras le temps que tu voudras, trancha Andy. Ne t'en fais pas pour ma fille ! Elle a, comme son père, un sacré caractère !

Et Andy Foley se lança dans un grand éclat de rire que tout le monde imita, même Annie, s'amusant plus de la bonhomie de cet homme au visage sympathique que de sa blague.

– Je vous remercie de votre accueil si chaleureux, fit Patrick en souriant. Je suis touché de votre sollicitude.

Annie eut un sourire gêné. Elle s'en voulait, soudainement, d'avoir mis mal à l'aise ce bel étranger qui était, après tout, gentil. Au fond, elle ne voulait pas vraiment qu'il s'en aille et éprouvait même une envie naissante de le connaître davantage.

– Je n'ai surtout pas voulu être condescendante. Je suis plutôt curieuse, vous savez.

– Déformation professionnelle, coupa son père, fier de sa fille. Annie termine ses études en journalisme et s'est jointe à nous pour le long week-end. C'est le retour des enfants prodigues et il faut faire la fête ! À Annie et à Patrick !

Tous levèrent leur verre et, en chœur, portèrent un toast à Annie et à Patrick. Ils burent le liquide doré dans un silence heureux.

– Je ne voudrais pas à mon tour être insolent, dit Patrick, non sans lancer un regard malicieux vers Annie, mais je suis impatient de savoir…

– Ah ! coupa Andy de sa grosse voix de plus en plus éraillée par le vin, tu as raison, mon cher Patrick, venons-en aux faits !

Annie, intriguée, posa sa fourchette pour porter toute son attention sur ce qui allait se dire.

– J'ai l'enveloppe, poursuivit Andy. Car c'est bien de cela dont il s'agit, mesdames, d'une grande enveloppe que l'on m'a remise il y a plus de vingt-cinq ans déjà et que je dois maintenant remettre à son propriétaire.

Andy Foley se leva, imposant mais excité comme un gamin.

– Aujourd'hui est un grand jour, mes amis, pour Patrick qui va découvrir une partie de lui-même, et pour moi, pédopsychiatre, qui vais mieux comprendre les stades de transformation de la pensée intuitive d'un enfant. Je vous annonce, mesdames, que cela fait vingt-cinq ans que je suis le gardien de la vérité de Patrick.

Et Andy fit une pause, fier de sa déclaration. Il but une longue gorgée de vin.

– Le gardien de quoi ? lança Annie. Mais qu'est-ce que c'est que cette histoire ?

Avant qu'elle ne pût émettre les dizaines de questions qui lui brûlaient les lèvres, alors qu'elle prenait une grande inspiration et levait le doigt comme pour s'élancer, son père, prévoyant le coup, fut plus rapide qu'elle.

– Allons, Patrick, suis-moi dans mon bureau, l'heure des révélations est venue !

Andy décocha à sa fille un regard qui ne laissait aucune place à sa curiosité. Il poussa sa chaise vers l'arrière et tendit le bras à Patrick. Celui-ci, amusé, se leva. Il passa dans le dos d'Annie qui, surprise, huma sa délicieuse odeur.

Il se pencha vers elle et chuchota dans son cou :

– Je vous promets, mademoiselle, que je vous expliquerai tout dans quelques heures.

Et les deux hommes se retirèrent bras dessus, bras dessous, chantonnant une vieille chanson de pêche, ne prêtant plus aucune attention à la gent féminine qu'ils abandonnaient derrière eux.

Annie regarda sa mère, courroucée. Elle se sentait humiliée, insultée même de cette exclusion.

– Et toi, maman, tu es dans le coup ? Tu comprends toute cette histoire ?

– Pas vraiment, ma belle. Je sais seulement que Patrick est celui qui est à la base de tous les travaux de recherche de ton père sur la transformation intuitive que traversent les enfants entre dix et douze ans. Je sais aussi, poursuivit-elle en levant la main pour arrêter sa fille qui s'élançait déjà vers une autre question, je sais aussi qu'ils s'étaient donné rendez-vous pour se revoir cette année et qu'il y avait déjà quelques mois que ton père l'attendait.

– Mais, pour se dire quoi ? Et cette enveloppe, qu'est-ce que c'est ?

Sa mère haussa les épaules.

– Je ne sais pas, Annie. Et il te faudra, comme moi, patienter quelques heures pour en savoir plus. Je crois que ton père et Patrick te diront tout. En attendant, pourquoi ne m'aides-tu pas à ramasser la table et à faire la vaisselle ? Cela t'aidera à patienter.

Annie regarda sa mère d'un air renfrogné.

– La vaisselle ? C'est ça, alors que les hommes, eux, boivent leur verre tranquillement, nous, les femmes, allons faire la vaisselle ? Maman, sans blague, est-ce que tu t'entends ?

– Oui, je m'entends, répondit sa mère en riant. Allez, arrête de rouspéter et viens me donner un coup de main !

La future journaliste débarrassa la table, empila les assiettes et pesta à la vue des dizaines de casseroles à récurer.

– Maman, on pourrait pas la faire demain ?

– Non.

– Pfff… Allez, qu'est-ce que ça va chang…

Sa mère lui coupa la parole d'un geste brusque.

– Chut, écoute…

Annie se tut et porta l'oreille. Des cris leur parvinrent de l'autre bout de la maison.

– Cela vient du bureau de papa ! dit-elle en se précipitant vers le bureau de son père.

Elle s'arrêta net devant la grosse porte en cuir, sa mère sur ses talons. Elle n'osa pas ouvrir. Patrick hurlait de désespoir.

– Espèce de salaud, cria-t-il, comment as-tu pu me faire cela ? Comment as-tu pu laisser faire une chose pareille ?

– Mais, Patrick, je n'en avais aucune idée, j'ai gardé l'enveloppe scellée comme tu me l'avais demandé !

– D'accord, mais quand même, espèce de lâche, tout cela s'est déroulé sous tes yeux, sans que tu ne fasses rien, sur le coup, et pendant vingt-cinq ans !

– Mais, je n'ai rien vu, Patrick, je n'ai rien vu, je ne savais pas !

Annie entendit son père qui pleurait à gros sanglots. Il semblait complètement affolé.

– Patrick, laisse-moi t'aider. Je…

– Non ! hurla Patrick, si fort qu'Annie dut décoller son oreille de la porte. Il était enragé et sa voix, troublée par les larmes. Vous me dégoûtez, tous !

Et il sortit brusquement. Annie eut l'impression qu'il ne les vit même pas, elle et sa mère, plantées là sur son chemin. Sa figure défaite lui fit peur et elle chercha, l'espace d'une seconde, la beauté tranquille qui l'avait envoûtée quelques heures plus tôt. Mais elle n'en trouva aucune trace. Elle le suivit du regard jusqu'à l'entrée de la maison, espérant, sans s'en rendre compte, qu'il aurait eu pour elle un dernier regard.

Il ne se retourna pas et disparut en laissant béante derrière lui la grande porte de bois, un trou dans la nuit, comme sa blessure qui venait tout à coup de s'ouvrir.

Annie fixa la porte qui, bercée par le vent, grinça un moment.

Puis, on n'entendit plus rien que les larmes étouffées d'Andy Foley.

Annie reprit soudain ses esprits et s'élança vers le bureau de son père. Elle le trouva affaissé sur une chaise, pleurant profondément. Déconcertée devant un tel spectacle, elle l'étreignit et déposa un baiser tendre dans ses cheveux.

– Papa, murmura-t-elle, que se passe-t-il ?

Mais le docteur Foley ne réagit pas à la présence de sa fille. Dans sa tête se bousculait la scène qui venait de se dérouler. Un adulte, sous ses yeux, venait de revivre un drame affreux qu'enfant, il avait enterré. Était-il responsable ? Était-il allé trop loin uniquement dans le but d'élucider le mystère de l'enfance et de faire avancer sa carrière ? Avait-il joué un rôle qui ne lui revenait pas ?

– Mon Dieu, qu'ai-je fait ? marmonna-t-il pour lui-même.

Annie et sa mère se dévisagèrent.

– Papa…

Mais Andy Foley ne parla plus pendant de longues semaines. Il s'emmura dans le silence, une forteresse où il ne laissa personne pénétrer, pas même sa femme.

27
TUCSON, ÉTATS-UNIS, 2005

J'avais éteint la lumière. Ma chambre n'était éclairée que par le faible halo de la piscine qui chatouillait les murs en adobe blanc du *Bed & Breakfast* où j'étais descendue.

Le Mesquite Tree, sur Ina Road.

J'avais trouvé cet endroit de rêve sur le Net. Assise sur le lit et regardant autour de moi, je me félicitais de ma découverte. Bien dissimulé derrière un imposant jardin de cactus, de palmiers et de fleurs de toutes sortes, ce petit paradis était invisible de la route.

Cachée, je pouvais enfin réfléchir à souhait. Ce que je n'avais pas pu faire depuis l'incident du taxi. Je laissai tomber ma tête dans mes mains et j'expirai profondément. Comme si j'avais voulu faire jaillir toutes les pièces du puzzle de mon corps et les déposer devant moi pour pouvoir mieux les examiner.

J'attendis un moment que le vide se fasse.

Mon Dieu, que de contradictions !

J'étais en plein désert et pourtant, c'était dans une oasis fleurie et remplie d'eau que je me retrouvais.

Je me croyais à l'autre bout du monde et pourtant, n'était-ce pas mon père que j'avais vu quelques heures auparavant ?

J'avais enfin trouvé le besoin de m'aimer et pourtant, n'avais-je pas encore peur ?

Je hochai la tête. Tout ceci était comme un mauvais rêve. Avec la mort de mon oncle, j'avais cru que cette histoire se compliquait. Mais, avec mon père de nouveau à mes trousses, tout s'embrouillait encore davantage !

Comment avait-il su que j'étais à Tucson ?

Je réfléchis rapidement. Je fis les cent pas dans cette magnifique chambre aux murs orangés. Tout en ce lieu respirait le Mexique : la housse du lit aux mille tonalités de feu, les reproductions de potiches toltèques alignées sur la commode en bois, les jalapeños rouges et verts suspendus en grappes séchées au-dessus du foyer en brique de terre crue... Cette décoration me dépaysa et favorisa la remise à neuf de mes pensées.

Sarah, oui ! C'était certainement la petite que l'on avait questionnée à nouveau et qui avait fini par révéler ce qu'elle savait.

Petite enfant.

J'eus une pensée triste pour ma filleule qui devait se sentir bien seule. Pourquoi le passage de l'enfance était-il si difficile ? Pourquoi nous était-il impossible de rester simplement nous-mêmes ?

Oui, bien sûr, nous tentions tous de nous rebeller. Mais, inexorablement, tous ou presque, nous perdions un jour ou l'autre la bataille de l'individualité contre le conformisme.

Quel était le sort réservé à Sarah ? Saurait-elle se sauver comme moi, en préservant son identité afin de la redécouvrir plus tard ? Oui, il le fallait absolument.

Je me dirigeai vers l'ordinateur qui se trouvait sur le bureau de la chambre.

J'eus une seconde d'hésitation.

– Tu vas encore foutre la petite dans la merde !

– C'est vous, maintenant, qui êtes grossier !

– Moi, je fais ce que je veux !

– Ah bon ? Et moi, alors ?

– Toi, tu fais ce que l'on te dit de faire. Tu nous appartiens, tu te souviens ?

– Et à qui je parle, je vous prie ?

– La ministre de la Peur de Faire une Erreur.

– Et ben, ma vieille, je pense que vous ne comprenez pas où nous en sommes ! Je suis parfaite et je suis sur le point de découvrir mon deuxième masque. Alors, je vous prie de faire de l'air une bonne fois pour toutes !

– Mais, je...

– Il n'y a pas de mais. Ouste !

Peur de Faire une Erreur soulevait tout de même un bon point. Et si le courrier électronique de Sarah était lu encore une fois par quelqu'un d'autre que ma jeune protégée ? Je ne savais plus si j'aidais ou si j'aggravais le cas de cette petite que j'aimais tant.

Non. Il fallait le faire. Il fallait dire à l'enfant qu'il y avait un moyen de revenir à soi, de ne pas oublier qui nous sommes. Et j'écrivis rapidement un courriel à ma nièce.

En appuyant sur la touche « Envoyer », mon père me revint à l'esprit. Ainsi, Sarah avait parlé et il était à mes trousses. Mais pourquoi ? Pourquoi courir derrière moi de la France aux État-Unis ?

Ce n'était certainement pas uniquement parce qu'il était inquiet pour moi !

Et puis, comment se faisait-il qu'il connaissait Annie Foley, alors que toujours, il m'avait raconté que Patrick était mort fou, seul, quelque part chez nos voisins du Sud ?

C'était un sujet tabou à la maison, toute cette histoire des Hughes. Le grand-père ivrogne, disparu avec la bonne, abandonnant la famille avec d'énormes dettes. La grand-mère inaccessible, au regard aigri, refusant en tout temps que qui que ce soit la touche. Et finalement, cet oncle dépressif, mort au loin.

Beau tableau.

Une famille démantelée dont il était interdit de parler. Et puis des enfances, la mienne et celle de ma sœur, surprotégées. Deux fillettes tenues dans l'ignorance de faits embarrassants.

L'ordinateur s'éteignit, tuant d'un coup la lumière bleuâtre de l'écran qui tamisait la chambre. J'ouvris les draps propres et m'y glissai avec délectation.

Une chose était certaine, pensai-je, j'étais en train de changer. Et cela dérangeait mon père au plus haut point. J'en étais convaincue.

Alors, que se cachait-il derrière cette poursuite à travers le monde ?

De quoi mon père avait-il si peur ?

Je le saurais très bientôt. Mais le moment n'était pas encore venu. Car, pas plus qu'en France, je n'étais prête à connaître les réponses aux questions que je voulais poser à mon père. Si j'étais plus forte, j'étais consciente que je ne l'étais pas assez pour remonter tout de suite jusqu'à la racine de mes maux.

Il me fallait un peu plus de temps pour me concentrer sur la reconstruction de moi-même. Sur la solidification de mes assises.

En attendant, un autre problème devait être réglé. Comment contacter Annie sans risquer de me faire attraper au vol par mon père?

28

MONTRÉAL, CANADA, 2005

Il était tard et la maisonnée ronflait à l'unisson dans un bruissement de narines à peine perceptible. Mais Sarah avait l'oreille fine, et la respiration de chacun avait été suffisante pour la rassurer. Elle avait pu y aller avec confiance. Tout le monde dormait.

Un vent frisquet vint lui mordre le visage et elle grelotta de froid. C'était bien le mois de mai, mais l'été n'était pas encore là, pensa-t-elle alors qu'elle grattait la terre avec ses doigts. Mais elle ne s'arrêta pas. Elle avait du travail et pas une seconde à perdre.

Sarah creusait un trou et le souhaitait bien profond. Elle n'y allait pas légèrement. À quatre pattes, les genoux bien enfoncés dans la pelouse, le dos courbé, elle donnait de grands coups de bras. Il n'était pas question que son trésor fût découvert trop rapidement. Elle espérait au moins que passent une bonne vingtaine d'années avant que ne fût mise à nu son âme d'enfant.

Elle frissonna de nouveau et redoubla d'effort. Elle sentit la terre s'entasser sous ses ongles à demi rongés de petite fille.

C'était une bonne idée que sa tante avait eue. Par elle-même, Sarah avait su de façon inconsciente qu'elle devait changer de personnalité. Par elle-même aussi, elle avait pu déterminer les trois masques nécessaires à sa transformation. Mais l'idée de mettre tout cela par écrit pour que, plus tard, elle puisse revenir à elle-même ne lui serait jamais venue à l'esprit.

Tout cela était bien logique.

– Oui, marmonna-t-elle dans son menton, lorsqu'on est adulte, on est enfin libre de faire ce qu'on veut. On n'est plus obligé de faire ce que les grands veulent!

N'était-ce pas sa propre mère qui lui répétait tout le temps: «Tu feras ce que tu voudras quand tu seras chez toi, ma petite fille. Mais pour le moment, tu es chez moi et c'est moi qui décide»? Alors oui, une fois adulte, elle pourrait bien faire ce qu'elle voudrait.

– Voilà, se dit-elle, c'est bien assez creux.

Elle tapa la terre du fond du trou avec son poing. Elle y glissa de façon cérémonieuse un petit tube de plastique à l'intérieur duquel elle avait roulé une lettre. Ce message, elle l'avait adressé à un inconnu. Celui qui, elle l'espérait, trouverait un jour son trésor caché.

Un jour, souhaitait-elle, un archéologue faisant une fouille trouverait sa lettre. Alors, soit elle serait sauvée, soit il serait trop tard et elle serait immortalisée en tant qu'enfant qui avait enterré sa vraie personnalité. Dans les deux cas, le monde saurait qui elle avait véritablement été.

Victoire!

C'était un bon plan. Elle était fière d'elle. Elle sourit et reboucha soigneusement le trou. Elle égalisa le sol et replaça le carré de gazon qu'elle avait découpé.

Le vent récidiva de plus belle et elle trembla. Elle se rappela soudain que c'était la nuit et qu'elle était toute seule dehors.

Elle se leva et recula de quelques pas en serrant sur elle sa petite robe de chambre en flanelle bleu clair. Elle plissa les yeux dans la pénombre et admira son œuvre. Oui, se dit-elle, il serait impossible, pour qui ne le savait pas, de deviner que l'âme d'une enfant était enfouie là, sous la haie.

Debout, au milieu du jardin, il n'y paraissait rien du trou qu'elle venait de creuser.

Son projet était accompli.

Elle regarda autour d'elle et conclut que personne ne l'avait vue. Elle retourna à petits pas rapides vers la maison.

Sarah se coucha, cette nuit-là, à la fois heureuse d'avoir assuré son avenir et chagrinée de savoir que bientôt, elle ne serait plus elle-même.

Qu'incessamment, elle ne serait plus là.

29

TUCSON, ÉTATS-UNIS, 2005

Je refermai la portière du taxi d'un coup sec et me dirigeai vers l'entrée du Desert Museum de Tucson. J'avais rassemblé tout mon courage ce matin-là et j'avais téléphoné à Annie Foley.

J'avais senti tout de suite qu'elle était aussi anxieuse que moi. D'une voix perturbée, elle m'avait donné rendez-vous le matin même à 11 h au musée.

– Jack?

– Oui, je suis là.

– Merci, mon Dieu! On m'a dit que…

– … j'étais parti?

– Tu l'étais?

– Bien sûr que non! J'ai été retardé. On en reparlera plus tard, vas-y maintenant.

Je pressai le pas. J'espérais en silence que mon père n'eût rien dit d'absurde à Annie, au point de l'alarmer ou de lui faire peur. Je payai l'entrée en vitesse et demandai où se trouvait le café du musée. On m'indiqua une grande terrasse qui surplombait l'infinité du désert, tachée çà et là de saguaros géants.

Je m'arrêtai brusquement. J'eus, l'espace d'un court instant, la vague impression que les cactus agitaient les bras vers moi. Comme si, pensai-je, ils avaient voulu me dire quelque chose.

Étranges, ces arbres du désert.

Le café était vide. Je cherchai Annie des yeux et emboîtai le pas vers une femme d'environ quarante-cinq ans à l'épaisse

chevelure blonde. M'arrêtant derrière elle, je murmurai doucement, pleine d'espoir :

– Annie ?

La femme se retourna brusquement et me sourit.

– Oui, c'est moi, dit-elle en se levant.

Elle me serra la main et me fit signe de m'asseoir. Je pris
une chaise et j'admirai l'étonnante beauté de cette femme
que le temps paraissait avoir oubliée. Je demeurai un peu
abrutie devant son regard, vif d'intelligence et débordant de
vie.

Annie resplendissait. Tout simplement.

Pourtant, ses grands yeux bleus étaient tuméfiés. L'on aurait
dit qu'elle avait pleuré une grande partie de la nuit. Je posai ma
main tremblante sur son bras.

– Merci, Annie, dis-je. Je sais combien cela doit être difficile
pour vous de replonger dans vos souvenirs.

– Oui, Sydney. Mais je suis heureuse de pouvoir t'aider. Je
veux te dire tout de suite que je n'ai rien dit à ton père hier.

Je sursautai. Oui, mon père, pensai-je. J'étais presque en
train de l'oublier tellement la nostalgie d'Annie me frappait
droit au cœur.

– Oui, je… je suis désolée de vous impliquer dans mes
problèmes familiaux. Mon père est à mes trousses depuis
quelque temps. Je ne sais pas exactement pourquoi. Je crois
qu'il craint que je ne sois atteinte de folie !

Annie sourit d'un air entendu. Sourire sous le charme
duquel je succombai immédiatement.

Tout de suite, je fis confiance à cette belle femme aux yeux
couleur de ciel.

– C'est certain que j'ai des tendances dépressives. Et il faut
dire aussi que je suis partie sur un coup de tête en n'avertissant
personne. Mais, quand même, je ne suis pas folle, Annie !

– Je sais, Sydney, je sais. Tu n'es pas folle. Tu as simplement
reçu une enveloppe qui contenait une lettre écrite par toi-
même quand tu étais jeune. Malgré le fait que tu voudrais y
croire de toutes tes forces, et bien que tu aies déjà probablement
acquis un ou deux masques avant d'arriver ici, tu te demandes
encore si tu n'es pas en train de divaguer.

Je relevai la tête brusquement.

Alors, Annie était au courant ?

Un vent d'espoir me traversa. Celui d'être enfin comprise. Celui d'avoir trouvé une alliée. Je voulus me lancer dans ses bras. Il y avait si longtemps que personne ne m'avait lue aussi clairement. Un réel sentiment de connivence avec une autre personne. Voyager sur la même longueur d'onde qu'un autre être humain. Ne pas être sans cesse seule dans son coin, avec ses pensées. Cela faisait des années que je n'avais pas connu cela.

Je me sentis au bord des larmes.

– Annie, vous savez donc tout, je veux dire?...

– Oui, enfin, je ne sais pas tout, mais j'en sais quand même beaucoup. Je sais par exemple que Patrick était le gardien de ta vérité, et je sais aussi que mon père était le gardien de la vérité de Patrick.

– Votre père? C'est donc comme cela que vous vous êtes rencontrés?

– Oui, c'est bien cela. Mais la rencontre entre mon père et Patrick a très mal tourné.

Je trépignais d'impatience et je fis un signe poli de la tête pour signifier à la serveuse qui s'approchait de nous que nous n'avions besoin de rien. La vérité suffisait pour le moment.

Et puis, je n'avais pas soif. Je ne voulais boire que les paroles d'Annie.

Cette rencontre me révélait beaucoup plus que ce que j'avais espéré et je remerciais secrètement la Providence de m'avoir envoyé cet ange du ciel.

Oui. Un ange.

– Je vous en prie, Annie, racontez-moi ce qui s'est passé. Je ne me souviens de rien. Pas plus de ma transformation que de ma relation avec mon oncle. Tout ce que je sais, c'est que Patrick devait me révéler mon deuxième masque et que je devais le rencontrer à San Francisco.

Annie sourit. Elle mit sa main sur celle de l'adulte chez qui elle sentait renaître l'enfant.

– Ne t'inquiète plus, Sydney, tu m'as trouvée. Je vais faire l'impossible pour t'aider, comme je l'ai fait avec ton oncle. Mais je dois te dire que Patrick et toi avez joué à un petit jeu dangereux auquel je n'ai pas été invitée à participer. Ton oncle n'a jamais voulu me révéler ses secrets. Et mon père, après la venue de Patrick, n'a presque plus soufflé mot. Je n'ai eu accès à ses travaux qu'après sa mort.

– Ses travaux?

– Oui, mon père était pédopsychiatre. Il a consacré sa vie à comprendre l'univers des enfants. Puis, dans un voyage, il a rencontré Patrick et ton grand-père. Et c'est là qu'il a découvert ce monde parallèle où se cache la véritable identité des enfants, dans des milliers d'enveloppes protégées quelque part par des gardiens de la vérité.

– Mais, vous voulez dire que ce n'est pas seulement...

– Non, Sydney, ce n'est pas seulement toi et Patrick, fit Annie en riant un peu de ma naïveté. Il s'agit bien ici de tout un réseau complexe d'enfants en transformation et de certains adultes qui les protègent.

Je respirai profondément. Devant moi, comme le désert qui se déroulait à mes pieds, voilà que s'ouvrait tout un nouveau monde auquel, sans le savoir, j'appartenais.

– Oui, je sais, dit Annie devant mon air figé. J'ai eu la même réaction que toi quand j'ai commencé à comprendre de quoi il s'agissait en lisant les recherches de mon père. Mais je dois dire que ses découvertes sont assez minces. Patrick faisait partie des quelques enfants seulement qui se sont ouverts à lui.

Silence du désert.

– Alors, poursuivit-elle en poussant un long soupir, Patrick, comme toi, a reçu un jour une enveloppe, et il est parti à la découverte de lui-même. Je crois que la découverte de son premier masque s'est très bien passée, car il est arrivé chez mes parents extrêmement heureux et apaisé. Mais quelque chose d'horrible l'attendait dans la deuxième enveloppe, celle que lui a remise mon père le jour où j'ai vu Patrick pour la première fois. Ils ont eu une altercation épouvantable. Puis, Patrick s'est enfui dans la nuit avec la ferme intention de se perdre dans le désert.

– Mon Dieu! dis-je, épouvantée. Mais que contenait cette enveloppe?

Annie émit un petit rire de dépit.

– Ah, ça! c'est bien ce que tout le monde voudrait savoir! Mais tu ne veux pas que je te raconte plutôt comment j'ai retrouvé Patrick?

Je fis oui de la tête, soucieuse de ne pas froisser cette source incroyable d'informations.

– Eh bien, complètement par hasard! Je l'ai croisé dans la rue, quelques jours seulement à peine après la dispute chez mes parents.

La chaleur se faisait de plus en plus écrasante. Le visage d'Annie se fondit dans l'horizon du désert.

Elle n'est plus avec moi, pensai-je soudainement. Annie flottait sur les vagues chaudes et confortables des confins de sa mémoire.

– Je suis restée là, les bras ballants. Et pendant de longues minutes, je l'ai regardé marcher de l'autre côté de la rue. Je me suis dit à ce moment-là que je ne voulais pas d'un fou qui avait envoyé mon père dans un mutisme profond. Mais, en même temps, Sydney, j'étais subjuguée par le regard avec lequel il m'avait enveloppée la première fois que je l'avais vu. J'étais ensorcelée par la beauté de cet homme et aussi, sans me l'avouer, je mourais d'envie de savoir ce qu'il avait découvert dans cette enveloppe. Toute cette histoire de gardien de la vérité me chatouillait! Ç'a été plus fort que moi.

– Vous avez traversé la rue?

– Oui, j'ai traversé la rue, répondit Annie en baissant la tête, comme si tout à coup elle avouait un crime qu'elle avait commis et qu'elle avait toujours tenu secret. Je l'ai invité à prendre un café et nous ne nous sommes plus jamais quittés. Si, effectivement, une grande douleur avait frappé Patrick, cela ne nous a pas empêchés de tomber profondément amoureux l'un de l'autre. Nous avons eu une liaison de plus de deux ans pendant laquelle nous avons vécu une passion hors du commun.

– Mais, alors, pourquoi le suicide?

– Amoureux ou pas, Patrick ne pouvait pas contrôler l'état dépressif qui l'envahissait lorsque ses souvenirs refaisaient surface. Et autant ai-je voulu l'aider, autant lui n'a jamais accepté de me révéler ce que l'enveloppe contenait. Tout au plus, il m'a raconté son premier masque et la transformation immédiate que sa découverte avait engendrée, ainsi que le bonheur et la trêve qui avaient suivi. Et puis, longuement, il m'a parlé de toi.

– De moi?

– Oui, de toi. De cette magnifique petite fille, sa nièce. Celle qu'il avait vue, comme pour la première fois, durant ce fabuleux après-midi d'été.

Je fermai les yeux. Je tentai de toutes mes forces de retrouver, quelque part dans un des tiroirs de ma mémoire, un souvenir rangé sous l'étiquette : « Merveilleux après-midi d'été avec oncle Patrick ».

Mais rien.

Annie sourit.

– C'était à la maison de campagne de tes parents. Tu avais dix ans et Patrick, trente-cinq. C'est là que vous vous êtes parlé. Que tu lui as révélé ta transformation et que tu lui as demandé d'être le gardien de ta vérité. Il a accepté. Tu lui as remis l'enveloppe et vous ne vous êtes plus jamais revus. C'est aussi simple que cela.

Bienveillante, Annie fit une pause pour me laisser le temps d'absorber toutes ces informations. Mais j'enchaînai tout de suite, pressée d'en finir avec tout ce passé qui me submergeait.

– Et mon enveloppe, la mienne, est-ce que Patrick vous l'a remise ?

Je devais avoir des yeux suppliants.

– J'imagine que la découverte de ton premier masque s'est bien passée pour toi aussi ?

J'acquiesçai de la tête.

– Sydney, dit Annie d'une voix douce en se rapprochant de moi, je dois te dire que, malheureusement, Patrick ne m'a rien laissé pour toi.

Je m'affaissai lourdement sur le dossier de ma chaise en ne quittant pas les yeux d'Annie.

– Ainsi, tout est fini ? dis-je d'un ton sans vie.

– J'en ai bien peur. Mais n'en veux pas à Patrick. Crois-moi, il y a longuement réfléchi. Car, ayant été lui-même tellement blessé par le contenu de sa propre enveloppe, il s'est demandé quel était le bien-fondé de ce jeu de l'identité. Était-il de son devoir de te protéger ? Car c'est cela qu'il a tenté de faire en brûlant ton enveloppe, Sydney, te protéger.

– Brûlée ? criai-je, imaginant bien que le feu n'avait pu laisser aucune trace.

Annie se tordit sur sa chaise, affligée de ne pouvoir m'aider davantage.

– Sydney, il a tout de même laissé quelques affaires derrière lui : son journal, quelques écrits… Il n'y a rien qui te concerne ;

mais si tu le veux, je t'invite quand même à venir y jeter un coup d'œil. On ne sait jamais.

Je souris péniblement et hochai la tête en suivant Annie qui se levait pour partir.

– Allons-y, dit-elle d'un ton qu'elle voulut presque allègre, comme pour déjouer le sentiment de tristesse qui naissait en elle.

Nous marchâmes vers la sortie d'un pas lent.

– Il faut que je parle à Jack !

– À qui ? demanda Annie, surprise.

– À Jack. C'est mon Besoin de m'Aimer.

– Ton besoin de… Tu es vraiment la nièce de Patrick !

Annie rit.

Mais moi, je tentais de ravaler les larmes qui me montaient du fond de la gorge. Jack, encore une fois, n'était pas au rendez-vous.

– Annie, demandai-je d'une voix embuée de larmes, que vous a dit mon père exactement ?

Annie s'arrêta net.

Elle me regarda droit dans les yeux.

– Sydney, ton père m'a révélé ce que je voulais savoir depuis vingt ans. Il m'a révélé ce que contenait l'enveloppe de Patrick.

30

TUCSON, ÉTATS-UNIS, 1987

Il pensait peut-être qu'Annie l'avait sauvé. Que peut-être il lui serait possible d'être enfin heureux, comme à la découverte de son premier masque.

Mais, cet après-midi-là, son frère avait sonné à la porte.

Cela faisait bien un an qu'il ne l'avait pas vu. Pas depuis ce mémorable après-midi d'été à la campagne, celui où il avait revu sa nièce, Sydney.

Il ouvrit pour apercevoir son frère qui n'avait pas l'air d'être là par pur plaisir. C'est vrai qu'il n'avait donné aucune nouvelle depuis son départ. Peut-être que sa famille l'avait cherché pendant tout ce temps?

En effet, Charles sauta les salutations d'usage.

– Tu te fous de nous, Patrick? beugla-t-il en poussant violemment la porte.

– Est-ce parce que je n'ai pas dit au revoir que tu ne me dis pas bonjour?

– Je me passerais de tes moqueries, mon vieux, et si tu continues, sache que je n'hésiterai pas à te mettre mon poing sur la gueule!

– C'est bon, c'est bon, fit Patrick en reculant pour laisser passer son frère, entre, fais comme chez toi!

Charles s'avança d'un air méfiant, inspectant les lieux.

– Tu vis seul?

– Tu veux toujours tout contrôler?

Charles décocha un regard glacial à son frère.

184

– Calme-toi, Patrick !

– Mais, c'est toi qui...

– Je t'ai posé une question. Tu vis seul ?

– Non, mais elle n'est pas ici. Qu'est-ce que tu veux, au juste ?

– Écoute, Patrick, je ne suis pas ici pour tes beaux yeux. C'est maman qui m'envoie. Pas un mot en presque un an et demi ! Je veux bien croire que tu es dépressif, mais là, vraiment, tu le fais exprès !

– Je n'ai pas d'excuse, Charles, et je ne tenterai pas d'en trouver, répondit Patrick en haussant les épaules et en tentant de garder son calme.

Il avait toujours eu peur de son frère, de son jugement. Et voilà qu'il sentait monter en lui ce sentiment de petitesse, de n'être qu'un bon à rien. Il ne fallait à aucun prix montrer cette émotion !

Il détourna la tête pour échapper au regard accusateur de son frère. Charles sauta comme une bête affamée sur cette vulnérabilité qui s'offrait à lui.

– Je sais bien que tu te sens coupable, et c'est la moindre des choses ! Après tout ce que tu as fait à notre famille. N'es-tu pas capable d'être normal, comme tout le monde ?

Patrick le savait, il ne pouvait en aucun cas déraper dans cette conversation. Il devait trouver une issue. Il demanda, en se concentrant pour garder une voix sans faille qui commandait le respect :

– Qu'est-ce que tu veux, Charles ? Qu'est-ce que tu es venu faire ici ?

– Je suis venu te chercher, pauvre idiot. Tu dois revenir. Après tout ce que tu nous as fait vivre, tu nous dois bien la tranquillité d'esprit !

Après tout ce que j'ai fait, pensa Patrick. Il eut peur un instant que son frère soit au courant du lien qui l'unissait à Sydney, que l'enfant ait parlé. Il risqua :

– Mais qui veut que je revienne, exactement ?

– Pas moi ! ricana Charles. Mais maman, oui. Elle est vieille, et elle a déjà été plaquée par papa. Pense à elle. Viens avec moi. Je ne sais pas avec qui tu vis, mais elle n'en vaut pas la peine. Il n'y a rien pour toi ici.

C'en était trop.

Patrick leva la tête qu'il avait gardée baissée et affronta soudainement les yeux de son frère, le regard en feu. Celui-ci, surpris, recula d'un pas.

– Patrick, qu'y a-t-il, que… que s'est-il passé ici?

Comme par magie et pour la première fois de son existence, Patrick sentit qu'il avait le dessus. Que c'était son frère qui, devant lui, rapetissait sous un lourd manteau d'insécurité qu'il montrait pour la première fois. Ce sentiment lui donna des ailes.

– Il s'est passé que j'ai tout appris. Je sais tout, maintenant.

– Tout appris sur quoi, exactement? demanda-t-il, hésitant.

Charles tenta de tourner la tête, mais Patrick lui attrapa le menton d'une main forte et força son regard à plonger dans le sien. Et, soudain, il lut dans les yeux livides de son frère.

– Tu le savais, toi aussi, n'est-ce pas? Tu l'as toujours su?

Charles résista quelques secondes. Et dans un geste d'abandon profond, après des années d'effort pour paraître normal, il baissa la tête.

– Oui, je le savais.

Trahison.

Patrick s'affaissa sur le fauteuil. Il sentit monter en lui un flot d'émotions qu'il savait impossible à retenir. Et devant son frère, il pleura à chaudes larmes. De gros sanglots. Comme un enfant qui réalise qu'on vient de l'abandonner au milieu d'une foule.

Charles ne bougeait plus et ne savait que faire, que dire. Tout était soudainement trop gros pour lui. Plus grand que tout ce qui lui était humainement possible de contrôler.

Il se rabattit sur une question insignifiante:

– Mais, Patrick, comment as-tu su? Qui ici est au courant de tout cela?

– Qu'est-ce que ça peut bien foutre? cria Patrick en se levant. Pourquoi est-ce que tu ne m'as jamais rien dit? Et combien d'autres personnes le savent? Toute la famille, je parie?

Il avait dit cela par désespoir, mais jamais il n'aurait pu prévoir la réponse de son frère.

– Oui. Nous le savons tous.

Patrick était dégoûté. Les pleurs qui coulaient sur ses joues séchèrent en un instant face à la malveillance humaine qu'il venait d'entrevoir.

– Nous n'avons pas su te protéger, Patrick. Et lorsque nous nous sommes rendu compte que tu avais tout bloqué dans ta mémoire, c'est avec le silence que nous avons cru bon de t'aider. Mais ça a mal tourné.

– Il n'y a eu que moi ? demanda Patrick, dérouté. Ce n'est arrivé à personne d'autre ?

– Il n'y a eu que toi.

Un long silence suivi.

Aucun des deux hommes ne bougea.

Patrick, sans bruit, bouillonnait de rage. Celle de n'avoir pas su se défendre, pas su se protéger.

Charles frémissait de peur. Il n'avait plus aucun contrôle sur la situation.

– Patrick, reviens avec moi, dit-il fébrilement, tu es malade, tu ne peux pas rester ici.

– Oui, je suis malade, mais je ne suis pas débile ! Et j'en ai assez de me faire traiter de la sorte. Je ne reviendrai pas. Et tu peux dire à maman que je ne jouerai plus le bouc émissaire de cette famille de merde ! Vous pensez que je vais continuer à vous laisser expier toutes les fautes du paternel à travers moi en me gardant bien drogué pour ne pas trop y penser ?

– Patrick, tu exagères !

– Vraiment ?

Le ton était fort et Patrick s'avançait dangereusement vers Charles. Celui-ci recula.

– Fous le camp, espèce de salaud. Après tout ce que tu as laissé faire, je n'arrive pas à croire que tu aies eu le culot de venir me chercher jusqu'ici !

– Patrick, je…

– Fous le camp ! cria Patrick en poussant Charles vers la porte qui était restée ouverte.

C'est à ce moment que la tête blonde d'Annie apparut. Elle sortait de sa voiture qu'elle venait de garer dans l'allée.

Il s'arrêta.

Elle était si belle.

Un ange doré scintillant sous le soleil. De grands yeux bleus descendus de la voûte céleste pour le protéger. Un regard amoureux. Un sourire apaisant.

Il fondit, là, devant Charles qui avait suivi son regard.

Quelques secondes s'écoulèrent dans cette extase lorsqu'il se rendit compte qu'Annie venait d'apercevoir Charles. Il se ressaisit.

– Elle ne sait rien, mon vieux, dit-il dans un souffle. Je t'en supplie, pars pour ne plus jamais revenir et emporte avec toi tes sales souvenirs !

Charles, voyant l'amour dans les yeux de son frère, n'hésita pas. Il lui mit la main sur l'épaule. Pour la première fois de sa vie, il laissait aller une situation qu'il n'avait pas gagnée. Il abdiquait.

– Pardonne-moi, Patrick. Je n'ai voulu que te protéger toute ma vie de ces affreux souvenirs. Je m'en vais.

Il sortit en faisant un petit signe de tête à Annie qui le regarda s'éloigner, surprise.

Des deux frères, un seul savait qu'ils ne se reverraient plus.

31

TUCSON, ÉTATS-UNIS, 2005

Mon coup de fil passé de l'aéroport était venu attiser chez Annie toute l'amplitude de sa peine. Le chagrin inconsolable d'avoir perdu l'amour de sa vie.

Mais, c'était surtout sa rencontre de la veille avec mon père qui l'avait chavirée.

Celui-ci l'avait confrontée à une vérité qu'elle aurait préféré, en fait, ne jamais connaître. Et de savoir, dix-huit ans plus tard, le lourd secret de celui qu'elle avait tant aimé l'avait fait pleurer toute la nuit.

– Vous en êtes certaine, Annie, c'est ce que mon père a dit?

Nous étions toutes les deux affairées à sortir deux grands cartons du placard du sous-sol.

– Absolument certaine, Sydney. Quand je lui ai affirmé que je ne t'avais pas vue, ce qui était vrai, il s'est mis à pleurer. Il m'a dit qu'il ne voulait pas te perdre comme il avait perdu son frère et que cette fois-ci, il ne te laisserait pas toute seule ici.

J'étais abasourdie. Mon père, cet homme froid et contrôlant, voilà qu'il parcourait le monde afin de me sauver et, pire, qu'il se mettait à pleurer devant une étrangère.

– Il ne comprend pas pourquoi tu es partie, Sydney.

– Et c'est là qu'il vous a tout révélé, je veux dire, sur le secret de Patrick?

– Oui.

Je réfléchis un instant. Annie venait de me raconter le triste sort de mon oncle. Un secret que Patrick, par honte sans doute, avait toujours refusé de révéler.

Il avait été la victime innocente d'un père qui avait perdu la raison. Et les siens, horrifiés, tremblant devant la cruauté patriarcale, n'avaient jamais osé intervenir durant toutes ces années.

Encore et encore, Patrick avait été violé, abusé et berné par son père, alcoolique et violent. Berné aussi par sa famille, terrifiée et diminuée. Berné par la vie, injuste et intransigeante. Mais, surtout, berné par lui-même, enfant oublié dont la seule défense fut de se faire violence et de se transformer.

Cela avait duré treize longues années.

Pourtant, un jour, à la surprise de tous, Édouard Hughes s'était enfui avec la bonne qui était au service de la famille depuis peu. Était-elle aussi une victime? Était-elle partie de son plein gré? Jamais ils ne l'avaient su.

Il n'était jamais revenu et Patrick, sans plus rien pour le maintenir dans l'effroi, avait chaviré dans une dépression agitée, contrôlée par de puissants calmants.

Je pensai à mon père.

– Annie, est-ce que vous croyez que papa, lui aussi…

– Non, et c'est bien ça le drame, car ton père et ta grand-mère paient très cher aujourd'hui de ne pas avoir surmonté leur peur pour protéger Patrick.

– Et Patrick, donc, ne se souvenait vraiment de rien et aurait tout appris par la lettre qu'il s'était écrite enfant?

– Ça en a tout l'air, oui. Je crois qu'il en a voulu à l'enfant qu'il était de penser qu'il serait assez fort pour avaler une telle révélation. De toute évidence, il n'était pas prêt ni surtout assez stable psychologiquement pour absorber le coup. Et c'est bien cela qui a rendu mon père fou, le fait d'avoir été le complice d'une telle révélation.

– Est-ce que ton père le savait? Je veux dire, avant que Patrick ne l'apprenne lui-même?

– Non. Avant que Patrick n'ouvre l'enveloppe devant lui, il n'avait aucune idée de ce qu'elle contenait. Et ce monde parallèle qui l'avait fasciné pendant toutes ces années subitement s'effondrait sur lui, comme sur Patrick. Parce que s'il avait considéré les enfants si intelligents d'avoir trouvé la façon de sauver leur identité, il avait maintenant l'impression qu'au contraire, ils avaient créé un jeu dangereux avec lequel ils risquaient leur santé physique et mentale.

Elle s'arrêta quelques minutes pour reprendre son souffle et poser la grosse boîte qu'elle tenait dans ses mains.

– Depuis hier, je ne peux m'empêcher de penser que si Patrick n'avait jamais reçu cette enveloppe, peut-être alors aurait-il été capable de continuer à vivre. Et peut-être en est-il ainsi pour toi. Peut-être vaut-il mieux que tu ne découvres jamais ton deuxième masque.

Je posai moi aussi la boîte que je tenais. Oui, pensai-je, peut-être en était-il mieux ainsi.

Mais n'étais-je pas allée trop loin pour m'arrêter là ?

– D'accord, ajoutai-je, mais si Patrick n'était pas venu récupérer cette enveloppe à Tucson, vous ne l'auriez jamais connu !

Annie me regarda d'un air amusé et, sans un mot, ouvrit la boîte. Je l'imitai.

Toutes sortes de choses s'entremêlaient dans ces grands cartons poussiéreux, derniers vestiges de l'histoire de mon oncle. Je saisis une casquette.

– Il aimait beaucoup les casquettes, dit Annie, il en portait toujours une.

Elle fouillait de son côté et extirpa péniblement un grand cartable en cuir noir.

– Son portfolio, reprit-elle avec émotion. Est-ce que tu savais que Patrick était un dessinateur fabuleux ?

Je fis non de la tête.

– Il avait énormément de talent. Je crois que s'il avait cru en lui davantage, il aurait pu en vivre. C'est malheureux parce qu'il n'a jamais su que sa paix d'esprit, sa liberté, l'attendaient peut-être tout simplement dans son art.

Elle me tendit respectueusement le cartable.

– Je peux ?

Annie hocha la tête. Elle me permettait d'entrer là où personne n'était encore allé.

– Tu peux tout voir, ma chérie. La seule chose que je ne te montrerai pas est la lettre d'adieu que m'a laissée ton oncle.

Je fis signe que je comprenais et j'ouvris le grand cahier pour admirer les dessins et croquis de mon oncle.

– Il était vraiment doué ! m'écriai-je.

– Oui. Je devrais en accrocher quelques-uns au mur. Mais je ne peux m'y résoudre.

Je posai ma main sur celle d'Annie et regardai cette femme avec compassion. À voir son expression, je crus qu'elle était profondément reconnaissante que je fusse là.

– Tiens, dis-je en continuant à tourner les grandes pages plastifiées du portfolio, il a fait son autoportrait ?

– Ah bon ? Je ne me rappelle pas. Fais voir.

Annie saisit le cartable et regarda d'un œil d'expert l'autoportrait de l'homme qu'elle avait aimé. Mais quelque chose n'allait pas ; elle cessa de respirer et me regarda.

– Mais, Sydney, ce dessin, il n'est pas de Patrick ! Il est de toi !

– Quoi ! De moi ? Mais voyons, je ne sais même pas dessiner !

Je lui arrachai le portfolio des mains et dirigeai mon regard vers la signature. En effet, malgré l'aspect juvénile, il s'agissait bien de mon écriture.

Stupéfaction.

Je tournai les pages suivantes.

– Mais, tous ces dessins sont de moi !

Annie se pressa contre moi pour voir de ses propres yeux.

– Alors, il ne m'a pas oubliée. Il n'a pas tout détruit, il m'a laissé un message ! Je sais dessiner, Annie, je sais dessiner ! Qui sait, mon Dieu, je suis peut-être une artiste ?!

– Mais, Sydney, tu ne te rappelles pas du tout que tu sais dessiner ? Ce n'est pas possible !

– Non, je vous jure, je n'en avais aucune idée. J'ai toujours cru que j'étais nulle en art !

Annie réfléchit un instant.

– Mon père avait observé qu'à chaque fois qu'un stade de la transformation était atteint, cela engendrait la reconstruction de toutes les connaissances acquises jusque-là, et ce, à partir du point de vue de la nouvelle personnalité. Peut-être qu'au cours de leurs reconstructions, les enfants omettent consciemment de reprendre les connaissances et souvenirs rattachés au trait de personnalité qu'ils veulent voir disparaître ? De sorte que personne ne puisse se rappeler de rien…

Elle s'arrêta, songeuse. Mais je ne l'écoutais déjà plus. J'exultais. Cette découverte allait bien au-delà de ce que j'avais espéré et je ressentis tout à coup une grande amitié pour cet oncle qui ne m'avait pas oubliée, malgré sa douleur.

– Ainsi, continua Annie, il aurait brûlé l'enveloppe, ayant peur de son contenu, mais t'aurait tout de même laissé ces dessins, preuve de ton talent.

– Oui, mais je crois que c'est plus que cela. Pensez-y, Annie, pourquoi est-ce que je n'ai aucun souvenir de mon talent? C'est que certainement, comme vous venez de l'expliquer, je l'ai laissé aller dans ma transformation. Il s'agit assurément là de mon deuxième masque!

– Alors, toi aussi, tu confirmes que tout ce qui touche à ta transformation, tu n'en as aucun souvenir?

– Aucun, dis-je, quasiment fière. Comme si je l'avais effacé moi-même de ma mémoire en enfilant mes masques!

Je me levai d'un bond, animée par ma fascinante trouvaille.

– Réfléchissons. Pourquoi aurais-je abandonné le dessin?

– Certainement parce que les gens ont ri de toi. Ou peut-être as-tu reçu de quelqu'un une critique trop dure?

– Oui, vous avez raison, Annie, ça ne peut être que ça. La honte devant les autres, celle de ne pas plaire.

– La peur de ne pas avoir l'approbation et l'acceptation des gens dans ce que tu fais?

Je la regardai brusquement, surprise par la justesse de son analyse.

– Déformation qui me vient de mon père, répondit-elle, presque gênée.

– Mais c'est ça, Annie! J'ai donc enfilé le masque de l'approbation des autres. Toujours chercher l'approbation et l'acceptation des autres en toutes choses. C'est tout à fait logique!

Annie rit devant mon enthousiasme de jeune fille.

– Mais alors, ma belle, tu as trouvé ton deuxième masque!

– Oui, c'est merveilleux! Mon Dieu, moi qui croyais mon aventure terminée!

Je sautai joyeusement dans les bras d'Annie.

Je sentais en moi monter l'exquise félicité d'avoir retrouvé mon chemin.

– Dites-moi, Annie, est-ce que mon père est toujours à Tucson?

– Non, il a quitté tout de suite après notre rencontre d'hier. Un problème de famille, m'a-t-il dit.

– Un problème de famille?

– Je n'en sais pas plus. Allez, dit Annie, arrête de sauter comme ça et aide-moi plutôt à refermer ces cartons.

Et elle entreprit de refermer délicatement la boîte devant elle. Maintenant qu'elle m'avait aidée, je sentais que tout ce qu'elle voulait, au fond, c'était que Patrick restât dans ses souvenirs.

Intact.

Aussi beau que lorsqu'elle l'avait connu.

32

TUCSON, ÉTATS-UNIS, 2005

Dieu que ça sentait bon !

J'étais accroupie dans le copieux jardin de fleurs et de cactus du *Bed & Breakfast*. Les yeux fermés, je respirais à pleins poumons. Je ne portais qu'une légère chemise de nuit et, pieds nus, je ne me souciais pas le moins du monde de l'image que je projetais.

C'est que, quelques minutes plus tôt, le soleil était entré dans ma chambre, éblouissant, et j'avais ouvert les yeux. Je m'étais assise péniblement dans mon lit avec l'exténuante impression de n'avoir dormi que quelques minutes.

Le réveil indiquait onze heures quinze du matin.

Cela faisait plus de douze heures que je dormais.

Je m'étais frotté les yeux et j'étais restée pensive quelques minutes, sans bouger. Toute cette aventure mirobolante me semblait n'être ce matin-là qu'un insignifiant songe flou.

Mais quelque chose clochait.

J'avais le sentiment que ce n'était pas tant la clarté du jour qui m'avait réveillée qu'une autre chose, plus subtile. Et c'est là que ça m'avait frappée.

Une odeur.

Non, mille odeurs !

J'avais tourné la tête. Il m'apparaissait tout à coup que les feuilles du grand mesquite près de la fenêtre se balançaient juste sous mon nez. Mieux, c'était le vent qui subitement prenait plaisir à diriger son souffle directement sur ma fenêtre.

Emportant sur son passage les effluves de chaque fleur, chaque cactus, chaque arbre et quoi d'autre encore!

J'avais alors poussé les draps d'un geste brusque et m'étais élancée hors de la chambre, dans le jardin. Je m'étais agenouillée au pied de cette nature. Pieds nus. Ma chemise de nuit chatouillant la terre.

Je nageais au beau milieu d'une mer d'odeurs aux parfums du désert.

– Mais qu'est-ce qui se passe encore?

– Veuillez vous identifier, s'il vous plaît.

– Je vous demande pardon?

– Je ne vous adresse plus la parole sans savoir qui vous êtes.

– Je… je suis la ministre de la Peur De Ne Pas Être Normale.

– Je l'aurais juré. Allez, du vent, on n'a pas besoin de vous!

– Mais qu'est-ce qui se passe?

– Je suis en train de retrouver mon sens de l'odorat!

– Ah. Désolée de vous avoir dérangée… je… ça ne se reproduira plus.

– J'y compte bien. Ouste!

J'inspirai en faisant gonfler mon ventre et expirai longtemps par la bouche. Je souris en entendant miss Greich dans ma tête. «C'est comme si tu regardais sous un angle différent un objet que tu aurais toujours observé de la même façon: tu ne verras plus les choses ni ne les entendras comme avant. Ne t'inquiète pas et profite du nouvel éclairage. Car la lumière, maintenant, elle vient de toi!»

Ainsi, c'était des sens dont il s'agissait.

La vue d'abord, puis maintenant, l'odorat?

La fontaine du bassin jaillit et des oiseaux pépièrent. Décidément, j'avais eu jusqu'ici une image bien différente de ce qu'était le désert! Je fis quelques pas et m'installai confortablement sur l'une des chaises longues en rotin qui parsemaient le bord de la piscine. L'imposant panorama des montagnes Catalina se dessina devant moi.

Je poussai un long soupir de béatitude.

Je n'avais cessé de courir depuis le début de cette aventure. Je sentais que je ne m'étais pas laissé un seul moment de répit pour prendre du recul face à toute cette histoire. Face à mon premier masque, même.

Mis à part le recouvrement de ma vue et de mon odorat, avais-je changé depuis ma rencontre avec miss Greich? Est-ce que je sentais vraiment que j'étais parfaite?

Je fermai les yeux et respirai profondément, attentive aux moindres mouvements de mon corps. Encore quelque peu endormie, je me sentis privilégiée.

Une élue, admise dans l'alcôve de cette oasis du bien-être.

Je pensai que pour vraiment savoir si j'avais changé, c'était à l'intérieur de moi-même que je devais aller. Alors, je m'imaginai en train de poser mon âme au fond de mon ventre.

Tandis que j'entendais le vent danser doucement dans les feuilles du mesquite, que je me laissais baigner dans les effluves parfumés, une autre chose encore fit son apparition. Un sentiment nouveau se déploya en moi, comme porté par tous les arômes de la vie.

La complicité.

Quand avais-je été ma propre complice? Quand m'étais-je protégée en disant «non» afin de respecter mes propres limites? Quand avais-je été en harmonie avec moi-même?

Au fond, je n'avais pas mieux agi que mon entourage. Il était grand temps que je protège l'enfant que j'avais été et l'adulte que j'étais devenue. Il était grand temps que je devienne ma meilleure amie.

Car la perfection, n'était-ce pas justement de se connaître et de s'aimer au point d'accepter ses limites?

Du coup, je saisis l'ampleur de ce sentiment. Car s'aimer, n'était-ce pas automatiquement être libre? N'était-ce pas être affranchie du besoin de l'approbation des autres?

Je pris une autre grande bouffée d'air et j'ouvris les yeux en expirant longuement. Je me sentis tout à coup fraîche comme une rose. Être sa propre meilleure amie, voilà un concept qui me plaisait. Je regardai autour de moi avec le regard neuf de celle, autonome, qui s'aime inconditionnellement.

Je revins lentement à ma chambre.

Mon regard se posa sur le portfolio de mon oncle, qu'Annie m'avait offert. Malgré mes protestations, la veuve de Patrick avait tenu à me donner ce magnifique présent. Un hommage, avait-elle dit, au grand talent de Patrick et au mien.

– J'espère que tu feras revivre Patrick à travers tes dessins. C'est tout ce qu'il a laissé derrière lui.

J'avais souri. Ainsi, je savais dessiner? Mieux, j'avais vraiment du talent! Je n'osai même pas tenter un croquis tellement je craignais de briser le charme sous la douce emprise duquel j'étais.

– Jack?

– Je suis là.

– Est-ce que tu es seul?

– Ma foi, je crois que oui! Tu as réussi, Sydney, tu les as tous foutus à la porte!

– Et tes amis?

– Ben, je les cherche. C'est quand même un peu le bordel ici avec tout le tapage des derniers jours!

J'éclatai de joie. Mais mon rire resta suspendu dans les airs quand j'aperçus l'ordinateur resté allumé qui me rappelait le courrier électronique de ma sœur, lu la veille.

Je n'avais pas pu sauver Sarah. Je n'avais pas su lui dire qu'être soi-même, c'était être libre. Et maintenant, l'enfant était chez le psychologue. Pire, on envisageait de la mettre sous forte médication, afin de réprimer un début de dépression, disait ma sœur.

Je soupirai. Oui, j'étais parfaite. Je n'avais plus besoin de l'approbation de personne. Je sentais en moi cette nouvelle force qui se décuplait chaque fois que je me rappelais mes masques. Mais mon chemin n'était pas terminé et ma puissance pas encore assez grande pour stopper une transformation que je savais incontournable pour Sarah.

Ma nièce avait-elle seulement eu le temps de trouver un gardien de la vérité? De coucher sa personnalité sur papier afin d'en assurer la survie?

Et ma sœur qui laissait faire tout ça.

À mon retour, pensai-je, j'aurais du boulot. Une longue explication serait nécessaire, non seulement avec mon père et mon mari, mais aussi avec Samantha. Est-ce qu'un seul d'entre eux me reconnaîtrait? Est-ce que moi-même, je me reconnaîtrais? Car il y avait encore deux masques à découvrir et à enlever.

Oui, ces deux masques qui me restaient. J'avais réalisé en m'endormant la veille que même si j'avais découvert par ricochet la nature de mon deuxième masque, il me fallait encore trouver le lien qui me mènerait au troisième.

Et pour l'instant, Tucson me retenait captive dans son désert sans m'accorder la moindre goutte d'information.

Je pensai à la première lettre que j'avais reçue de moi-même. Elle disait que je trouverais mon rôle sur terre. Cette seule pensée me fit frémir de désir.

Je me levai. Qu'avais-je sinon deux lettres de moi-même et un portfolio contenant des dessins ? Je m'arrêtai devant le bureau et j'ouvris doucement le grand cartable noir. J'examinai avec admiration mes dessins. Des portraits : mes parents, ma sœur, mon oncle et Princesse, ma fidèle chienne adorée.

Voyons, pensai-je, de qui ai-je été près quand j'étais jeune ? À qui est-ce que je pourrais m'être confiée ?

Tandis que je me creusais la cervelle pour y trouver un indice, je tombai sur un dessin particulier qui attira mon attention. Une scène qui représentait l'enterrement de ma chienne. Celle-ci reposait sur le sol, près du trou que l'on avait creusé pour elle dans la forêt jouxtant la maison de campagne de mes parents. Celle-là même où j'avais vu mon oncle Patrick pour la dernière fois.

Oui, je me souvenais de cette petite cérémonie qui avait eu lieu brusquement avant que Patrick ne parte. Une voiture avait frappé Princesse de plein fouet, tuant la pauvre bête sur le coup.

Pleurant toutes mes larmes, j'avais amassé une multitude de choses pour accompagner mon amie dans son long voyage. Ma poupée préférée, quelques jouets, une couverture. Tout était là, sur le dessin.

Mais il y avait aussi, sur l'image, cet objet que je ne reconnaissais pas.

C'était un cylindre. Un long tube en métal.

Serait-il possible que… ?

On y avait inscrit : *Pour Sydney.*

LE DESTIN DE JACK

Dépendance: *n.f. (1636) Le fait pour une personne de dépendre de quelqu'un ou de quelque chose. Asservissement, assujettissement, chaîne, esclavage, obédience, obéissance, servitude, soumission, subordination, sujétion, vassalité.*

LE PETIT ROBERT, 2007

33

EN MOI, 1985

– Tu te fous de ma gueule ?

– Je te jure, c'est ce qu'on m'a dit.

– C'est un soulèvement ?

– Euh, écoute, vieux, ça me tue de te dire ça, mais c'est ce que j'ai entendu. S'ils savaient que je suis ici en train de t'en parler, ouah, je n'ose même pas penser à ce qui m'arriverait !

– Mais ils sont malades ! Je suis Besoin de s'Aimer, c'est moi, le président ! Je suis le sentiment le plus important ici, le système ne peut fonctionner sans moi !

– Je suis désolée, vieux. Je... je sais pas quoi dire...

– Et qui a été nommé au pouvoir ?

– Pfff... vieux, euh...

– Vas-y, dis-moi.

– Ben, c'est... Culpabilité.

Besoin de s'Aimer laissa échapper un long soupir d'abattement et s'adossa sur la paroi du cœur, les bras croisés, le regard pensif.

– Mais je ne comprends pas, écoute, enfin, Confiance en Soi, c'est pas logique tout ça. Et d'où ça vient, cette décision ?

Confiance en Soi eut l'air gêné et fixa pendant un moment une artère qui se gonflait.

– Ben, justement, dit-il enfin, c'est ça, le pire. Paraît que ça vient directement d'en haut.

– Quoi ! De Sydney ?! Non, mais, je rêve ? Mais pourquoi elle ferait ça ? C'est du suicide émotif !

– Je sais, je sais…

– Et bien sûr, y en a pas un ici qui va dire un mot, tout le monde est bien trop content de se débarrasser de moi!

Besoin de s'Aimer avait crié la dernière phrase en se tournant vers le long couloir qui menait vers la salle du conseil, juste derrière le plexus solaire. Pour que tout le monde l'entende.

– Mais tais-toi, à la fin, on va nous entendre…

– T'es une lâche, Confiance en Soi. Il faut pas se laisser faire!

– Oui, enfin, bon. Mais si ça peut te consoler, je ne crois pas en avoir pour bien longtemps, moi non plus. Y a qu'à voir ce qui est arrivé à Indépendance Émotive la semaine dernière!

– C'est vrai. Pauvre Indépendance Émotive. Et dire que je n'ai pas vu le coup venir. Mais alors là, pas du tout!

– Ne prends pas le tort sur toi, tu sais bien que ce n'est pas ta faute. On a tous été tellement occupés ces dernières années avec tous les coups que Syd prenait.

– Ouais. Bon. Maintenant, pas de panique. Y faut juste réfléchir.

– Écoute, euh, je peux pas rester. Je file avant qu'on me trouve ici. Fais attention à toi!

Confiance en Soi détala à vive allure. La réunion de la Chambre des communes allait débuter dans quelques minutes.

Besoin de s'Aimer saisit sa tête dans ses mains tremblantes. Mais qu'arrivait-il? Sans lui, n'était-il pas clair que Sydney ne pourrait survivre? Cela lui semblait à ce point être l'évidence même qu'il ne pouvait s'expliquer la situation.

Il se demanda s'il devait se présenter à la réunion. Après tout, il était au courant maintenant de l'affront qu'on allait lui faire.

Mais, soudain, il savait qu'il n'aurait pas le choix. Un officier s'approchait de lui.

– Monsieur Besoin de s'Aimer?

– Oui, c'est moi.

– On vous attend dans la salle du conseil. Veuillez me suivre.

– Je sais. Je vous suis.

Oui, il devait y aller, la tête haute. Il se battrait, toujours et sans relâche. Il n'avait pas peur, même devant Culpabilité qui prenait de plus en plus de place et de pouvoir, il saurait combattre!

Il se releva, replaça son petit chandail dans ses pantalons, respira à fond, gonfla sa poitrine, releva la tête et s'avança. Il allait leur montrer que s'aimer, c'était beaucoup plus qu'une simple émotion. Que c'était un besoin. Et que le besoin de s'aimer, c'était beaucoup plus qu'une nécessité. C'était la liberté.

Et même si ça lui prenait des années à regagner sa place, il se battrait.

Il suivit le garde et s'enfonça dans le long corridor brumeux. La salle était grande, spacieuse. Et toutes les émotions se tenaient bien droites, quelques-unes d'entres elles, anxieuses, d'autres heureuses.

Culpabilité prit la parole.

— Besoin de s'Aimer, vous êtes en retard. On n'attendait que vous.

— Je viens d'être informé de ce qui se trame contre moi, Culpabilité. Je…

— C'est madame la présidente, maintenant.

Besoin de s'Aimer prit une grande respiration, refoula son orgueil et poursuivit.

— Je ne vous ferai pas languir, madame la présidente. Tout ce que je veux, c'est voir l'ordre officiel.

— Je veux bien répondre à la dernière demande du condamné. Qu'on apporte l'ordre !

Un officier s'approcha de Besoin de s'Aimer et lui tendit un carton. Le principal intéressé le saisit et le parcourut des yeux rapidement. Voilà, c'était écrit noir sur blanc, Sydney venait de mettre son premier masque. Elle ne se croyait plus parfaite. C'était le début de la fin. Il n'avait plus le choix.

— C'est bon, dit-il, je vous cède la place, Culpabil… madame la présidente. Mais je serai là chaque fois que Sydney aura besoin de moi.

— Bla, bla, bla, chantonna Culpabilité, pleine de sarcasme.

— Oui, vous avez le pouvoir aujourd'hui, mais vous verrez. Le vide vous rattrapera. Sydney va craquer, et vous ne pourrez pas la maintenir en vie éternellement avec cette façade que vous avez édifiée. Elle ne pourra pas survivre sans s'aimer. Elle va s'épuiser lentement à vouloir toujours se faire aimer des autres. Et puis un jour, je vous le dis, elle s'effondrera !

Culpabilité éclata d'un grand rire, bientôt imitée par l'ensemble des membres du conseil. Irrité, Besoin de s'Aimer recula pour s'en aller. Il en avait assez entendu.

– Un instant, Besoin de s'Aimer. Je n'ai pas fini !

Il s'immobilisa et fit face à la nouvelle présidente.

– Je ne suis quand même pas sans cœur comme vous le prétendez ! Et comme vous ne serez pas le seul à perdre votre poste dans les prochaines semaines, j'ai prévu, dans ma grande magnanimité, un programme de transition de carrière.

– Un programme de… Non mais, vous vous moquez de moi ?

– Pas du tout. Vous êtes compétent, vous avez de l'expérience, je pourrais profiter de votre expertise. Joignez-vous à moi, Besoin de s'Aimer, nous ferons équipe, je ferai de vous mon bras droit !

Besoin de s'Aimer resta immobile quelques instants. Il ne pouvait croire ce qu'il entendait. Il chercha des yeux Confiance en Soi, un peu de soutien dans cette situation burlesque qui n'avait aucun sens. Il ne la trouva pas.

– Vous me demandez, Culpabilité, de renier mes vœux, de ne pas respecter mon engagement ? Vous me demandez de trahir Sydney ?

– N'est-ce pas exactement ce qu'elle vient de faire avec vous ?

– Je suis certain qu'il y a une explication ! Elle est manipulée, elle ne le fait pas en toute connaissance de cause ! C'est impossible !

– Besoin de s'Aimer, vous me faites pitié. Votre naïveté est ahurissante !

– Et vous, c'est votre inconscience qui est spectaculaire !

– C'est assez !

Culpabilité se leva, grandiose et imposante.

– Ce bavardage m'importune. Vous n'êtes rien, Besoin de s'Aimer. Vous n'avez plus aucun pouvoir ici. Acceptez mon offre !

– Et si je refuse ?

– Vous serez condamné à errer dans ce corps, témoin de mes atrocités, sans pouvoir y faire quoi que ce soit. Ce sera pour vous une mort lente et douloureuse !

Un grognement sourd s'éleva dans l'assemblée. Besoin de s'Aimer frissonna. Pouvait-il seulement accepter cette proposition? Et s'il le faisait, qui de cette assemblée pourrait un jour sauver Sydney?

— Je vous offre le poste de sous-ministre adjoint au ministère de la Dépendance. Vous avez trente secondes pour accepter.

Des larmes baignèrent les yeux fatigués de Besoin de s'Aimer. Il grelotta de peur alors qu'une seule réponse s'imposa à lui.

— Je refuse.

Des protestations fusèrent du groupe. Des voix s'élevèrent. Les membres de la Chambre, visiblement, ne s'étaient pas attendus à cette réponse. Culpabilité, insultée par cet affront, fulmina.

— Garde, emmenez-le! rugit-elle. Que cette vermine me débarrasse le plancher! Larguez-le aussi loin que possible, sans eau, sans nourriture! Qu'il crève!

L'assemblée se leva d'un bond pour renchérir.

— Qu'il crève! crièrent les membres tous ensemble.

Transi, Besoin de s'Aimer chercha Confiance en Soi des yeux. Celle-ci était désorientée, bouche bée. Son ami était banni, et elle savait trop bien que le sort qui l'attendait serait le même. Aurait-elle la force, comme lui, de refuser la transition de carrière qu'on lui offrirait?

À son regard, Besoin de s'Aimer n'en fut pas convaincu.

Il lui envoya un faible sourire d'encouragement puis sortit, soutenu par les gardes, ses petits pieds suspendus dans les airs.

Il entamait une réclusion qui durerait vingt longues années.

LE TROISIÈME MASQUE
OU LE TOMBEAU

De l'homme qui doute à celui qui renie,
il n'y a guère de distance.

ALFRED **DE** **M**USSET

34

MONTRÉAL, CANADA, 2005

La porte du minibus jaune s'ouvrit sur le coin de la rue et une grappe d'enfants se matérialisa sur le trottoir. Un tumulte s'installa un moment, chacun voulant aller dans sa direction, puis, le groupe se désagrégea, ne laissant derrière lui aucune trace du rassemblement de petites âmes abîmées qu'il formait quelques secondes plus tôt.

La jolie tête brune de Sarah s'engagea dans la longue avenue des Bouleaux.

Elle alla d'un pas allègre, faisant tournoyer sa jolie tenue, qu'elle portait pour la première fois. Une adorable robe d'un jaune pâle ensoleillé sur laquelle flamboyait une délicate petite ceinture rose en soie.

Sarah était ravie.

Depuis qu'elle avait enfilé son premier et son deuxième masque, on riait moins d'elle à l'école. Elle était enfin acceptée dans les groupes d'amis et ses professeurs étaient contents de son comportement maintenant rénové et amélioré. Sa mère lui avait même acheté cette nouvelle robe, car elle avait été si sage à la maison, laissant Dominique et Samuel jouer à leur guise avec ses jouets, ses crayons. Elle avait acheté la paix, elle était admise dans l'entourage des gens normaux.

Enfin, elle avait sa place.

Elle gambada en récitant cette comptine qu'elle avait apprise à l'école.

1-2-3, je m'en vais au bois,
4-5-6, cueillir des cerises,
7-8-9, dans mon panier neuf,
10-11-12, elles seront toutes rouges!

Maintenant, pensa-t-elle, *non seulement je fais partie de la bande, mais je me suis également organisée pour me rappeler qui je suis vraiment.* Comme le Petit Poucet, elle avait laissé derrière elle assez de pierres pour qu'il lui soit facile, au moment voulu, de retrouver le chemin de son identité.

Car, elle le savait, elle était un trésor. Une personne parfaite qui avait un don pour créer. C'est pourquoi elle se donnait tant de mal pour qu'il lui soit possible de se retrouver.

Elle coupa à travers la pelouse et arriva à la maison. Alors qu'elle cherchait sa clé dans son sac d'école, Samuel ouvrit la porte avec un grand sourire.

Un fugace tremblement lui parcourut le dos.

Quelque chose n'allait pas et la lueur dans les yeux de son demi-frère l'inquiéta considérablement. Il eut un air ricaneur et son sourire méprisant la terrorisa.

Elle attendit sur le seuil de la porte. Petite. Apeurée. Comme une proie qui espère qu'en ne bougeant pas, on ne la verrait pas.

Mais hélas, le prédateur s'élança.

— Alors, tu penses que tu écris des mots pour les étrangers, maintenant? Tu crois qu'il y a vraiment quelqu'un qui va venir déterrer ton petit message et croire tes conneries de petite fille?

Le sang de Sarah se glaça.

Son cœur s'arrêta de battre.

Sa bouche, restée ouverte, laissa passer un filet de voix à peine audible. Ses pensées s'agitèrent dans tous les sens. *Comment,* pensa-t-elle, *avait-il pu retrouver son message?* Elle avait pourtant si bien caché son trésor.

Et elle sentit les dents du prédateur s'enfoncer dans sa chair, la transperçant d'une profonde morsure humiliante. Dégradante.

— Tu n'as pas trop pensé, ma grande. C'est papa qui l'a trouvé en tondant la pelouse. Ah! Tout le monde va savoir que tu n'es rien d'autre qu'une débile!

En riant très fort, il la planta là. Laissant sa victime à demi morte, sachant qu'elle souffrirait davantage en mourant de ses blessures. Au bout de son sang.

La petite n'avait toujours pas repris son souffle.

Se trouvait devant elle, toute grande ouverte, la porte qui la conduirait à la honte. Celle d'avouer son plan. Celle de n'avoir pas su être parfaite, comme on le lui demandait. Celle encore d'avoir à expliquer qui elle était et pourquoi elle était comme ça.

Elle regarda derrière elle. La rue s'étalait au loin, frêle promesse d'un monde meilleur.

Mais pouvait-elle vraiment fuir?

Elle s'enfonça dans la maison. Se dirigea vers la cuisine, d'où lui parvint l'écho de la voix de sa mère. Samuel, malveillant, se tenait contre le mur, les bras croisés. Le regard rivé sur Sarah, il était prêt à jouir d'un spectacle dont il connaissait déjà l'issue.

Sarah aperçut son beau-père, à la table de la cuisine, penché sur sa lettre. Il faisait tourner dans ses mains la petite bouteille en plastique qu'elle reconnut immédiatement. Il secouait la tête d'un air désolé.

Désespérée, elle tenta de reprendre le contrôle sur sa peur. De se donner un peu de contenance au milieu de cette situation morbide.

Mais, sans qu'elle ne puisse rien y faire, le pire arriva.

Sa mère lui tournait le dos et discutait au téléphone.

– Je t'assure, papa, nous avons trouvé une lettre très étrange qu'elle a écrite et qu'elle a cachée sous la haie dans le fond du jardin. Non, non, elle n'est adressée à personne en particulier. Mais elle demande à celui qui la trouvera de la sauver, de l'aider à retrouver son identité. C'est à croire que nous la forçons à changer de personnalité. Oui, je comprends. Mais je dois t'avouer que tout cela m'inquiète. J'ai peur pour sa santé, euh, mentale, tu comprends? Comme c'est dans la famille…

Sarah eut subitement l'effroyable impression d'être prisonnière d'un triangle maléfique. Une petite fille séquestrée dans le trigone gluant des ricanements de son demi-frère, du regard déçu de son beau-père et de l'abandon de sa propre mère.

Sentant le silence derrière elle, la mère de Sarah fit volte-face et vit sa fille devant elle, tremblante.

– Papa, je vais devoir te rappeler à ton retour d'Arizona. Elle vient d'arriver. Oui, promis.

D'un regard froid, elle fit sortir son mari et Samuel, tous les deux également déçus de ne pas pouvoir assister au spectacle.

Mais la victime était déjà blessée. Le reste serait facile.

– Assieds-toi, Sarah, je te prie.

La petite s'exécuta. Tira sa chaise. S'assit. Passa ses mains sur sa robe afin de bien en tirer les plis.

1-2-3, je m'en vais au bois, pensa-t-elle.

Si j'arrive à dix sans que ma mère ait parlé, je serai sauvée.

4-5-6, cueillir des…

– Alors, ma petite, tu vas m'expliquer ce que c'est que ça?

L'enfant prit une grande respiration et leva la tête. Bien droite. Son attitude était impeccable. Sa mère recula d'un mouvement inquiet.

Dans le visage de sa fille, quelque chose se passait. Au fond de ses yeux, une couleur disparaissait de façon à peine perceptible. Son petit corps se transformait sous son regard, comme si quelque chose s'en évacuait.

Et Sarah sourit tout à coup.

– Je suis désolée, maman, répondit-elle d'une voix douce et posée. Je ne voulais pas vous inquiéter. C'était seulement pour rire! Ça ne se reproduira plus.

Elle n'était déjà plus elle-même.

Elle venait de mettre son troisième et dernier masque.

35

MONTRÉAL, CANADA, 1984

Toute la famille était réunie autour de la table et s'apprêtait à manger le repas du soir.

Sydney était inquiète et faisait aller nerveusement ses petits doigts sur la nappe. C'était le moment de la journée qu'elle appréhendait le plus.

Parce que chez les Hughes, les repas étaient des lieux de fortes tensions, un ring dans lequel il fallait être coriace pour rester debout et répondre à toutes les questions. C'était une véritable chorégraphie de l'intelligence où il fallait être absolument performant sans quoi on ne vous laissait pas parler, ou pire, on ne vous écoutait pas.

– Tu as été sage à l'école?

– Comment sont tes résultats scolaires?

– Ton lit est mal fait, j'ai vérifié, tu vas me recommencer ça après le repas.

– Laisse parler ta sœur!

– Mais lâche-moi ce chien, et parle-nous!

– Ton professeur a encore appelé!

– Tu as fait tes devoirs?

– Mais tu es toute sale! Veux-tu bien me dire où tu es encore allée te fourrer?

– Tu n'as pas faim? Si tu ne manges pas maintenant, tu ne mangeras pas de la soirée. Tu as intérêt à terminer ton assiette, ma fille!

– Tu manges trop, tu ne vois pas que tu engraisses à vue d'œil?

Sydney laissa échapper un long soupir.

Ah ça, oui, elle s'en doutait bien qu'elle mangeait trop ! Mais est-ce que quelqu'un aurait un jour l'amabilité de lui demander pourquoi elle mangeait tant ?

Si on le lui demandait gentiment, elle répondrait que c'était parce que la nourriture de sa mère était bien chaude et réconfortante dans sa bouche d'enfant. Que c'était parce que seule la chaleur des aliments lui apportait désormais du réconfort.

Si on le lui demandait, elle expliquerait que depuis quelques mois maintenant, au retour de l'école, elle sentait une anxiété s'infiltrer doucement en elle. Et que, dans ces moments-là, elle n'avait d'autre choix que de fouiller la cuisine et de ronger tout ce qu'elle trouvait sur son passage pour calmer sa peur.

Elle dirait aussi que la plupart du temps, assise à la table, elle n'avait déjà plus faim. Et que, sans qu'elle pût rien y faire, c'était sa gloutonnerie et son besoin de se remplir de n'importe quoi qui étaient plus forts que tout le reste.

Oui, si on le lui demandait, elle expliquerait qu'elle ne voulait pas tant manger, mais que c'était plus fort qu'elle. C'était parce qu'elle avait peur, peur d'eux.

Sa mère lui tendit son assiette avec dédain.

La petite Sydney accusa le coup. Puis, elle hésita. Avaler tout rond et avec plaisir le bon jambon fumant, les petits pois et les pommes de terre si délicieusement pilées dans le beurre et la crème ? Ou manger quelques bouchées, très lentement, pour faire durer le plaisir, mais surtout pour ne pas entendre sa mère lui glisser du bout des lèvres qu'elle était grasse ?

Car elle le lui disait souvent. Avec dégoût. Comme on aurait dit un mot sale, en chuchotant, pour que personne n'entende.

Sydney lança un coup d'œil sous sa chaise pour s'assurer que Princesse était là, bien installée en boule à ses pieds.

Elle y était. Et sans bouger, la bête leva les yeux pour regarder sa maîtresse d'un air entendu qui voulait dire : « Je suis là, ne t'inquiète pas, moi, je t'aime comme tu es. »

Sydney s'attaqua à son assiette.

Ce soir-là, cependant, personne ne s'occupa d'elle, et la famille Hughes mangea dans le plus grand silence. Les plats se passèrent sans un mot. Les ustensiles claquèrent dans la pénombre de ce début de soirée.

Sa sœur aînée était assise à ses côtés et touchait à peine son assiette. Elle avait le regard vide. Penchée sur son plat, elle regardait au loin. Comme si un gouffre était apparu entre les petits pois et le jambon, et qu'elle allait s'y enfoncer.

– Mange un peu, Sam, ma chérie, lui dit doucement sa mère.

Sydney capta le regard inquiet que sa mère lança à son père. L'ambiance était lourde.

– Tu veux bien m'expliquer, chuchota-t-elle à son époux, comment il se fait qu'elle soit tombée là-dessus?

– Tu as fini de m'accuser? Ce n'est tout de même pas ma faute si elle est allée fouiller dans mes tiroirs, qui, je te ferai remarquer, étaient fermés à clé!

– Parce que tu crois que c'est moi qui les ai déverrouillés?

– Je ne vois pas comment elle aurait fait cela toute seule!

Le ton avait monté, et Sydney les dévisageait, presque contente. Pour une fois, on ne lui posait pas de questions.

– Bon, ça ne sert à rien de s'énerver. Que va-t-on faire maintenant? Elle ne parle plus depuis quatre jours et le prétexte de mauvaise grippe ne fonctionnera pas éternellement.

– Je sais. Il faut surtout que personne ne s'aperçoive de quoi que ce soit à son école. Bon, je vais prendre un rendez-vous chez le médecin.

– Non, pas ça, Charles, je t'en prie. Elle n'est pas Patrick!

– Crois-moi, chérie, c'est pour son bien.

Plus rien ne fut dit. Et un silence inquiétant s'installa.

Sydney observa sa sœur du coin de l'œil.

Sam n'était plus la même. Quelque chose en elle s'était métamorphosé. Dans ses pupilles, surtout, ne brillait plus la même lumière. Elle ne semblait plus être là. Tout simplement.

Où était-elle partie?

Sydney réfléchissait. Elle se demandait ce qui avait bien pu se passer chez sa sœur pour qu'elle eût changé à ce point brusquement. Dans sa petite tête d'enfant de neuf ans, elle ne pouvait pas comprendre ce qui s'était produit. Et pourquoi.

Elle n'était certaine que d'une chose.

Sam était transformée.

36

DANS UN AVION, QUELQUE PART AU-DESSUS DES ÉTATS-UNIS, 2005

J'avais demandé à Annie si elle avait, elle aussi, assuré la sauvegarde de son identité. Si elle avait eu des gardiens de la vérité.

Sa réponse trottait encore dans ma tête alors que je volais au-dessus des États-Unis en direction de Montréal, à la poursuite de mon troisième masque.

Annie m'avait répondu que non. Elle ne s'était jamais écrit de lettre à elle-même.

– J'y ai longuement réfléchi, avait-elle dit, et je me suis demandé pourquoi je ne m'étais pas prêtée au jeu moi aussi. S'agissait-il d'un privilège? Ou même d'un savoir avec lequel on naît et auquel je n'ai pas eu droit? Je n'aurai probablement jamais la réponse. Mais je pense, en fait, que je n'ai tout simplement pas eu à traverser cette transformation de par mon enfance heureuse. Je n'ai donc pas ressenti le besoin de changer mon identité puisqu'elle n'était pas menacée.

Et Annie m'avait raconté un peu de sa belle jeunesse auprès de ce père doux et aimant, protecteur des enfants. Et en particulier de sa fille.

– Par contre, avait-elle ajouté, pour tout te dire, je suis moi-même à présent la gardienne de la vérité de quelqu'un.

Je l'avais regardée, stupéfaite.

– Vous avez accepté cela, même après ce qui s'est passé entre Patrick et votre père?

– Oui, car il s'agissait d'un petit garçon qui faisait partie d'une famille frappée par le drame et au sujet de laquelle je faisais un reportage. Au cœur des entrevues, cet enfant s'est ouvert à moi. Il sentait que sa transformation était imminente. Je me souviens que le sentiment d'urgence qui se dégageait de lui était frappant et que, comme une marée montante, la métamorphose faisait son chemin. J'étais sa dernière chance avant qu'il ne soit enseveli. Je n'ai pas pu refuser. Mais j'attends le moment de notre rencontre avec appréhension, car je souhaite de tout mon cœur que ses révélations soient positives.

Elle avait fait une pause et m'avait regardée droit dans les yeux.

– Tu sais, Sydney, je ne crois pas que Patrick ait pris la bonne décision en brûlant ton enveloppe. Qu'il y ait transformation ou pas, je ne crois pas du tout qu'il est de notre rôle de se mettre dans le chemin du destin. J'ai l'impression qu'il s'agit de quelque chose de beaucoup plus grand que nous et qu'il n'est pas de notre ressort de tenter d'y comprendre quoi que ce soit et encore moins d'intervenir.

Beaucoup plus grand que nous... Ces paroles faisaient écho dans mon esprit. Elles me faisaient entrevoir un espace dichotomique auquel je n'avais jamais pensé.

– Mais alors, avais-je demandé à Annie, de quoi s'agit-il? Votre père ne l'a-t-il pas découvert avec ses recherches?

Annie avait haussé les épaules en levant les yeux au ciel.

– Mon père appelait cela la «transformation constructive». Peut-être s'agit-il, comme il le croyait, d'un monde parallèle où attendent patiemment des milliers d'identités d'enfants. Des âmes désactivées dont la seule chance d'être sauvées est d'être redécouvertes par ceux-là mêmes qui les ont abandonnées. Le saurons-nous jamais? Et puis, n'est-ce pas plus merveilleux de ne pas vraiment le savoir?

Je me demandai qui, des gens qui m'entouraient, avait eu cette même expérience. Mon père, mon patron, mes voisins, et qui encore? Et les personnes qui avaient réussi à retrouver leur véritable identité, étaient-elle celles qui découvraient sur le tard leur vocation, leur talent? Van Gogh, Balzac, mère Teresa, étaient-ils de ceux qui avaient reçu un jour une lettre d'eux-mêmes?

– La théorie de mon père sur la transformation constructive, avait continué Annie, part du principe que chacun est en quelque sorte forcé de se fondre à la généralité de la condition humaine. Pour ce faire, l'on doit refouler, à des degrés différents, son identité propre, ses joies et ses douleurs particulières. Normalement, ce processus se déroule tout au long d'une vie. Tu me suis ?

J'avais hoché la tête, captivée.

– Donc, généralement, la transformation normale d'un être humain se fait de façon lente et évolutive. Il s'agit de toute une vie pendant laquelle l'homme va assimiler les nouveautés que lui impose son environnement.

– Mais qu'en est-il des masques ?

– L'influence de notre entourage varie selon l'âge et a un impact beaucoup plus important sur le système nerveux des enfants que sur celui des adultes. Dans le cas qui nous intéresse, c'est comme si tout se passait pendant l'enfance, et ce, dans un contexte où l'environnement social est plus fort que l'hérédité et la prédisposition de chacun. Ainsi, la pression est si grande que le processus de transformation ne se fait pas de façon évolutive mais d'un coup, sur quelques semaines seulement, pendant lesquelles les enfants se voient forcés de changer complètement leurs concepts pour en aménager de nouveaux.

– Une reconstruction…

– Voilà ! Ainsi, les enfants créent des masques, cédant à la pression. Mais intuitivement, et en parallèle, ils font également en sorte de pouvoir retrouver leur vraie personnalité plus tard.

– Tout cela était dans les recherches de votre père ?

– Oui. Il a passé sa vie à travailler sur le sujet. Enfin, jusqu'au retour de Patrick devenu adulte.

Un silence s'était installé.

– Ce qui est triste, avait poursuivi Annie, c'est que mon père a aussi observé que ceux qui cèdent à la pression sociale mais qui n'ont pas l'intuition de trouver des masques et de sauver leur identité, ceux-là doivent absorber et devenir leurs propres peurs. S'ensuivent soit de belles ou de graves conséquences.

– Qu'est-ce que vous voulez dire ?

– Il en est venu à la conclusion que lorsque les enfants ne peuvent pas enfiler de masques, ils se retrouvent dans un monde intermédiaire où ils ne sont ni acceptés ni capables d'être eux-mêmes. Ils vont ainsi vers deux extrêmes possibles. Soit vers l'abnégation et le don de soi, comme les religieux ou les personnes s'impliquant dans des causes humanitaires, qui se dévouent pour sauver le monde. Soit vers la violence et la destruction, comme les meurtriers ou les voleurs.

Je n'avais su que dire. Et je pensai, en me calant dans le fauteuil inconfortable de l'avion, que j'avais eu bien de la chance au fond de m'en tirer avec des masques qui m'avaient permis d'évoluer sans trop me faire rejeter.

Mais une question surtout m'avait tracassée depuis que j'en savais davantage sur les travaux d'Andy Foley.

– Annie, qu'avez-vous fait de toutes les recherches de votre père?

Annie m'avait regardée en souriant.

– Je suis journaliste, Sydney. Mon métier est de dire la vérité. En ayant finalement accès aux travaux de mon père, j'ai senti que j'avais peut-être entre les mains quelque chose d'unique. Une histoire incroyable à raconter. Mais encore une fois, j'ai su qu'il était de mon devoir de ne pas intervenir, de protéger tous ces enfants et ces identités encore enfouies. Et, honnêtement, il m'arrive quelquefois de penser que tout ceci n'est que fable et que je suis complètement folle de seulement en parler!

L'avion pénétra subitement une zone de turbulences. Je m'agrippai à mon siège. Et alors que l'engin s'agitait, je me demandai si, moi aussi, je me pensais folle parfois de croire à cette histoire.

Ma réponse fut oui.

Mais j'avais la foi. Mieux, j'avais décidé que j'avais la foi.

J'avais décidé de croire en moi, en cette enfant de dix ans qui un jour s'était penchée sur une feuille de papier pour sauver son âme.

Mais là, pouvais-je vraiment croire que la gardienne de la vérité de mon troisième masque était une chienne morte et enterrée dans une forêt à Saint-Donat?

J'irais jusqu'au bout pour le savoir.

37

Montréal, Canada, 2005

– Et dans ce dessin, mon enfant, que vois-tu?

Le pédopsychiatre déposa une image devant la petite fille. Il attendit pour observer ses réactions.

Sarah portait une charmante robe bleu pâle à fleurs rouges. Elle avait attaché ses longs cheveux bruns en deux petites couettes, de chaque côté de sa tête, qu'elle avait ensuite nouées de délicats rubans bleus assortis à son vêtement.

Elle avait l'air d'un ange.

– Eh bien, répondit-elle, cela me fait penser à un bateau sur l'eau.

Elle regarda le médecin afin de vérifier si sa réponse le satisfaisait. Il leva les yeux vers elle en lui faisant un petit sourire. Il portait une chemise blanche et de grandes lunettes dans lesquelles Sarah pouvait voir le reflet de son image parfaite. Mais c'était derrière les lunettes qu'elle aurait voulu voir. Car elle savait que c'était dans les yeux de cet homme que se trouvait son salut.

– C'est bien, mon enfant. Tu peux sortir quelques instants dans le couloir. Je vais parler avec ta maman.

Elle se leva et déploya son plus beau sourire aux deux adultes. Elle sortit et referma doucement la porte derrière elle. Elle fit bien attention de ne faire aucun mouvement qui aurait pu être interprété comme violent.

– Alors, docteur, qu'en pensez-vous? demanda Samantha. Je suis très inquiète, vous savez, je ne reconnais plus ma fille et j'ai peur que cela soit ma faute.

Le médecin, qui allait se lancer dans un long diagnostic, se ravisa.

– Votre faute? Pourquoi dites-vous cela?

– C'est que, je crois, enfin… peut-être…

La mère s'arrêta au beau milieu de sa phrase. Depuis quelques jours, une idée lui pesait, celle d'avoir pu être elle-même le bourreau de son enfant.

Aurait-elle exigé d'elle une perfection impossible à atteindre?

Maintenant que sa fille avait changé, maintenant qu'elle était sage comme une image, qu'elle ne disait plus rien de déplacé, qu'elle ne riait plus trop fort, qu'elle ne dérangeait plus, Samantha doutait. N'était-ce pas elle, la mère, qui était allée trop loin?

Et cette lettre qu'ils avaient trouvée. Cette lettre n'était-elle pas l'aveu ultime d'une enfant sans défense qui se préparait à ne plus être elle-même? Qui s'apprêtait à devenir celle que l'on voulait qu'elle fût, une personne tranquille qui se fondait dans son entourage?

Samantha leva la tête vers le médecin qui l'observait toujours.

Que faisait-elle ici?

N'y était-elle pas venue suffisamment elle-même lorsqu'elle était enfant? N'en avait-elle pas eu marre de tout ce conformisme obligé? Ne devait-elle pas à sa fille de l'accepter telle qu'elle était sans chercher à la changer?

Et puis, de quoi voulait-elle guérir Sarah, au juste? Peut-être ne souffrait-elle de rien et qu'au contraire c'était elle, Samantha, qui était pressée de lui offrir un prêt-à-penser instantané qui l'empêcherait de souffrir?

Ce bureau sentait fort le stérilisant et cela lui donna soudainement la nausée.

Le mouvement des feuilles d'un grand érable à l'extérieur attira son attention. Malgré la fenêtre close, il lui sembla tout à coup que l'arbre lui soufflait une brise légère et apaisante dans le cou.

Pourquoi est-ce que la fenêtre était fermée alors qu'il faisait enfin si beau et chaud dehors?

Samantha pensa que pendant la plupart des années de sa vie, elle aussi avait gardé sa fenêtre fermée. Ainsi, recluse dans la normalité, il lui avait été plus facile de se définir par rapport à son malheur que par rapport à l'inconnu que représentait la joie de vivre.

L'image même de la liberté lui avait donné, jusqu'alors, des vertiges.

– Madame Hughes, fit le médecin qui avait attendu patiemment mais sans résultat que Samantha révèle ses pensées, votre fille souffre d'un trouble de la personnalité, et la lettre qu'elle a écrite nous le montre bien. Son petit jeu d'aujourd'hui n'est que fable pour nous faire croire qu'elle n'a rien. Mais il ne faut pas vous inquiéter, je traite plusieurs cas semblables présentement, et les enfants s'en sortent assez rapidement. Je vous suggère d'entamer le plus vite possible un traitement qui la ramènera sur la bonne voie.

Samantha pensa tout à coup à sa sœur et à l'échange de courriers électroniques que celle-ci avait eu avec sa fille. Et pour la première fois, à son grand étonnement, elle se demanda où était sa sœur. Que pouvait bien faire Sydney? Où était-elle partie subitement? Pourquoi avait-elle échangé des courriers électroniques avec Sarah?

Elle prit conscience qu'elle ne s'était jamais posé autant de questions que dans ce bureau, en cette journée-là, ensoleillée, où un arbre qu'elle n'avait jamais remarqué lui faisait soudainement de l'œil.

Et même si ses pensées se bousculaient, elle n'avait jamais vu aussi clair qu'à ce moment précis.

Le reste alla très rapidement.

– Docteur, dites-moi, ne serait-ce pas nous-mêmes qu'il faudrait guérir avant nos enfants? Nous, les adultes, qui avons décidé un jour que le bonheur, autant que le malheur, était interdit?

Le docteur se dressa, imposant dans son sarrau. Mais Samantha fut plus rapide. Elle se leva d'un bond et continua.

– C'est drôle, j'ai lu quelque part que, avant, on inventait des médicaments pour guérir les maladies, tandis que, maintenant, ce sont plutôt des maladies qu'on invente pour caser les médicaments! Je ne sais pas pourquoi c'est aujourd'hui que ça se passe, mais tout cela m'apparaît enfin complètement débile!

Elle haleta une seconde, puis reprit avec exaltation.

– Mais pour qui nous prenons-nous? J'ai parfois l'impression d'être davantage un agent de vérification sociale qu'une mère!

Nous passons plus de temps à imposer des règlements et des pénitences qu'à encourager l'évolution de nos enfants! Mais, c'est dingue, à la fin!

– Madame Hughes, calmez-vous, je…

– Je n'ai pas fini! Je ne suis pas malade, docteur, et pourtant on me gave de médicaments depuis vingt ans! Et je vous le dis, moi, ma fille non plus n'est pas malade!

– Mais, elle vient de nous mentir en plein visage, madame Hughes, n'avez-vous pas vu son jeu? Elle joue le jeu des personnalités, et ça pourrait très mal finir. Il faut absolument contrôler ça.

– Elle nous ment? Mais bien sûr qu'elle nous ment! Comment pourrait-elle faire autrement? Comment pourrait-elle nous faire confiance, nous qui ne l'écoutons pas et qui la rejetons en tant que personne, encore et encore et encore? Alors, bien sûr qu'elle ment, qu'elle s'exclut elle-même avant que nous ne le fassions de nouveau! Vous ne vous rendez pas compte? Ma fille vient de démissionner de la vie! Et je m'apprêtais à accepter sa démission sans poser de questions! Pire, j'allais lui verser son chèque d'allocation émotionnelle sous forme de pilules!

Samantha s'arrêta, horrifiée. Comme si elle venait de saisir l'ampleur de la détresse de sa fille, et de la sienne.

– Mon Dieu, gémit-elle pour elle-même, qu'avons-nous fait?

Le médecin prit une grande inspiration.

– Madame Hughes, répéta-t-il d'un ton tutélaire, calmez-vous. Vous vous emportez et ce n'est pas bon dans votre condition. Je vais vous prescrire des…

Samantha se ressaisit de son désarroi, furieuse.

– Mais quelle condition, docteur? cria-t-elle de toutes ses forces, qu'ai-je donc de si malade? Répondez-moi!

– Mada…

– C'est comme s'il n'y avait qu'une seule façon d'être, qu'une façon de faire! Vous n'aidez pas, docteur, non, vous n'aidez pas les gens, vous contrôlez la cohésion sociale!

– Madame Hughes, ça suffit, maintenant!

Samantha s'immobilisa, regarda l'homme devant elle.

– Vous avez raison, docteur, reprit-elle lentement, ça suffit. Il est grand temps que ça cesse. Tenez, je vous remets ça, je n'en ai plus rien à foutre, je me choisis, je choisis ma fille.

Et Samantha posa avec fougue sur le grand bureau brun un petit tube de médicaments. Les Celexa auxquels elle s'accrochait depuis tant d'années. Elle pivota sur ses talons et s'avança vers la porte.

— Madame Hughes, lança le médecin en levant les yeux, l'air moqueur devant l'ignorance de sa patiente. Vous savez très bien que vous ne pouvez pas arrêtez comme ça. Il faut une diminution graduelle et mesurée !

Elle hésita une seconde.

Savait-elle seulement vivre sans ses comprimés ? Se rappelait-elle ce que c'était que d'avoir l'angoisse de la liberté ?

Il était grand temps qu'elle le découvre.

Elle claqua la porte sans se retourner. Sarah l'attendait, assise sur le grand banc de bois, les pieds ballants. Elle l'avait attendue patiemment.

Samantha s'effondra à ses pieds. Elle prit dans sa main celle, toute menue, de sa fille. Elle fouilla son regard éteint. Mon Dieu, pensa-t-elle épouvantée, était-il trop tard ? Sa fille reviendrait-elle à elle, à cette parfaite nature imparfaite ?

L'avait-elle tuée ?

— Ma chérie, dit-elle doucement, tu sais, ta lettre, je l'ai trouvée très belle et je vais te la rendre. C'est à toi et tu pourras en faire ce que tu veux.

Sarah dévisagea sa mère, inquiète. Samantha attendit quelques instants, mais sa fille ne dit rien.

— Je sais, Sarah, tu as raison de ne pas me donner ta confiance. Mais, ma chérie, peut-être pourras-tu un jour me laisser la regagner ?

L'enfant fouilla les yeux de sa mère, désespérée de croire en elle.

— Maman, je n'aurai pas besoin de médicaments ?

— Non, ma chérie, non. Tu n'auras besoin que d'être toi-même. Viens, allons-nous-en d'ici !

Sarah serra la main de sa mère.

— Maman ?

— Oui ?

— Je crois qu'il est trop tard.

Samantha prit la tête de son enfant et la cala au creux de son cou. Elle l'étreignit avec toute la force qui lui restait.

Elle murmura à travers ses larmes :
– Je t'attendrai, mon amour, je t'attendrai.

La jolie robe bleue à fleurs rouges tournoya dans les airs et les pas de Samantha résonnèrent dans le couloir glacial.

Sous les regards ahuris de quelques infirmières, sa fille encore dans les bras, une mère cavalait dans les corridors. Elle s'échappait des griffes de l'affreux vieil hôpital sépulcral.

Elle s'échappait du contrôle d'un tube de médicaments.

Elle s'échappait, surtout, de sa dépendance à la normalité.

Et resté seul dans son bureau, le médecin termina ses notes. Il griffonna quelques lignes, crispé. Puis, il ferma le dossier de Sarah Hughes et se leva pour aller s'assurer que sa fenêtre était bien fermée.

38

Saint-Donat, Canada, 2005

Quelque chose me secouait. Et alors que j'émergeais de la profondeur de mon sommeil, une odeur m'assaillit.

Cela sentait bon et l'air était frais. Mais où étais-je ?

Une délicieuse odeur de sapin m'envahit.

– Sydney, réveille-toi, c'est moi, Sam !

Je me levai d'un bond, manquant de cogner ma sœur au passage. Assise dans mon lit, surprise, essoufflée de mon réveil abrupt, je cherchai les yeux de Samantha à travers la brume.

– Sam, mais qu'est-ce que tu fais là ?

J'étais arrivée la veille, en début de soirée, à la maison de campagne, convaincue qu'il n'y aurait personne en ce mercredi, au beau milieu de la semaine. J'avais loué une voiture à l'aéroport et j'avais filé directement vers ce havre de paix.

J'étais heureuse, autant à l'idée de découvrir mon troisième masque que de me retrouver dans un endroit où j'aimais venir me ressourcer.

C'est que la petite maison de campagne de ma famille, avec son toit et ses volets rouges, nous invitait en un coup d'œil au calme et au repos. S'ajoutait à cela le céleste miroir du lac Sylvère dans lequel se reflétaient immuablement les mystères de la vie. Ceux, insaisissables, qui nous font prendre conscience de la chance inouïe que l'on a de faire partie de quelque chose d'aussi beau.

Du coup, on en oubliait nos malheurs, nos joies même, et la magie du chalet opérait. On mettait son esprit au point mort et on n'avait d'autre choix que d'écouter la symphonie des couleurs de la vie, sans le bruit d'aucune arrière-pensée.

En route vers ce petit éden, je m'étais sentie surexcitée. D'aussi loin que je pouvais me souvenir, j'avais passé tous mes week-ends et vacances à cet endroit. Et voilà que j'y revenais transformée. Je réapparaissais, davantage prête à accueillir ce don de la vie.

Je savais maintenant que j'étais de la même racine de perfection que la nature elle-même.

En arrivant, j'avais d'abord rendu hommage au lac en m'y trempant le bout des pieds. Puis, à la nuit naissante, j'avais sombré dans un profond sommeil, probablement le plus réparateur depuis l'amorce de cet incroyable périple.

— Écoute, Sydney, je dois te parler. Beaucoup de choses se sont passées depuis ton départ et j'exige que tu me dises la vérité.

Je calai mon oreiller contre la tête du lit et m'y adossai. Je sentis que cette discussion allait être longue.

— Ai-je au moins droit à un café?

— Je veux savoir ce que tu as fait à ma fille. Pourquoi cet échange de courriers électroniques? Et puis, qu'est-ce que papa est allé faire en Arizona? Je suis certaine que tu le sais. Il se passe des choses et je n'y comprends rien. Moi, tout ce que je sais, c'est que j'aime ma fille et que je ne veux pas la perdre!

Sam avait perdu le contrôle de sa voix et avait eu du mal à terminer sa phrase. L'éclat de son appel au secours s'éteignit dans l'air, poignant.

Devant la détresse de ma sœur, je n'hésitai pas une seconde. Je plongeai tête première dans sa tristesse pour l'y repêcher.

Dans les bras l'une de l'autre, nous avons toutes les deux baissé les armes et enlevé une partie de l'armure qui nous couvrait depuis très longtemps. Nous nous sommes bercées toutes deux en sanglotant.

— Je te dirai tout, grande sœur, dis-je. Mais, rassure-toi, tu ne perdras pas ta fille. Elle reviendra, je te le promets. Viens, je vais nous faire du café parce que là, vraiment, je n'y arriverai pas sans ça!

À cette heure matinale, de la terrasse, la vue du lac était apaisante. Il en émanait un brouillard qui suggérait étrangement la fragilité de la vie.

Assises dans la grande chaise berçante, face à la nature, nous nous dîmes la vérité.

Je racontai du mieux possible l'histoire abracadabrante de mon aventure des dernières semaines. La frénésie menaçante de mon travail, ma relation de couple boiteuse, la première enveloppe, Menton, miss Greich, le premier masque, Patrick Hughes, Annie Foley, le deuxième masque, et maintenant Saint-Donat et la chienne Princesse. Tout y passa.

Sam m'écouta, surprise d'abord, puis calme. On aurait dit que son esprit était parti se balader dans les profondeurs du lac et qu'elle n'écoutait qu'à demi.

J'attendis un moment. Puis, elle reprit.

— Alors, tu me dis que non seulement il y aurait des gardiens de la vérité pour toi et pour des centaines d'enfants, mais qu'en plus, ta gardienne à toi serait une chienne?

— C'est ça.

— Eh bien, dit-elle en levant les bras, tout cela me semble avoir beaucoup de sens!

— Tu ne me crois pas? dis-je avec un demi-sourire.

— Et tu dis que Jack, qui est un personnage qui vit au fond de ton ventre, s'appelle en vérité Besoin de s'Aimer et qu'il est copain avec Confiance en Soi?

— C'est bien cela.

— Pfff! Et puis quoi, encore?

— Oui, je sais. Tout ça sonne un peu dingue.

— Un peu?

Sam haussa les épaules en signe d'impuissance.

— Je veux bien te croire, Sydney. Mais mets-toi à ma place, tu ne me racontes pas l'histoire la plus réaliste du siècle!

— Et que fais-tu de la lettre de Sarah? Je ne l'ai pas influencée, tu sais. Elle était déjà en pleine transformation lorsque je l'ai approchée avec ce sujet. Je ne lui ai conseillé que d'écrire, ce qu'elle s'apprêtait à faire, afin de ne pas s'oublier.

— Ce serait un réflexe naturel d'autodéfense?

— Oui, une reconstruction où on élimine et ajoute des traits à sa propre personnalité.

— Alors, si tous les enfants passent par là, pourquoi, à moi, il n'arrive rien de tout cela?

– Ce ne sont pas tous les enfants qui sont exposés au besoin de reconstruction. Il y en a qui ont une enfance heureuse et n'ont pas à se transformer.

Samantha me regarda d'un air dubitatif.

– Écoute, je ne crois pas tellement à toute cette histoire, mais je veux bien te donner le bénéfice du doute. Si tu es d'accord, allons ensemble déterrer Princesse. On verra bien ce que l'on y trouvera !

– Et toi, Sam, repris-je, tu ne te rappelles de rien ? Aucune transformation, aucune lettre ?

– Non, rien. C'est pour cela que je trouve toute cette histoire un peu débile. Mais hier, à l'hôpital, j'en ai eu marre de toute cette perfection et j'ai tout à coup ressenti le besoin de protéger ma fille à tout prix. Je voudrais qu'elle puisse, comme toi, Sydney, avoir le courage d'être elle-même.

– Mais toi aussi, tu le peux, Sam !

– Oh, je crois qu'il est trop tard pour moi. Mais il n'est pas trop tard pour Sarah !

Samantha se leva.

– Alors, finis-moi ce café et allons découvrir ton troisième masque. On verra bien ce que ça va donner !

– Sam, encore quelques minutes. Il y a quelque chose que je ne t'ai pas dit, au sujet de Patrick et de la raison de son suicide. Apparemment, il se serait passé quelque chose d'horrible dans la famille de papa.

– Qu'est-ce que tu veux dire ?

Je pris une grande respiration et lançai tout d'un bloc :

– Patrick a été abusé sexuellement toute son enfance par grand-père. Vraisemblablement, papa le savait, grand-mère aussi.

Sam était toujours debout. Elle recula d'un pas, horrifiée.

– Mais qu'est-ce que c'est que cette famille de débiles, tu veux bien me le dire ?!

J'eus un petit rire de dépit.

– Tu parles ! J'ai eu la même réaction que toi. De la colère. Mais, maintenant, je me sens si triste pour papa. Tout à coup, je n'ai plus peur de lui ; au contraire, j'ai pitié de lui. Penses-y, ce doit être affreux de porter un tel secret tout au long de sa vie !

– Est-ce que tu penses que lui aussi aurait été...

– Non, je ne pense pas. Mais j'ai bien l'intention d'avoir une bonne conversation avec lui à propos de toute cette histoire. Parce que s'il m'a poursuivie jusqu'en France et en Arizona, je crois bien que c'était pour s'assurer que je ne découvre pas ce secret.

Nous restâmes pensives quelques instants, chacune à son interprétation des vérités qu'elle découvrait. Sam se tourna subitement vers moi.

– Allez, on y va ! On trouvera des pelles dans le garage.

Nous nous enfonçâmes dans le petit sentier étroit qui naissait derrière le chalet et que nous avions parcouru des centaines de fois, enfants.

Mes pieds foulant le sol encore boueux du mois de mai, je sentis qu'à nouveau, je laissais mes traces sur le tapis moelleux de ce petit chemin resté pratiquement inviolé depuis.

Ma chienne passa en vitesse sous mes jambes et aboya joyeusement à qui voulait l'entendre qu'elle était la maîtresse des lieux. Ce à quoi s'empressèrent de répondre écureuils et oiseaux de toutes sortes. Une magnifique cacophonie avait laissé dans mon esprit une partition de musique qui me revenait à l'instant, intacte.

Et alors que se jouaient dans ma tête mes plus beaux souvenirs d'enfance, je tentai de m'orienter vers l'endroit où je me rappelais avoir inhumé ma chienne. Je voyais précisément le lieu dans ma tête. Un petit bout de clairière. Un grand bouleau sur lequel j'avais cloué un écriteau. J'y avais solennellement gravé le nom de ma fidèle amie.

– Sydney ?

– Oui ?

– Alors, tu dis que Jack ne se manifeste plus ? Tu n'entends plus sa voix ?

– Ça fait un moment que je ne l'ai pas entendue, en tout cas.

– Pourquoi ?

– Parce que, j'imagine, comme il s'agit de Besoin de s'Aimer, qu'il n'a plus besoin d'être là, puisque je m'aime ! Et puis, il doit être en train de rassembler ses amis : Confiance en Soi, Autonomie, et tous les autres.

La forêt craquait sous nos pas.

– Mais Sam, dis-moi une chose. Comment as-tu su que j'étais ici ?

– Alors là, petite sœur, c'est ici que le mysticisme de ton histoire entre en jeu. Je sais que ça va avoir l'air complètement fou, mais quelque chose me disait que tu étais ici.

Je m'apprêtais à répondre lorsque j'aperçus ce que je cherchais.

– Sam ! Voilà, c'est ici ! Tout y est encore !

Je courus et m'arrêtai devant l'écriteau. Je l'effleurai du bout des doigts, avec respect. Sam attendit un moment.

Je me demandai tout à coup pourquoi je n'avais jamais eu d'autres chiens par la suite. Car aujourd'hui, sur la tombe de Princesse, je comprenais à quel point le rôle de ces animaux était important dans la vie des humains. En courant vers nous, la queue allant dans tous les sens, la langue pendante et les yeux toujours bavards, ne nous ramenaient-ils pas tout droit dans le moment présent, là où les soucis du passé et les craintes du futur n'existent pas ? Par leur affection sans borne et leur fidélité inébranlable, ne nous acceptaient-ils pas sans jugement aucun, tels que nous étions, et ne nous aimaient-ils pas assurément, sans condition, jour après jour ?

Ne nous montraient-ils pas comment aimer vraiment ? Un amour absolu qui échappait toujours au pouvoir adulte, car si, petits, nous avions compris la leçon, nous l'avions, grands, vite oubliée... Nous avions tant à apprendre d'eux.

Je me félicitai soudainement que ma chienne fût morte avant ma transformation et qu'elle n'eût pas subi l'abandon et l'indifférence que je lui aurais certainement et abominablement servis tous les jours, une fois changée. Et je pris la décision de courir m'acheter un chien aussitôt que cette histoire serait terminée.

– Bon, on va pas y passer la journée ! cria ma sœur, impatiente. Allez, vas-y, déterre-moi ce cadavre !

– Ce que tu peux être sans-cœur, quand tu veux ! C'est Princesse, merde !

– Mon Dieu, Sydney, je suis désolée. Je n'ai pas voulu dire ça ! C'est sorti tout seul. Je commence à peine à réduire ma dose d'antidépresseurs.

Sam avait lancé le dernier bout de phrase fièrement, avec un grand sourire.

– Sam, c'est vrai ? Je suis tellement fière de toi ! Ne t'inquiète pas, tout ira bien !

– OK, OK, répondit-elle, agacée. Alors, tu y vas ou quoi ? Ce que tu peux être sentimentale !

Je pris ma pelle et donnai le premier coup, sous l'œil intéressé de Sam.

39
Montréal, Canada, 1985

Sydney travaillait à son petit bureau et bûchait, lui sembla-t-il, depuis des heures sur d'interminables problèmes de mathématiques. Elle sursauta lorsque sa mère entra.
– Sydney?
– Oui, maman?
Il y avait plusieurs mois que l'incident était clos. Ses parents avaient graduellement cessé de chuchoter dans le fond des couloirs de la maison en s'accusant mutuellement.

La famille Hughes avait été secouée par un drame qui n'avait jamais été divulgué. L'orage était naturellement passé. Et leur entourage n'avait rien vu.

La vie avait repris tranquillement son cours.

Mais Sydney, elle, n'avait pas été dupe. Elle avait guetté les moindres mouvements de sa grande sœur. Inquiète de ne plus la reconnaître.

Flottant dans une mer de médicaments, Sam était peu à peu revenue à la vie. La parole était réapparue, hésitante. Puis, finalement, naturelle. Le rire aussi s'était manifesté, sautant au-dessus de l'amertume comme un poisson au-dessus de l'eau.

Mais autre chose avait également dévié de son cours normal.

On s'était tourné vers Sydney.

Puisque, pour l'aînée, tout était maintenant sous contrôle, on allait faire de la cadette une petite fille parfaite. Elle allait devenir la récipiendaire d'une attention encore plus serrée.

Cependant, cela faisait déjà quelques mois que Sydney avait compris que sa propre personnalité ne suffisait plus. Elle avait bien remarqué que l'approbation et l'amour du parent venaient lorsqu'elle réprimait son instinct et qu'elle arborait une réaction qui n'aurait pas été, de prime abord, spontanément la sienne. Ainsi, avant même cette nouvelle attention, il lui était apparu inévitable qu'elle devait changer.

Alors, elle n'avait donc qu'à se transformer pour qu'il en fût autrement ?

Eh bien, soit ! Elle allait devenir ce que l'on attendait d'elle.

– Allons-y ! s'était-elle dit, pour faire plaisir à ses parents, certes, mais surtout, pour ne pas finir comme sa sœur.

Sydney avait donc étudié les repas en famille et les corvées ménagères. Elle avait épié aussi, tard dans la nuit, les discussions de ses parents alors que tous les soirs, une fois les filles couchées, ils faisaient leurs comptes à la table de la cuisine. Elle les avait écoutés décortiquer la journée. Des deux filles, qui avait été bonne, mauvaise, adorable, performante ?

Sydney, le cœur gonflé d'espoir, avait pris note, enregistré. Elle avait pris son temps pour bien comprendre lesquels, des actions et des comportements à avoir, rendraient ses parents heureux et fiers.

Elle avait également examiné sa sœur qui, en parallèle, avait refait surface sous une autre personnalité, douce et complaisante. Une nouvelle personne qui faisait la joie de ses parents.

– Quelle jolie jeune demoiselle bien élevée !

Pourtant, Sydney craignait tout de même quelque chose. Si sa sœur venait de transformer sa personne abruptement, elle l'avait quand même fait de façon forcée, et surtout, très tard dans sa croissance.

Sam venait d'avoir treize ans et n'avait jamais ressenti le besoin, avant l'incident, de devenir autre chose qu'elle-même. Elle avait toujours résisté à la pression de son entourage et n'en avait fait qu'à sa tête.

Superbe animal sauvage. Indomptable et magnifique.

C'était là que l'idée était venue à Sydney d'assurer la survie de la personnalité de sa sœur. Un soir, sur du beau papier qu'elle avait choisi avec minutie, elle s'était appliquée à décrire comment était Sam. Quels étaient, avant l'incident, les traits de sa personnalité, ses forces, ses faiblesses.

Son plan était qu'un jour, alors qu'elles seraient grandes, elle lui remettrait cette lettre. Et Sam pourrait enfin savoir qui elle était vraiment avant sa transformation.

Cela lui avait donné l'idée également de le faire pour elle-même.

Si elle s'oubliait aussi?

À force d'être quelqu'un d'autre, peut-être lui serait-il impossible, plus tard, alors qu'elle le pourrait, de revenir à elle-même. Il était trop facile de perdre son chemin dans ce labyrinthe de personnalités. Il lui fallait laisser derrière elle les indices qui lui permettraient de se retrouver le moment venu.

– Désolée de te déranger pendant tes devoirs, ma chérie. Mais ton père et moi voudrions t'annoncer quelque chose. Nous croyons que notre famille a besoin de vacances, de se retrouver. Ça te dirait de venir en croisière avec nous?

40

SAINT-DONAT, CANADA, 2005

À chaque pas, ses pieds s'enfonçaient doucement dans l'épais tapis moelleux.

Sam marchait derrière Sydney depuis quelques minutes dans un sentier qu'elles avaient, enfants, surnommé La Mousse. Au fil des ans, alors que l'homme avait tout enlevé pour se frayer un chemin, la nature, elle, avait recouvert cette petite voie d'un magnifique tapis vert.

Sa sœur, devant elle, marchait d'un pas courageux et décidé.

Elle ne la reconnaissait plus. Sydney qui autrefois ne savait plus quoi faire pour plaire aux autres, voilà qu'elle n'en faisait qu'à sa tête. Qu'elle disparaissait sans crier gare et se lançait dans des aventures mirobolantes. Mais surtout, qu'elle se permettait de dire non.

Le vent secoua doucement le feuillage des grands bouleaux. La forêt était magnifique et dense, juste assez décolletée pour laisser respirer l'âme.

Samantha sourit, car tout à coup, il lui revint à l'esprit qu'avec sa sœur, elles allaient déterrer une chienne afin d'y trouver un masque.

Soupir.

Non. Rires!

Elle pensa à leur relation et une certaine amertume lui vint. Elle se rappela vaguement que toutes petites, elles aimaient jouer ensemble, courir, chanter.

Et les fous rires interminables dans le creux du lit qu'elles s'entêtaient à partager!

– Les filles, si vous n'arrêtez pas, je vous sépare! criait leur mère du haut de l'escalier alors que l'horloge sonnait les douze coups de minuit.

Et puis, plus rien.

Comme s'il y avait eu un grand démantèlement. Que sa vie avait été coupée en deux.

Oui, c'était vrai. Elle avait beaucoup changé durant son adolescence. Elle l'avait bien ressenti au cours des derniers jours. En marchant dans la forêt de son enfance, en entendant résonner dans sa mémoire leur gaieté de petites filles, il lui vint brusquement à l'esprit à quel point elle était loin de ce qu'elle avait été autrefois.

– Sam! Voilà, c'est ici! Tout y est encore!

Elle s'arrêta pour regarder sa cadette.

Jusque-là, Sam avait été remplie de bonnes intentions face à son nouvel optimisme. Mais, en regardant sa sœur s'exténuer à déterrer un animal, elle ne sut plus soudainement qui croire.

Son père qui l'avait mise en garde contre la grave dépression de sa sœur. Son médecin qui clamait la même chose au sujet de sa fille et d'elle-même. Sa sœur qui affirmait qu'il n'était pas trop tard pour être soi-même.

Qui avait raison?

L'air frais la saisit au visage. Tout cela ne pouvait être que des bêtises. Des enfantillages de fille dépressive. Sa sœur était tout simplement en train de l'attirer dans une folie où tout à coup elle ne voulait plus aller.

Elle chercha par habitude son tube de comprimés au fond de son sac et ne le trouva pas. Impatiente, elle cria par-dessus l'épaule de sa sœur.

– Sydney, arrête, tout cela est complètement fou! Viens. Viens avec moi, nous allons retourner en ville, et papa t'aidera. Tu pourras rencontrer un médecin.

Sydney s'arrêta d'un coup sec et se redressa pour la regarder.

– Mais, tu viens de me dire que…

– Je sais, je sais. Je suis désolée, je reviens sur ce que j'ai dit.

Et comme sa sœur ne répondait pas, elle continua, elle-même motivée par son évangélisation de la normalité.

– Viens, Sydney. Tu es en train de te rendre folle avec toute cette histoire d'identité. Penses-y quelques secondes, tu ne peux pas me dire que tu crois vraiment à tout ça ?

Celle-ci la regarda dans les yeux et sourit.

– Tu m'excuseras, grande sœur, mais j'ai des ordres formels. Je ne peux écouter personne d'autre que moi. Je ne peux utiliser que la conscience d'une enfant de dix ans. Et pour une enfant de dix ans, crois-moi, tout ceci est absolument fascinant et crédible ! Et puis, en plus, tu sais, maintenant, je sais que je suis parfaite. Je sais aussi que je n'ai besoin de l'approbation de personne pour accomplir de grandes choses. Alors, tu vois, ton médecin et les remontrances de papa, tu peux te les foutre là où je pense !

Sidérée, Sam contempla Sydney qui s'était remise à sa pelle, en redoublant ses efforts.

Elle l'envia tout à coup d'être si inébranlable dans sa foi en elle-même.

Elle était là, pleine de sueur, creusant la terre de toutes ses forces, certaine d'y trouver la réponse à toutes ses questions. Et cette certitude lui donnait une beauté que Sam ne lui connaissait pas.

La beauté d'être bien avec soi-même.

La beauté de savoir ce qu'on fait là.

Alors, dans un élan de solidarité pour la quête de sa sœur, mais aussi pour elle-même et pour sa fille, Sam prit sa pelle et se mit à creuser. Sydney leva la tête et sans qu'elle eût pu dire quoi que ce soit, Sam lui mit la main sur l'épaule.

– Allons-y, trouvons ta vie !

– Ah ! Je le savais, Sam, je savais que tu ne me laisserais pas tomber !

– Oui. Bon. Euh… Sydney…

– Oui ?

– Jack, est-ce que tu penses que tu pourrais me le prêter ? Je crois qu'il est grand temps que je fasse la connaissance de Besoin de s'Aimer !

Les deux sœurs se regardèrent un instant.

Puis, elles pouffèrent de rire. Elles rirent ! Elles rirent tant et tant qu'il leur fallut à toutes deux se tenir le ventre !

Elles rirent à en pleurer. Ce que tout ça pouvait être drôle ! Ce que la vie pouvait être drôle !

Alors là !

— Écoute, Sam, je… mais arrête de rire, j'ai des crampes ! Écoute, écoute-moi, j'te dis !

— C'est bon, c'est bon, je me calme. Ah, c'que ça fait du bien de rire comme ça !

— Sam, tu sais, pour Jack…

— Oui ?

— Il est au creux de ton ventre. Tu n'as qu'à fermer les yeux pour le trouver. Mais peut-être aura-t-il un autre nom… Je te préviens, il voyage incognito !

— Incognito. D'accord. Message reçu.

— OK, au travail maintenant !

Quelques minutes plus tard, un bruit caverneux se fit entendre. Sam venait de donner un grand coup de pelle et avait touché une boîte métallique. Celle-là même dans laquelle sa sœur, enfant, avait placé tous les objets qui accompagneraient Princesse dans son voyage.

D'un mouvement nerveux, Sydney s'agenouilla dans la terre. Elle plongea ses mains dans le trou obscur et en extirpa le récipient de ses souvenirs.

Elle l'ouvrit d'un coup sec. Ses yeux s'écarquillèrent d'espoir.

Elle en sortit un cylindre de métal et le brandit devant Samantha.

— Le voici, Sam, le voici, mon troisième masque !

41

MONTRÉAL, CANADA, 2005

Charles s'était assis en prenant une grande respiration.

Il était agité et s'était versé un grand verre de bière bien froide, pour se calmer. Il n'avait pas beaucoup dormi la nuit précédente et il ne cessait de penser à ses filles. Depuis quelques semaines, il avait complètement perdu le contrôle de la situation. Plus il tentait désespérément de le regagner, plus ce dernier lui glissait entre les doigts.

D'abord, Sydney qui s'était envolée.

Et maintenant, Samantha qui manquait à l'appel.

Pourtant, n'avait-il pas tout donné à ses filles? Ne s'était-il pas assuré qu'elles fussent normales, admises et aimées? Alors, pourquoi cette fuite?

Une grande lassitude l'envahit tout à coup. Il était épuisé. Il était subitement las de sa destinée, celle dans laquelle il s'évertuait tous les jours à combattre l'anormal.

Il était brusquement vanné devant ce grand champ de bataille qu'était devenue sa vie.

Il se sentit vieux.

Et ses filles parties, il eut peur de les avoir perdues. Comme il avait perdu son frère, aux mains de l'absurdité de l'aventure humaine.

Il secoua la tête dans un geste d'abandon. Puisqu'il n'avait pas su sauver son propre frère, il avait voulu protéger ses filles. Il avait voulu les rendre fortes afin qu'elles pussent en tout temps être acceptées, adulées par leur entourage. Que partout où elles passassent, elles fussent parfaites, louangées même.

Qu'on ne leur reprochât rien.

Qu'on ne lui reprochât rien, surtout.

Il détestait la vie, la vraie, celle qui accueillait l'humain dans toute sa splendeur. Celle qui lui permettait d'être qui il était, un être étrange, individualiste, plein de rêves et de naïveté.

Charles, lui, avait compris que la seule façon de la rendre supportable, la vie, c'était justement de ne pas la laisser faire à sa guise. De ne pas être mou devant elle, mais bien de la saisir et d'en faire une ligne bien droite sur laquelle il n'y avait aucun défaut, aucune faille. Il savait qu'il fallait être plus rapide que la vie, qu'il fallait la frapper avant qu'elle ne vous blessât la première.

C'était bien ce qui l'avait sauvé, lui.

Mais tout ceci tournait mal. D'année en année, les vraies personnalités de ses filles faisaient de plus en plus surface. Et il avait si peur que toutes deux perdent leur bonne situation. Sydney qui était en arrêt de travail, il ne pouvait le supporter. Et maintenant, Samantha qui se posait des questions. Et même sa petite fille qui s'y mettait, elle aussi, en écrivant des lettres absurdes.

Tout dérapait.

Était-il allé trop loin?

Avait-il voulu jouer à Dieu en tentant de contrôler le cours des choses?

Tout ce qu'il avait voulu, au fond, c'était d'être normal. D'être comme tout le monde, dans ce petit quartier de Sainte-Rose où les enfants en culottes courtes galopaient dans tous les sens en riant. Tout ce qu'il avait souhaité était de se fondre dans ce voisinage commun sans que rien n'y parût.

Il se leva et s'approcha de la fenêtre. Il avala une longue gorgée de bière. Ses yeux se perdirent au-delà des carreaux, dans l'abysse de son cruel passé.

Il se revit, gamin, guettant par l'ajour de la porte le retour de son père au beau milieu de la nuit. Il ne dormait presque plus jamais, de peur de se faire attraper en plein sommeil.

Et chaque nuit, alors que les phares de la grosse voiture se pointaient au bout de la rue, il sursautait inévitablement, son cœur chétif battant la chamade. Il courait le plus vite possible, ses pantoufles glissant sur le plancher. Il contournait le grand divan, bousculait les chaises de la salle à manger et débouchait sur le long couloir qui le menait à sa cachette.

Sous le grand escalier, une petite porte menait à la garde-robe en cèdre. Un endroit sombre où trônaient en silence les manteaux d'hiver et les articles de pêche. Il s'y engouffrait précipitamment.

Et, sans bruit, il priait.

– Mon Dieu, chuchotait-il, faites que je sois le plus normal possible, faites qu'il ne me voie pas.

Tremblant, caché tout au fond sous le vieux manteau de fourrure de sa mère, ses jambes maigres repliées sous lui, il entendait son père entrer en criant. Celui-ci, empestant l'alcool, fouillait aussitôt la maison, cherchant sa femme pour la frapper, ou son fils pour se soulager.

Ou était-ce l'inverse?

Il ne savait plus tant il se bouchait les oreilles pour ne rien attendre. Et il se répétait sans cesse :

– Tout est normal, tout est normal. Je suis normal, je suis normal.

Charles se dégagea de l'embrasure de la fenêtre, effaré. Il demeura de longues minutes debout, au beau milieu du salon, les yeux dans le vide.

Oui, peut-être était-il allé trop loin avec ses filles.

Il respira avec difficulté et termina sa bière d'un coup.

42

MONTRÉAL, CANADA, 1985

Chère Sydney,

Tu es là, tu es toujours avec moi! Je suis tellement contente!

Tu dois être plus forte, plus grande!

Tu sais maintenant que tu n'as plus besoin de te battre pour arriver à la perfection parce que, Sydney, tu es DÉJÀ parfaite.

Tu sais aussi maintenant que tu n'as plus besoin des autres, que tu n'as plus besoin de l'approbation de personne pour faire ce que tu veux. Pour arriver à ça, tu n'as qu'à créer, parce que c'est dans la création que se trouvent ton autonomie et ta confiance en toi.

Patrick t'a montré tous les beaux dessins que nous avons faits. Nous avons un talent merveilleux, Sydney, nous sommes vraiment très bonnes! Nous avons un pouvoir de création plus grand que nous-mêmes. Utilise-le!

Et maintenant, pour notre troisième masque, eh bien, c'est le doute. Celui, terrible, qui nous a obligées à croire en tout temps qu'il nous était impossible d'accomplir quoi que ce soit.

N'est-ce pas fou? d'avoir à douter de soi pour être capable de se faire accepter? Parce que, je l'ai bien vu, la confiance en soi n'est pas très populaire ici! Et chaque fois que je me suis crue capable d'accomplir une grande chose, on m'a grondée, en me disant que «dans la vie, on ne fait pas ce qu'on veut, on fait ce qu'on peut».

Mon Dieu! Combien de fois me suis-je fait répéter cette phrase débile que, pourtant, j'ai bien fini par avaler.

N'oublie pas ces trois masques, n'oublie pas, tous les jours, d'emprunter ce nouveau chemin que je t'ai montré pour t'en débarrasser.

Et maintenant, il ne nous en reste qu'un seul, un dernier avant que tu puisses être complète, à nouveau toi-même à part entière, telle que l'univers t'a voulue.

Je te donne rendez-vous au 2323, rue Cherrier à Montréal. Quelqu'un t'attend là-bas. Je ne te dis pas le nom de cette personne. J'espère de tout cœur que cela va marcher, car il s'agit de l'étape la plus difficile, le masque le plus fou que j'ai enfilé.

En terminant, s'il te plaît, replace bien la tombe de Princesse. Nous lui devons beaucoup, à notre chère amie. Te souviens-tu combien de fois nous avons pleuré dans sa fourrure? Et combien de fois elle nous a consolées?

Signé: Sydney Hughes

Saint-Donat, 30 juin 1985

43

MONTRÉAL, CANADA, 2005

Samantha se tenait devant la grande porte noire depuis plusieurs minutes. Elle secouait nerveusement ses mains de chaque côté de son corps, comme pour faire sortir par le bout de ses doigts toute la peur qui circulait en elle.

Elle s'apprêtait à faire un grand pas, pour elle, pour sa fille, et elle hésitait.

Lorsque sa sœur avait brandi le cylindre, elle n'avait eu d'autre choix que d'y croire. Au beau milieu de la forêt de son enfance, dans le vent qui l'avait si souvent chatouillée, Sydney avait déplié devant elle des pans entiers de sa personnalité perdue.

Et son cœur s'était serré devant tant d'amour envers soi-même.

C'était bien cela qui l'avait le plus chavirée. Cet amour de soi si grand que malgré les pressions d'une société qui prônait le conformisme, sa sœur eût été prête à tout pour assurer la survie de son être.

Et elle-même? Pourquoi n'en avait-elle pas fait autant?

– Monsieur Jack? Hou-hou? Où êtes-vous? Paraît que vous pouvez m'aider...

Elle avait, sur le chemin du retour, fouillé sa mémoire du mieux qu'elle avait pu. Mais elle n'y avait rien trouvé. Ne s'aimait-elle pas elle aussi assez pour vouloir s'aider? S'était-elle fondue dans la foule sans jamais chercher à conserver quelque part certaines traces de sa personnalité?

Tout ce dont elle se souvenait, c'était qu'elle devait à tout prix réussir. Être bonne. Être grande. Être parfaite. Gagner de l'argent. Être drôle. Avoir de la conversation. Bien s'habiller. Avoir le plus beau corps possible. Être l'amie de tout le monde. Et surtout, surtout, que tout le monde l'aime. Que tous veuillent être avec elle.

Était-elle vraiment tout cela ?

Était-ce ce grand trou à l'intérieur d'elle-même, celui qu'elle redoutait et qu'elle évitait de regarder, que sa sœur, elle, avait réussi à combler ?

Elle revit Sydney, si courageuse, si forte ce jour-là. Sitôt la troisième lettre lue, celle-ci avait filé comme une belle aventurière, bien en croupe sur le grand cheval blanc de la confiance en soi. Elle avait eu l'air de voler vers sa dernière révélation.

Sam ferma les yeux pour puiser dans cette image toute la force dont elle avait besoin, et frappa à la porte avec fermeté.

Elle attendit de longues minutes. Son père ouvrit. Il tenait une bière vide dans ses mains et ses yeux rougis détonnaient avec la peau exsangue de son visage.

Sam en oublia pourquoi elle était là.

– Papa, est-ce que ça va ?

Il ne répondit pas. Il pivota sur ses talons et se dirigea vers la cuisine. Sam le suivit et fut surprise de le voir ouvrir le réfrigérateur pour prendre une autre bière. Lui qui ne buvait jamais.

Quelque chose n'allait pas.

Il passa près d'elle sans la regarder et s'élança à grands pas vers le salon.

– Tu sais tout, ma fille, dit-il d'une voix faussement enjouée. Tu ne te rappelles pas, mais tu sais tout, tu as toujours tout su !

Elle le suivit, stupéfaite.

– Papa, qu'est-ce que tu veux dire, qu'est-ce qui se passe ?

– Tu n'avais que treize ans et tu es allée fouiller dans mon bureau. Tu as découvert des lettres, une correspondance entre ton grand-père et moi. Une lettre dans laquelle il s'excusait, bien trop tard, de tout ce qu'il avait fait. Je t'ai trouvée évanouie sur le plancher. Et lorsque tu as repris connaissance, tu n'as plus prononcé une parole pendant une semaine. De savoir ce qui s'était réellement passé t'a complètement anéantie.

Il se retourna vers elle et la regarda pour la première fois. Et en ne la quittant pas des yeux, but sa bière d'un trait, à grandes gorgées.

— Papa, arrête. Qu'est-ce que tu fais, papa? Tu me fais peur!

— Et j'ai fait ce que j'ai pu, cria-t-il en sanglotant, tu comprends? Je ne voulais pas que tu aies à te cacher dans le fond de la garde-robe, toi aussi! Je voulais juste que tu puisses avoir une enfance normale!

Sam était venue voir son père pour avoir, une fois pour toutes, une conversation franche sur son passé. Elle avait tant de questions à lui poser. Pourtant, elle resta sans voix devant son désarroi. Lui, toujours si droit, immuable, voilà qu'il s'effondrait devant elle.

La vie avait-elle eu enfin raison de celui qui avait voulu jouer à Dieu?

Charles se mit à pleurer.

La vie, encore elle, avait fini par faire céder le grand barrage qu'il avait édifié autour de son cœur. Et toute cette souffrance accumulée au fil des ans était tout à coup libre de couler à flots dans ce corps sec qui ne s'était jamais rien permis.

— Je n'ai voulu que vous protéger, dit-il dans un sanglot. Je n'ai voulu que vous protéger!

Samantha prit son père dans ses bras et le cajola en lui caressant les cheveux. Celui de qui elle avait si peur, voilà qu'il redevenait sous ses yeux un enfant.

Tout petit.

Inoffensif.

Elle l'accueillit tendrement.

— Je t'aime, papa.

Et même si elle ne savait toujours pas qui elle était, Samantha n'ajouta plus rien.

Pour le moment, tout avait été dit.

44

MONTRÉAL, CANADA, 2005

En route vers Montréal, je conduisais lentement.

J'aurais voulu accélérer pour arriver rapidement au quatrième masque. Mais c'était plus fort que moi. Mon pied refusait tout simplement d'appuyer davantage sur l'accélérateur et ma petite voiture de location avançait à pas de tortue sur l'autoroute.

Les automobilistes klaxonnaient de toutes parts, me faisaient de grands signes, la plupart pas trop courtois, pour que je m'active.

Et c'était bien ce bruit, justement, qui m'empêchait d'aller plus vite.

Au début, je ne m'étais rendu compte de rien et les sons ordinaires de la vie m'avaient entourée comme d'habitude. Mais là, les bruits résonnaient de façon différente à mes oreilles.

J'ouvris la fenêtre et y portai attention.

Est-ce que j'hallucinais ou les sons étaient plus clairs, plus vibrants ?

J'aurais juré qu'il y avait une mélodie dans chacune des sonorités qui me parvenait. Que tous ces coups de klaxon étaient autant de tonalités qui s'entremêlaient en un joyeux récital mécanique.

Intriguée, j'allumai la radio. Une voix légère s'éleva et l'*Air des bijoux* emplit la voiture. Mon cœur fut soulevé par une valse de notes qui l'emporta dans les voltiges de l'opéra *Faust* de Gounod.

Maaaaarguerite, ce n'est plus toi,
ceeeee n'est plus ton visaaaaage.
Nooooon!
C'est la fille d'uuuuun roiiiiiiii,
qu'on salue au passaaaaaaage!

Conquise, je souris. Non, je ne rêvais pas. Mon oreille s'ouvrait à la vie et à la symphonie qu'elle interprétait tous les jours pour l'homme!

Je m'engageai dans la première sortie et me garai au bord de la route. Je coupai le contact. Marguerite disparut dans l'air, laissant derrière elle une jolie traînée de petites notes qui s'éteignirent lentement, une à une.

Je sortis rapidement de la voiture et m'immobilisai sur l'herbe. Debout, je fermai les yeux et pris une grande respiration, emplissant mes oreilles des sons qu'offrait cette magnifique soirée de début d'été.

Tout s'enchevêtrait.

Les allées et venues incessantes des voitures sur l'autoroute. Les grincements des lampadaires se balançant. Les grésillements de leur ampoule. Le vent dans les arbustes longeant la route. Même la petite grenouille au loin, faisant son chemin dans un étang quelconque.

J'ouvris les yeux. Ma transformation, je le savais, arrivait à sa fin.

Je venais de retrouver l'ouïe de mon enfance.

Quel serait le prochain sens? le toucher? À cette pensée, un frisson me traversa. Depuis quand n'avais-je pas véritablement posé les mains sur quelqu'un ou même sur quelque chose? Je souris car j'anticipais la prochaine étape; elle allait être heureuse!

Je remontai dans la voiture et filai cette fois à une plus vive allure vers mon prochain rendez-vous avec le destin.

– C'est triste quand même!

– Ah non, pas encore! Identifiez-vous, s'il vous plaît.

– Oui, on m'a dit que vous me demanderiez mon nom. Je suis Peur que le Bonheur s'en Aille.

– Ah, mais vous n'êtes pas si mal. Et puis, vous ne me faites pas peur. Vous pouvez rester quelques instants.

– Merci.

– Je vous en prie.

– Alors, qu'est-ce qui se passe?

– Eh bien, je file vers ma dernière révélation.

– Ah. Vous êtes certaine de vouloir y aller?

– Mais oui! Pourquoi me demandez-vous cela?

– Euh…

– Est-ce cela qui vous fait peur? Avez-vous peur que cette grande aventure prenne fin?

– C'est que… oui, Sydney, c'est exactement cela. J'ai peur que vous retourniez à vos doutes, à votre culpabilité, à votre assujettissement face aux autres dès que cette histoire sera finie. Ai-je raison?

– Mais non! Vous n'y êtes pas du tout! Je vous rassure tout de suite. Ça n'arrivera pas! Je suis plus forte, maintenant, vous savez?

– Ah bon?

– Si, si. Allez! Allez dormir en paix, madame Machin, je vous assure que vous n'avez aucun souci à vous faire.

– Bon, puisque vous le dites. Je… je reviendrai si ça cloche, d'accord?

– D'accord.

J'entrai dans le vestibule de l'adresse indiquée, rue Cherrier. Je restai sur place quelques instants, décontenancée.

Il s'agissait d'un café. D'où j'étais postée, j'observai les quelques clients qui sirotaient leur digestif de fin de soirée.

Comment savoir qui était la personne que je devais rencontrer? Et surtout, quand?

Il m'aurait été impossible de prévoir un rendez-vous précis lorsque j'avais dix ans. Il ne me restait donc qu'une option, pensais-je, celle de m'identifier au barman, en espérant que celui-ci soit à son poste depuis vingt ans, ce dont je doutais fort.

Je m'avançai lentement vers le bar. Comment avais-je bien pu connaître cet endroit? Je haussai les épaules, car de toute cette histoire, plus rien ne me surprenait et je pensai que j'avais certainement dû connaître le propriétaire. Ou quelque chose du genre.

Mais je me dis aussi que ce jeu était bien dangereux et aléatoire. En vingt ans, plusieurs choses avaient pu se produire. Miss Greich aurait pu mourir, comme Patrick. Ou encore, le propriétaire de ce café aurait pu faire faillite.

Peut-être était-ce le cas, d'ailleurs.

Mais qu'importait. J'étais là. Forte et grande.

– Bonsoir, monsieur, dis-je au barman. Euh, je me demandais si le propriétaire de cet établissement ne serait pas là, par hasard?

– Désolé, madame. Elle n'est pas là, vous venez de la manquer. Je vous offre quelque chose à boire?

Je soupirai et pris place sur un des hauts tabourets du titanesque bar en bois.

– Oui, j'en ai bien besoin! Un verre de rouge, s'il vous plaît.

– J'ai du Merlot, du Zinfandel, du Syrah…

– Syrah.

Je me demandai ce que j'allais bien pouvoir faire ce soir-là. Il n'était pas question de rentrer dormir chez moi ni chez mes parents. Chez ma sœur, peut-être. Mais Sam, à l'heure qu'il était, devait être en grande discussion avec mon père. Et j'espérais silencieusement qu'auprès de lui, elle trouverait les réponses que j'avais moi-même découvertes dans mes lettres.

Mais je revins à mon problème. *Bah*, pensai-je, *j'irai à l'hôtel, tout simplement.* Et je ris, encore une fois, à l'idée de dilapider mes économies.

Le barman déposa une grande coupe devant moi.

– Et vous savez quand elle sera là?

– Oui, elle est là tous les matins pour le petit-déjeuner, vers 7 h 30.

Je le remerciai d'un petit coup de tête et bus une grande gorgée de vin.

Mais le barman, depuis quelques minutes, m'observait attentivement. Je lui décochai un regard inquisiteur.

– Je suis désolé, mademoiselle, mais je dois vous demander, vous ne seriez pas Sydney Hughes, par hasard?

Je m'étouffai dans mon verre et fus prise d'une quinte de toux que je tentai de calmer en me penchant vers le sol.

C'était reparti.

LE QUATRIÈME MASQUE
OU LES NATTES

Pourquoi demander si je t'aime encore,
comme si, un jour, je ne t'aimerais plus?

RODRIGO PINO

45

Montréal, Canada, 2005

Le rendez-vous avait été fixé à 16 h le lendemain et j'avais profité de la journée pour me reposer. J'étais descendue dans un petit hôtel que je connaissais bien et devant lequel je passais tous les matins depuis les cinq dernières années en me rendant à mon travail.

Les premières gouttes d'eau sur mon visage furent apaisantes. Appuyée sur le carrelage blanc de la douche, je laissai longtemps couler l'eau brûlante sur mon corps fatigué.

Mon sommeil avait été long mais peu apaisant. J'avais rêvé toute la nuit à des choses bizarres et entremêlées dont je ne gardais qu'un vague souvenir. À mon réveil, mes songes n'avaient laissé que des traces furtives et j'en étais furieuse.

En m'asseyant dans le lit, je m'étais questionnée sur ce sentiment nouveau. Pourquoi tout à coup la colère, alors que depuis le début j'avais vogué avec allégresse vers mon nouveau destin?

N'étais-je pas heureuse de me voir donner une deuxième chance, de pouvoir recommencer avec une personnalité presque neuve?

Alors pourquoi, ce matin-là, m'étais-je réveillée dans cet état?

Et furieuse contre qui, contre quoi?

Je fermai le robinet de la douche et, dans la pièce embuée, cherchai à tâtons la serviette que j'avais posée sur le couvercle de la cuvette. Je me séchai d'un mouvement machinal en réfléchissant.

D'abord les cheveux, pour qu'ils arrêtent de ruisseler. Puis les jambes. Les bras. Le ventre. Le dos. Je me penchai et enroulai de mes mains expertes la serviette autour de ma tête pour bien emmitoufler mes cheveux. Je me redressai lentement et m'approchai du miroir.

Je frottai du bout des doigts la glace voilée par la vapeur et dessinai un petit cercle à la hauteur de mes yeux. Je restai là, pensive, à observer mes prunelles avec attention.

Puis, je reculai d'un pas.

– Mais qui êtes-vous, encore?

– Je suis En Colère Contre Le Monde Entier! Et je suis très, très fâché!

– Contre le monde entier?

– Oh que oui! Contre tout le monde, et contre toi aussi!

– Contre moi? Mais qu'est-ce que j'ai encore fait?

– Tu veux vraiment le savoir?

Cette émotion avait bien raison, j'étais en colère contre moi-même!

Le fait d'être revenue chez moi, à Montréal, faisait remonter en moi une puissante rancœur. Celle de n'avoir pas été assez forte pour conserver mon identité. Celle de n'avoir pas su me défendre et me protéger.

Pourquoi n'avais-je pas eu le courage, enfant, d'envoyer tout simplement paître tout le monde et de n'en faire qu'à ma tête?

Oui, j'étais en colère contre moi-même. Mais ce ressentiment ne s'adressait pas qu'à moi, mais bien, comme le disait mon émotion, au monde entier!

J'en voulais à mes parents, à mon père d'en avoir trop fait, à ma mère de n'en avoir pas fait assez! À ce couple qui ne m'avait donné aucun répit afin de me rendre droite et docile.

J'en voulais même à Patrick, tiens, d'avoir brûlé mon enveloppe! De s'être suicidé!

J'en voulais à Nicolas de m'avoir contrôlée et manipulée toutes ces années en faisant de moi ce qu'il voulait, continuant du même coup l'œuvre de mon père.

Oui, j'étais parfaite, je n'avais plus besoin de l'approbation de personne, et surtout, je savais que je pouvais tout accomplir. Mais, avant que je n'apprisse tout cela, avant que l'on daignât me dire que, dans le fond, j'étais la perfection même, je dépérissais, là, sur le trottoir, au vu et au su de tous. Et pour peu, on m'aurait laissée crever sans rien dire!

– Allez tous vous faire foutre!

– Oui! Dites-leur, monsieur En Colère Contre Le Monde Entier, dites-leur d'aller se faire foutre!

Je n'avais pas bougé et le petit rond que j'avais dégagé dans le miroir s'était de nouveau embué. Je le dessinai encore, plus grand cette fois afin que je puisse voir mon visage tout entier.

Cette colère me faisait peur. Pourrais-je trouver en moi le courage de pardonner à ceux qui m'avaient forcée à cette transformation?

Serais-je capable seulement de me regarder en face et de me pardonner à moi-même?

J'enlevai la serviette qui retenait encore mes cheveux et, frissonnante, entrai dans la chambre pour m'habiller rapidement. Alors que j'enfilais mon soutien-gorge, je me dis que cette colère ne pouvait plus faire partie de moi-même. Que je ne pouvais pas vivre cette merveilleuse transformation dans un état de hargne pareil.

– On demande Courage de se Pardonner au comptoir d'information. Courage de se Pardonner, s'il vous plaît, veuillez vous présenter au comptoir d'information.

En sous-vêtements, je retournai vers la salle de bain pour y coiffer mes cheveux encore humides. Le peigne en main, j'eus subitement l'irrésistible envie de me faire des nattes, comme lorsque j'étais enfant. Je fouillai dans ma trousse de toilette, y trouvai deux élastiques de couleurs différentes et entrepris de me tresser les cheveux. Je souris, car j'étais comique à voir: une grande adulte en train de s'embellir de deux longues tresses de chaque côté du visage.

Et c'est en m'admirant que la solution m'apparut, limpide.

– Me voici, me voici, je suis Courage de se Pardonner! Veuillez excuser mon retard, c'est que j'étais pris au rayon des produits nettoyants et je ne pouvais tout de même pas couper la parole à la gentille dame qui me renseignait. Voyez, je me suis procuré un décrassant. Faut pas croire que je suis sale. Non. Je me suis plutôt encrassé au cours des années. Vous comprenez, à force de ne pas être utilisé. Avec ça, je serai comme neuf. Enfin, bref, me voici. Que puis-je pour vous?

Mais bien sûr! Pour se pardonner, n'y avait-il pas de meilleur moyen que de revenir à sa vraie personnalité? J'étais parfaite, je n'avais plus besoin de l'approbation de personne et, surtout, je ne douterais plus jamais de moi. Donc, il n'y avait aucune raison pour que cette colère subsistât envers moi-même et les autres. C'était si simple.

Et ce talent de dessinatrice que je venais de me découvrir, ne suffisait-il pas de me le réapproprier pour compléter ma transformation et redevenir moi-même?

— C'est comme je vous dis, ma bonne dame, il suffit de se nettoyer un peu, de bien frotter partout et zou, on est brillant comme un sou neuf!

J'étais au carrefour de deux personnalités. L'une bien ancrée depuis des années; l'autre, toute neuve, et si fragile encore. Un seul chemin se traçait maintenant devant moi pour poursuivre ma transformation.

Celui de la création.

Je terminai de m'habiller et j'entrepris de fouiller les tiroirs de la chambre à la recherche de feuilles de papier. Je m'installai, fébrile. J'hésitai un moment, inquiète de savoir si ce talent oublié était intact. Mais je chassai vite cette pensée et me mis à griffonner ce qui me passait par la tête.

Au début, ce ne furent que des formes de base qui se dessinèrent. Un nez en triangle. Des yeux en ovale. Des mains en rectangle. Je tentai d'esquisser la chambre d'hôtel. La porte de la salle de bain toujours ouverte. La serviette mouillée sur le carrelage. La valise ouverte sur le lit défait.

Le trésor promis ne se manifesta pas. Exaspérée, je lançai l'une après l'autre les feuilles de papier chiffonnées en boule. Je les envoyai contre les murs, ceux de la chambre et ceux de mon *ego*. Ni les uns ni les autres ne cédèrent.

Je me levai d'un bond en faisant tomber ma chaise. Quelque chose en moi m'irritait. Je sentais que je n'étais pas libre de mes mouvements, que quelque chose me retenait. Que ce que je venais de griffonner n'était pas de moi mais de la Sydney que j'avais construite de toutes pièces et dont je voulais me débarrasser.

Je compris que je devais lui échapper. Que je devais une bonne fois pour toutes lui faire réaliser que les masques étaient tombés et qu'elle ne pouvait plus gagner.

C'était la vraie Sydney, l'enfant, qui avait maintenant le rôle solo.

– Je dois lui échapper! criais-je tout haut.

Mais comment m'y prendre? Comment faire pour échapper à ce que l'on a construit pendant vingt ans?

De toutes mes forces, je cherchai en moi l'enfant que j'avais été.

– Astiquez, mademoiselle, frottez, époussetez. Vous verrez, vous aller finir par voir l'argenterie...

Subitement, une idée me vint. Je replaçai la chaise et me rassis. Je jetai au loin la feuille que je venais de noircir et j'en plaçai une toute neuve devant moi. Qu'est-ce que Sydney, enfant, aurait dessiné? Faisant abstraction de ma dextralité, je pris le crayon de ma main gauche et je le laissai aller sur la feuille, me forçant à détourner le regard.

– Tu ne peux être le juge de toi-même, me répétai-je tout bas.

Et c'est ainsi que, sur la feuille, la réalité de mon enfance se forma. Et se matérialisa, doucement, lentement, une petite fille portant une jolie robe à motifs, le regard enjoué, les bras grands ouverts.

– Bienvenue, Sydney!

– Bienvenue?

Je m'arrêtai, médusée de trouver là cette petite sans défense dont le visage, après toutes ces années, était toujours souriant, toujours invitant.

– Tu souris? Tu n'es pas fâchée contre moi?

– Mais non. Je t'attendais, c'est tout. J'avais hâte que tu arrives! Est-ce que tu viens jouer avec moi?

– Oui, jouons! Cela fait tellement longtemps que je n'ai pas joué! À quoi veux-tu jouer?

– Mais à dessiner, voyons! C'est le seul jeu que je connaisse!

Ainsi, c'était vrai, me dis-je, j'étais bel et bien là, en train de m'attendre.

– Ne t'en fais pas, ma petite chérie, je suis là, maintenant. Je saurai nous protéger. Je saurai nous dire oui. Je saurai jouer, maintenant!

Et l'enfant ferma les yeux, rassurée tout à coup de savoir que l'on allait prendre soin d'elle et l'accepter comme elle était. Elle fit tourner sa petite robe dans une jolie pirouette.

Je regardai ma montre. 15 h 45! J'admirai mon œuvre avec affection et je partis en coup de vent, claquant la porte en riant.

— À tout de suite!

46

Cancún, Mexique, 1985

– S'cusez-nous, m'dame, avaient crié en chœur la fillette et le garçon qui la suivait.

Ils avaient frôlé la jambe de la vieille dame et avaient presque fait tomber la petite table sur laquelle étaient posés ses livres et son journal.

– Mais enfin, faites attention, tout de même! avait-elle répondu avec un drôle d'accent, en riant, je n'ai plus votre âge, moi, vous allez me briser en deux!

Et tandis que la dame se penchait pour ramasser son journal, des éclats de rire lui étaient parvenus. Un joli écho qui paraissait avoir été poussé par le vent chaud.

La petite fille s'arrêta un instant au bout du pont, essoufflée, et fit signe à son compère de la suivre. Elle pouffa de rire et dévala à toute vitesse un long escalier en métal.

Nicolas arriva hors d'haleine et s'arrêta un moment pour la regarder s'enfuir. Il plissa les yeux, comme il le faisait pour admirer les étoiles le soir et les voir luire davantage. Sa vision ainsi altérée, il apprécia les magnifiques cheveux blonds de sa dulcinée qui se mirent à briller de toutes parts sous le reflet doré du soleil.

Il y avait à peine deux jours qu'il avait rencontré la fillette sur le bateau. Deux jours qu'il la suivait partout, sans relâche. Lui qui ne s'était jamais intéressé aux filles, celle-ci, il ne pouvait y résister.

Il s'adossa sur la paroi de l'escalier et regarda autour de lui. Personne ne s'occupait d'eux, et c'était tant mieux. Dans son esprit de jeune homme de onze ans, il n'avait jamais été aussi heureux.

Et ce jour-là, son cœur bondissait dans sa petite poitrine d'avoir autant couru et surtout, d'être avec elle. Il ne le savait pas encore, mais de sentir son odeur, de voir ses jolies jambes apparaître par intervalles sous sa jupe virevoltante, tout cela le troublait.

Il essuya son front. Oui, il allait la suivre dans ces escaliers, jusqu'au fond de ce bateau, jusqu'au bout du monde. Et pour cela, pour la première fois de sa vie, il se voulait beau, propre, bien mis.

Il défroissa son chandail et son short. Il s'assura que ses chaussures étaient bien lacées. Puis, confiant, il s'élança.

Tandis qu'il courait à toute vitesse pour ne pas la perdre de vue, il se demanda ce que pouvait bien être cette sensation. Celle-là même qui lui brûlait la poitrine, qui lui nouait tout le ventre. C'était une impression qu'il ne connaissait pas. Et ce qui l'étonnait le plus, c'était que c'était aussi délicieux que douloureux.

Lorsque le soir il se séparait d'elle, qu'il se retrouvait dans sa petite cabine, il se surprenait à regarder le temps passer avec impatience. Ses jeux, ses bandes dessinées, rien n'arrivait plus à capter son attention.

Ce n'était que lorsqu'il la retrouvait au matin, après l'interminable petit-déjeuner, que le sourire lui revenait. Un simple regard d'elle suffisait pour que se dénouât enfin la douleur qui lui tordait le ventre.

Il s'arrêta au tournant d'un couloir. Il ne la voyait plus et, haletant, il cria son nom.

Le son de sa propre voix le surprit. Un écho fiévreux, violent même, résonna dans ses oreilles.

– Sydney! cria-t-il sur un ton cassé par la mue de sa voix et de ses émotions. Sydney! Reviens, je ne te vois plus!

Il prêta l'oreille mais n'entendit rien, sinon le son du grand navire voguant imperturbablement sur les vagues agitées de l'océan. Et alors qu'il sentait monter en lui des larmes de désespoir, alors qu'il s'en voulait d'être aussi faible pour une fille, elle bondit devant lui dans toute sa fraîcheur.

– Je suis là !

Elle était sortie de nulle part et tenait son visage pétillant de petite fille à quelques centimètres du sien.

Ils étaient tous les deux hors d'haleine et leurs respirations s'entremêlaient rapidement, aussi vite que les pensées qui s'agitaient dans sa tête de jeune adolescent.

Des pulsions qu'il ne connaissait pas le déchiraient.

Il aurait voulu l'agripper, la serrer contre lui. Mais, il ne bougea pas. Il ne pouvait s'expliquer clairement ce qui le poussait inexorablement vers elle. Et cela lui fit peur.

Et elle, se demanda-t-il, que pensait-elle ? Son cœur était-il, comme le sien, pris par surprise par cette myriade de couleurs qu'il n'avait jamais vues auparavant ?

Ce n'était pas qu'il était absolument étranger à ce qui se passait. Il avait quand même eu la télévision pour le renseigner jusque-là. Mais c'était plutôt cette force qui l'attirait vers elle qui le troublait, celle qui lui ordonnait de se jeter sur elle.

À sa grande surprise, ce fut elle qui fit le premier pas.

Elle s'approcha de lui. Toujours essoufflée par la course, celle à pied mais aussi celle du cœur, elle déposa sur sa bouche un long baiser. Il ferma les yeux car, de sa vie, il n'avait rien savouré d'aussi doux.

Il pensa qu'elle goûtait la confiture de cassis que l'on avait servie le matin même.

C'était… délicieux.

Il resta là, les bras ballants, les yeux fermés, le cou tiré vers l'avant. Son cœur était envoûté par la découverte des saveurs de l'amour.

Et lorsqu'il ouvrit les yeux, déjà, elle avait doucement détaché ses lèvres et les humectait devant lui, comme pour les préparer de nouveau. Du moins, c'est ce qu'il espéra.

Mais elle sourit, tourna les talons et s'enfuit dans le long couloir.

Il se figea sur place et ne la suivit pas. Il referma les yeux, comme pour garder à jamais scellé sur ses lèvres le goût de ce baiser immortel. Et seul dans la pénombre, il entendit la jeune fille courir. Ses talons piétinaient le sol d'un rythme précis, alors qu'elle chantait « La la la… » Un hymne que son cœur à lui reprit à l'unisson avec l'écho du long couloir.

Il ne savait pas ce que cela voulait dire, mais il était amoureux. Il décida à ce moment précis qu'il ferait tout pour elle et que la vie en serait dorénavant ainsi. Joyeux, il repartit dans un élan pour la rejoindre.

Il s'enfonça dans un labyrinthe de coursives, courant à en suffoquer, à la recherche de cette fille qu'il trouvait si belle. Et tournant dans tous les sens, malheureux comme un lion en cage, il l'aperçut enfin de nouveau.

Elle était debout au bout du couloir. Adossée au mur, elle avait croisé les jambes et mis les mains dans ses poches.

À la vue de sa jupe rose, la vision de Nicolas s'épaissit comme un brouillard. Car il ne pouvait qu'imaginer la douceur de sa peau, la beauté de ses jambes.

Ces jambes, celles-là mêmes qu'il avait aperçues çà et là depuis les deux dernières journées. Il était loin de se douter que le charme qu'elles jetaient sur lui deviendrait vite un étau duquel il ne pourrait s'échapper.

Il arrêta sa course et, ne quittant pas des yeux sa jeune bien-aimée, s'avança lentement vers elle. Ni l'un ni l'autre ne disaient mot, respirant goulûment l'air avant de ne plus pouvoir le faire du tout.

Mais alors qu'il arrivait près d'elle, il recula tout à coup de quelques pas. Au creux de ses yeux, il avait vu qu'elle avait peur; mais pour rien au monde, il ne voulait lui faire de mal.

Une inquiétude le saisit. Est-ce que tout ceci était normal? Est-ce qu'un gamin de onze ans avait le droit d'être au fond d'un bateau avec une fillette?

Il hésita. Mais elle leva la tête d'un air de défi.

– Viens, dit-elle.

Il franchit très vite les derniers mètres qui la séparaient d'elle. Il lui sembla qu'en une seconde il était contre elle, pressant son ventre contre le sien et sa bouche contre la sienne. De ses mains, il ne fit rien, car il ne savait pas quoi faire. Et puis, de retrouver l'inouïe félicité de leur baiser le ramenait à un état d'extase qui lui faisait perdre tout contact avec la réalité.

Mais quelque chose vint brusquement briser cette exquise béatitude.

Il sentit qu'on lui saisissait le bras droit. D'un coup, il fut soulevé de terre et alla s'écraser contre le mur derrière lui. Une grosse voix beugla.

– Mais qu'est-ce qui se passe ici ?

Un homme d'équipage regarda avec horreur Nicolas, puis se tourna vers Sydney.

– Mon enfant, est-ce que ça va, est-ce qu'il t'a fait mal ?

En un instant, on s'attroupa autour d'eux, des matelots, quelques passagers. On appela au secours.

Dans ce nuage de monde, déboussolé par sa chute, Nicolas chercha Sydney du regard. Il voulut voir dans ses yeux une petite parcelle de ce qu'il espérait tant. L'aimait-elle aussi ? Était-elle aussi amoureuse de lui que lui l'était d'elle ?

– Sydney ! Sydney !

Mais tant de monde se pressait contre eux qu'il ne put la voir. Et, comble de l'horreur, il entendit la voix de son père.

– Espèce de p'tit con !

Il n'eut même pas le temps de réagir, le poing de son père était déjà en train de s'écraser sur l'os de sa joue droite. Sa tête fut projetée vers l'arrière et une douleur fulgurante chassa immédiatement le souvenir du baiser de sa belle.

Mais où était-elle ?

À plat ventre, le visage collé au plancher, le bras dans le dos, il l'aperçut enfin, en larmes, criant en tendant vers lui ses petites mains fines, le suppliant du regard de faire quelque chose.

Mais il était impuissant, fermement maintenu au sol par son père.

– Qu'est-ce que tu as fait à cette fille, pour l'amour de Dieu ? Nico, est-ce que tu es devenu fou ?

– Monsieur, emmenez votre fils, je vous en prie. La fillette est terrorisée.

Nicolas fut entraîné brutalement dans le fond du corridor alors qu'un matelot prenait Sydney dans ses bras.

Une porte se referma et elle disparut.

Ce fut la dernière fois qu'ils se virent.

47

Montréal, Canada, 2005

Cela faisait maintenant une bonne minute que j'étais entrée dans le café. Pétrifiée, je n'avançais pas. Dans l'encoignure du vestibule, les yeux fixés vers le fond de la salle, mon cœur descendait à vive allure jusque dans mes talons, tout à coup aussi lourd qu'un boulet de plomb.

– Jack! Ne me laisse pas tomber, Jack, je t'en prie!

J'étais pourtant arrivée le cœur léger, excitée à l'idée de découvrir qui était le dernier gardien de ma vérité et, surtout, quel était mon quatrième masque. Je venais à peine de pousser la porte d'un geste gai. Mais je m'étais arrêtée net, la main encore au-dessus de la tête alors que je replaçais mes cheveux décoiffés par le vent.

Assis au fond de la salle, Nicolas, mon mari, me souriait.

Je ne l'avais pas vu depuis mon départ, deux semaines auparavant. Et cette lettre insignifiante que je lui avais laissée, que disait-elle déjà?

Nicolas se leva et, debout, tendit la main vers la petite table où il s'était installé, dans une invitation pleine de galanterie.

– N'y va pas, Sydney, c'est le grand méchant loup! Et il va te faire croire qu'il est mère-grand!

Je fronçai les sourcils.

Les dernières années avec cet homme avaient été si difficiles, remplies de regards glaciaux, de portes qui avaient claqué, de silences lourds.

– Pas trop envie d'y aller, moi, voir cet enfoiré!

– Moi non plus, Jack, moi non plus.

Des souvenirs se bousculaient aux portes de ma mémoire. Je revis en un instant les affrontements, les accusations, la décrépitude de deux êtres humains qui s'étaient débattus beaucoup trop longtemps dans l'eau du même bain.

J'hésitai.

Mais je me dis aussi que j'étais plus forte, que je n'avais plus besoin de l'approbation de mon mari et que cette situation était idéale pour tester la solidité de ma nouvelle personnalité. Je murmurai, pour moi-même et pour la terre entière : « Parfaite, je suis parfaite, je n'ai besoin de l'approbation de personne ! »

Je pris une grande inspiration et m'avançai lentement. Je saisis moi-même la chaise en face de Nicolas resté debout.

– Bonjour, Sydney, dit-il d'une voix douce.

Je fus un peu surprise de son ton. Je m'attendais plutôt à des reproches, des semonces, des menaces même. Je changeai rapidement la tactique que je venais d'élaborer.

– Bonjour, Nico.

– Tu as bonne mine !

– Merci.

– Alors, ce voyage ?

– Écoute, Nico, je n'ai pas voulu te blesser dans toute cette histoire. Je suis désolée d'être partie aussi vite, mais je n'avais pas le choix.

– Je sais.

– Je... euh... tu dois savoir que je suis venue rencontrer quelqu'un ici, aujourd'hui. Et que c'est après ce rendez-vous que j'avais prévu aller te voir, pour tout t'expliquer.

En disant cela, je regardai subitement autour de moi pour voir si le quatrième gardien de ma vérité n'était pas justement arrivé. Je ne voulais surtout pas manquer ce tête-à-tête avec le destin.

– Te fatigue pas, Sydney, il n'y a personne pour toi ici.

Je sursautai et j'ouvris la bouche, prête à bondir pour défendre ma cause. Mais, je me ressaisis. *Parfaite, je suis parfaite, je n'ai besoin de l'approbation de personne, je ne douterai plus jamais de moi !* Je me calai plutôt dans ma chaise et j'attendis que Nicolas amorce la discussion.

– Tu as beaucoup changé, Sydney, dit-il tranquillement, même ton visage n'est plus le même, il est plus doux.

– Oui, j'ai changé. Et je ne sais pas si cela va te plaire. Je ne suis plus tout à fait la même.

Je fis une pause et le regardai, intriguée.

– Nico, pourquoi dis-tu qu'il n'y a personne pour moi ici?

Il me regarda dans les yeux, comme autrefois, comme la première fois. De son magnifique regard dans lequel je n'avais pas hésité une seconde à plonger.

– Sydney, tu es arrivée à bon port. Le quatrième gardien de ta vérité, c'est moi.

48

SAINTE-ROSE, CANADA, 1958

L'enfant s'était endormi dans sa cachette, sous le lourd manteau de fourrure de sa mère.

Cela lui arrivait fréquemment. Recroquevillé, respirant à peine, il tendait l'oreille pendant de longues heures et attendait patiemment le silence. Alors, seulement là, quand la maison était sans bruit, il savait qu'il pouvait sortir de son refuge en toute sécurité.

Mais souvent, pendait qu'il guettait la moindre agitation, le sommeil le gagnait. Et il se réveillait, soit le matin, soit au beau milieu de la nuit, toujours emmitouflé dans les manteaux à l'odeur de cèdre et de boules à mites.

Cette nuit-là, il se réveilla subitement et regarda autour de lui. Rapidement, il reconnut les objets qui l'entouraient et se rassura quant à l'endroit où il se trouvait. Il dressa l'oreille et n'entendit rien que le silence de la nuit.

Réconforté, il se leva, se disant qu'il pouvait retourner à son lit en toute confiance. Il ouvrit doucement la porte de la garde-robe, sortit sur la pointe des pieds et referma lentement le lourd panneau de bois derrière lui.

Pieds nus sur le plancher froid de la maison, il frissonna et resserra sur lui son petit pyjama bleu. Il marcha sans bruit le long du mur de l'escalier, et alors qu'il allait poser son pied sur la première marche, la porte d'entrée s'ouvrit toute grande.

Germaine, la bonne, apparut.

– Édouard, qu'est-ce que tu fous ? J't'attends dans la voiture, merde. On gèle !

Une voix étouffée résonna du haut des escaliers et le petit Charles se retourna, éberlué.

– Mais ta gueule, pauvre conne ! Tu vois pas que tout le monde dort !

Charles regarda son père descendre les escaliers. Celui-ci s'efforçait de ne faire aucun bruit alors qu'il transportait plusieurs grosses valises.

– Papa ? dit Charles d'une voix endormie.

– Charles ! Qu'est-ce que tu fais là, p'tit morveux ? Il est trois heures du matin ! Allez, file !

L'enfant dévisagea son père qui arriva au bas des escaliers et se planta devant lui.

– Mais papa, où est-ce que tu vas ?

– C'est pas d'tes affaires, OK ? Allez, dégage de mon chemin avant que je m'énerve ! Et toi, la catin, arrête de me regarder comme ça et aide-moi, merde ! Tu vois pas que je suis chargé comme un con !

Germaine s'approcha et, avant de prendre les valises que lui tendait son amant, elle posa sa main sur l'épaule de l'enfant chétif qui tremblait de froid. Elle avait un air soumis et les yeux rougis, comme si elle avait pleuré.

Elle s'agenouilla devant Charles. Elle sentait fort le parfum et son rouge à lèvres crevait la nuit comme un gros steak saignant au milieu d'une poêle en fonte. L'enfant la dévisagea, étonné.

– Au revoir, mon p'tit. J't'aimais bien, tu sais ? Ne m'en veux pas. Dis à ta mère surtout que c'est rien contre elle.

– Germaine, pourquoi tu pleures ? J'ai pas fait pipi au lit, je te jure, t'auras pas besoin de changer mes draps. C'est pour ça que tu pleures, Germaine ? Pleure pas, Germaine !

– Mais qu'est-ce qu'on s'en fout, merde ! Germaine ! Prends-moi ça ! À la voiture !

Elle prit deux lourdes valises et tourna les talons. En passant la porte, elle pivota et lança un dernier regard vers la maison comme pour lui dire au revoir. Ses yeux étaient vides, et son maquillage maintenant coulait avec ses larmes en petites rigoles noires le long de ses joues.

– Germaine, t'es toute noire dans la face…

– Charles, mon pauvre petit… si tu savais !

Elle rit de dépit, poussa un long soupir et se recomposa un visage de circonstance.

– Je peux pas croire que j'pars avec toi, mon salaud. T'es même pas capable de t'occuper de tes enfants !

– C'est ça, fais-nous une autre crise de larmes… t'as encore le choix de rester, j'te fais remarquer !

Elle fixa son amant, baissa les yeux et sortit.

– Toutes les mêmes, mon gars, que des connes !

– Même maman ?

– La pire !

Édouard Hughes était accroupi sur le plancher et refermait une des valises qui s'était ouverte.

– Papa, tu t'en vas ? demanda Charles de sa petite voix d'enfant.

– Oui, je m'en vais, grommela Édouard, t'es content ?

Charles tressaillit.

Son père les quittait ? Ce n'était pas possible ! Qu'avaient-ils fait ? Était-ce Patrick qui n'avait pas été gentil ? Ou sa mère ? Ne faisaient-ils pas tout ce qui était possible pour qu'il fût content ?

Non, il ne pouvait pas les quitter.

– Mais papa, tu vas revenir, n'est-ce pas ? Quand est-ce que tu vas revenir ?

– Ah ! saloperie de valise, tu vas fermer, oui !

– Papa ?

– Quoi ?!

Édouard s'était relevé d'un coup et son visage était rouge d'avoir forcé. Charles eut peur et recula d'un pas.

– T'es encore là ? Je t'ai dit de foutre le camp !

– Mais papa, tu vas revenir, n'est-ce pas ?

– Non, je reviendrai pas ! T'a pas idée à quel point vous m'énervez, tous ! Vous êtes tous des lâches et franchement, je peux plus vous supporter ! Vous m'emmerdez ! Et puis, je pensais que tu s'rais content de me voir partir !

Des larmes montèrent aux yeux du petit Charles.

– Tu nous aimes plus, papa ? Pourquoi tu t'en vas ? Est-ce que je n'ai pas été gentil ?

– C'est ça, je vous aime plus. Mais qu'est-ce que t'as ? Tu pleures comme une fille, encore ? J'te comprends pas, Charles.

273

Tu passes le plus clair de ton temps caché dans le fond de la garde-robe, et voilà qu'au moment où enfin t'auras plus besoin de te cacher, tu pleures comme une Madeleine !

– Mais papa, pleurnicha Charles, je… je t'aime, papa, je ne veux pas que tu partes ! Je serai gentil, je te le promets !

Édouard Hughes resta sidéré et regarda son fils pleurer à chaudes larmes quelques instants.

Il l'aimait ? Après tout ce qu'il lui avait fait ? Cela ne pouvait pas être possible.

Il se demanda, dans un bref moment de repentir, si cet enfant si petit pour son âge avait mérité tout ce qu'il lui avait imposé. Mais il se reprit rapidement. Lui non plus n'avait pas mérité ce qu'il lui était arrivé et malgré cela, la vie l'avait trahi.

Chacun son tour !

– Allez, pousse-toi, mauviette, faut que j'y aille.

Il prit la valise et sortit.

– Salut, la compagnie ! cria-t-il de toutes ses forces.

Et il claqua la porte dans un mouvement violent.

Charles resta seul dans le grand hall d'entrée, les bras ballants. Il scruta le vestibule vide en se demandant si ce qu'il venait de vivre s'était vraiment produit ou s'il s'agissait d'un rêve.

Son père était-il vraiment parti avec Germaine, la bonne ? Son père les avait-il vraiment abandonnés à leur triste sort, une femme brisée par la vie, deux enfants, des dettes et une vieille maison qui s'effritait ?

Jusqu'alors, Charles avait toujours espéré dans son cœur que, malgré l'abus physique et mental, son père, d'une façon ou d'une autre, les aimait. Mais ce soir-là, il avait été clair.

Il ne les aimait pas.

– Papa ne nous aime pas ! dit-il tout haut, brisant le silence de la nuit qui s'était réinstallé après le départ d'Édouard.

Il donna un coup sur le plancher et son petit pied nu s'écrasa sur la latte de bois froide. Une rage monta en lui. Il n'avait jamais été en colère contre son père auparavant. Il en avait peur, oui ; mais toujours il avait voulu lui faire plaisir, ne pas être dans son chemin, se montrer docile. Alors, pourquoi les avait-il quittés ? Et Germaine, ne l'aimait-elle pas, elle aussi ?

Et puis, à l'école, déjà qu'il devait inventer toutes sortes d'histoires pour expliquer les marques sur le corps de son frère, les crises de folies de sa mère et les beuveries de son père. Déjà qu'il n'arrivait jamais à être normal, à faire partie du groupe, voilà que, dès le lendemain, il devrait expliquer pourquoi il n'avait plus de papa!

D'un pas décidé, il retourna dans le couloir et ouvrit la porte en cèdre de la garde-robe. Il s'engouffra dans la noirceur pour s'enrouler dans le grand manteau de fourrure.

– Tu peux bien aller au diable! murmura-t-il de sa petite voix d'enfant. Si c'est comme ça, tu vas voir qu'on va s'arranger sans toi. Tu vas voir que nous serons malgré tout une famille normale. Tu vas voir!

Épuisé, il ne tarda pas à s'endormir en se répétant: «Normal, je suis normal.»

49

MONTRÉAL, CANADA, 2005

J'étais figée et les battements de mon cœur semblaient suspendus. Une vague immense de confusion m'envahit.

Mon mari, le gardien de ma quatrième vérité ?

– Lève-toi, Sydney, cours, vite ! On se moque de toi !

– Jack !

– Vite !

Je me levai d'un bond et j'envoyai ma chaise à quelques mètres derrière moi, pour la deuxième fois de la journée.

– Mais comment est-ce possible ? Cela n'a aucun sens ! Tu as mon âge, il est impossible que je t'aie demandé de garder mon enveloppe. Et puis, je ne te connaissais pas !

Je m'arrêtai, déconcertée.

On enlevait de sous mes pieds le peu de structure qu'il restait à ma vie. Déjà que je me sentais comme un petit oiseau qui vient de naître et dont la peau est à vif. Voilà maintenant que l'on coupait la branche sur laquelle se trouvait mon nid, la seule chose solide sur laquelle je me reposais !

Je demandai, tremblante :

– Je ne te connaissais pas, n'est-ce pas ? Dis-moi que je ne te connaissais pas !

Il sourit, se leva et alla replacer ma chaise derrière moi. Il me prit la main.

– Assieds-toi, Sydney, n'aie pas peur, je vais tout t'expliquer. C'est une belle histoire que la nôtre et je vais te la raconter. Viens, mon amour, viens près de moi.

– Mon amour? répétai-je d'un ton désillusionné.

Il parlait si doucement, il était si différent que je me demandais s'il avait vraiment changé ou si c'était la nouvelle Sydney, au contraire, qui ne le voyait plus de la même façon.

Suivant son ton doux, je me rassis, cherchant mon souffle et un peu de cohérence.

– Parle, Nico, parle vite, parce que je me sens subitement comme une imbécile qui est entrée dans un jeu stupide où tout le monde rit d'elle.

– Non! Personne ne rit de toi. Et crois-moi, ce n'est pas un jeu stupide, au contraire, nous sommes sauvés!

– Nous?

Je le regardai en me demandant où il voulait en venir et rajoutai:

– Commence par le début, s'il te plaît.

– Nous nous sommes rencontrés sur un navire, Sydney, lorsque nous avions dix ans.

– Un navire? Cette fameuse croisière? Celle-là même où j'ai rencontré miss Greich?

– Oui, celle-là.

Dis donc, y en avait du monde, sur ce bateau! eus-je envie de dire. Mais je me retins.

Nicolas, en faisant bien attention de ne pas brusquer le petit animal fragile qu'il tenait dans ses mains, raconta comment, enfants, nous avions été fatalement amoureux l'un de l'autre, attirés par une force plus grande que l'amour même. Comment nous avions été surpris par des adultes, séparés de force et confinés chacun dans nos cabines avec des heures de sortie très précises, différentes pour chacun de nous, afin que nous ne puissions nous croiser sur le pont.

– Et c'est là que tu as rencontré miss Greich. Elle nous observait depuis un moment et avait eu vent de l'histoire qui s'était répandue sur le bateau au sujet d'une petite fille qui avait été attaquée par un petit garçon.

– Tu m'as attaquée?

– Mais non. C'est ce que les gens ont cru. Mais nous ne faisions que nous embrasser.

– Un peu précoce, tu ne trouves pas?

– En es-tu vraiment à une surprise près?

– Non. Tu as raison.

Je réfléchis quelques instants.

– Elle m'a recueillie dans un coin alors que je pleurais, ai-je murmuré, me rappelant ce que miss Greich m'avait raconté.

– Oui. Tu avais déjà commencé à penser à ta transformation avant la croisière, mais le traumatisme de notre séparation a précipité le processus. Tu lui as donc demandé d'être la gardienne de ta vérité.

– Et toi? Non, ce… ce n'est pas possible!

Je le regardai, sidérée.

– Toi aussi? Toi aussi, tu lui as demandé d'être la gardienne de ta vérité?

– Oui. Mais cette chère miss Greich a fait beaucoup plus. Alors qu'elle a accepté d'être la gardienne de nos vérités à tous deux, elle s'est également mis dans la tête qu'elle nous rassemblerait à nouveau, le temps venu.

J'entendais la voix de mon mari en sourdine, car les battements de mon cœur étaient si forts que je dus fermer les yeux pour prendre une grande respiration.

Nicolas attendit patiemment.

– Vas-y, Nico, je suis prête pour la suite.

– La veille de notre rencontre, Sydney, il y a six ans, j'ai reçu une lettre qui disait que si je voulais rencontrer l'amour, le vrai, le seul, il me fallait me rendre à la boutique Les Copains et que c'est là-bas que le bonheur m'attendait.

– Les Copains? Mais c'est là que…

– Oui, c'est là que tu travaillais. Et quand j'y suis entré, quand je t'ai vue, tes cheveux bruns, ton regard mystérieux, j'ai su que j'avais trouvé celle que je cherchais depuis si longtemps.

Il s'arrêta un moment pendant que je fouillais dans mes souvenirs. Oui, la porte avait émis une petite sonnerie pour prévenir que quelqu'un entrait dans la boutique. J'avais levé la tête pour accueillir le premier client du matin. Un éclair m'avait transpercée, une décharge électrique qu'on ne s'explique pas mais qui nous laisse sans voix, sans force.

Un an après, nous étions mariés.

– Nous nous sommes aimés enfants, répétai-je comme pour moi-même, et nous nous sommes retrouvés adultes. Mais comment se fait-il que nous ne nous soyons pas reconnus?

– Je me suis posé aussi cette question. Mais tous les deux avons vécu une transformation, tous les deux avons mis des masques. Lorsque nous nous sommes retrouvés, nous n'étions plus les mêmes.

– Alors, comment expliquer que l'amour était toujours là ?

– L'amour ne se trompe pas. Il voit bien au-delà des masques.

Et il anticipa ma prochaine question.

– Par contre, ma belle, l'amour se fatigue. Et à force de se buter à notre volonté de ne pas vouloir être nous-mêmes, à notre entêtement à se mentir à soi-même et à l'autre, l'amour s'est fatigué de nous. Et l'amour était en train de baisser les bras lorsque j'ai reçu ma première enveloppe.

– Mais quand ? Je ne me suis aperçu de rien !

– À part miss Greich, tous mes gardiens de la vérité étaient à Montréal. Et pour miss Greich, je t'ai raconté une connerie, un voyage d'affaires aux États-Unis. Cela ne fait pas tellement longtemps, quelques semaines à peine avant toi. Et miss Greich m'a prévenu que la même chose t'attendait. Il m'a fallu être patient. J'avais tellement hâte de parler de tout cela avec toi. Surtout, je ne te voyais plus de la même manière !

– Alors, quand moi j'ai reçu mon enveloppe…

– Oui, je savais, lorsque tu m'as montré ton enveloppe, de quoi il s'agissait. J'ai fait exprès ce soir-là pour ne pas mettre les ordures au chemin. J'ai prié, toute la journée du lendemain, pour que tu y croies et que tu partes à l'aventure ! Et puis le soir, quand tu m'en as parlé, je t'ai testée.

– Tu parles, tu n'y es pas allé de main morte !

Il me regarda en riant.

– Avec du recul, n'es-tu pas contente de t'être fait pousser à aller au-delà de tes peurs ?

– J'imagine, oui, fis-je avec une moue, pas tout à fait convaincue.

Je devins silencieuse. Je ne savais plus quoi penser. Un sentiment nouveau naissait en moi. Le sentiment de retrouver le fil conducteur si fragile qui menait jusqu'au cœur de mon mari, de celui que j'avais d'abord tant aimé, puis complètement perdu de vue. Voilà que je le retrouvais, nouveau et complice de mes aventures.

Il me prit la main au-dessus de la table.

– C'est une chance extraordinaire, Sydney, celle de savoir que nous nous sommes aimés, tels que nous étions, vrais. Nous pouvons maintenant réapprendre à nous connaître et repartir à zéro !

Je retirai ma main tout à coup, mal à l'aise.

Repartir à zéro, pensai-je, était-ce seulement possible ? Miss Greich ne m'avait-elle pas dit qu'il ne s'agissait pas de tout effacer et de recommencer à neuf mais bien de réapprendre à être vraie ?

Cela était-il seulement concevable, sachant le lourd passé de notre couple ?

50

Port de Cancún, Mexique, 1985

Il était assis sur le lit de sa cabine et ses petites sandales pendaient au bout de ses jambes qui ne touchaient pas le plancher. Il avait la tête basse et n'osait même pas regarder ses parents qui se tenaient debout devant lui, accusateurs.

– Mais tu n'y penses pas, Nico? Tout le bateau croit maintenant que tu as voulu violer cette petite fille, que tu l'as forcée! Mais comment t'avons-nous élevé, bon sang!

Son père frappa le mur d'un coup de poing, ce qui le fit sursauter.

– Mais papa, ce n'était qu'un bec, je…

– Tais-toi! Tu en as assez dit comme ça!

– Qu'est-ce que les gens vont penser de nous, maintenant? ajouta sa mère, d'une voix tremblante. De quoi avons-nous l'air en tant que parents, tu peux me le dire?

L'enfant baissa davantage la tête, le menton maintenant complètement enfoncé dans sa poitrine.

– Est-ce que tu as une idée à quel point tu nous fais honte? cria son père, vert de rage. Qu'est-ce que nous allons faire avec toi, maintenant? Déjà que tes notes à l'école sont mauvaises, déjà que tes professeurs se plaignent constamment de ton comportement…

– Mais papa, ce n'est pas ma faute, je suis petit et les autres rient de moi, alors je me défends, je…

– Nicolas, ne dis plus un mot. Ton père te parle. Aie au moins la décence de l'écouter et de te repentir!

– Nicolas, en plus, tu me mens, tu trouves des excuses pour expliquer ton comportement. Vraiment, tu me fais honte !

Honte.

Il faisait honte à tout le monde.

À l'exception seulement de cette petite fille qui lui avait souri en courant devant lui. Une merveilleuse étoile filante qui l'avait entraîné dans la poudre d'or de son sillon.

– Nicolas, reprit sa mère plus calmement, où sont passées toutes les valeurs que nous avons voulu t'inculquer ? Est-ce cela, l'exemple que nous t'avons donné ? Tu nous fais de la peine, Nicolas, beaucoup de peine. Tu nous déçois profondément.

De la peine, de la déception.

Il accusait tous ces mots comme des coups en plein estomac. Des chocs violents qui lui coupaient la respiration. Qui lui rappelaient sa fragilité devant ceux qui le suppliciaient.

Mais à chaque coup, il sentait aussi la rage bouillir en lui, monter le long de sa colonne vertébrale pour se répandre en petits chocs dans son cerveau. Si cela continuait, il le savait, il allait éclater en mille morceaux devant les siens. Sa rage exploserait dans leur visage comme un grand feu d'artifice qui tourne mal.

Et puis, il y pensait depuis un moment.

Il voulait partir, s'enfuir, devenir grand et fort, puis revenir et se venger. Revenir pour leur faire du mal à son tour, les frapper tous à grands coups de honte et de déception.

Mais alors qu'il avait en tête des images de vengeance qui lui faisaient du bien, plus doux encore lui était le souvenir de son visage à elle. Pour Sydney, pour ce baiser qui l'avait transporté, il voulait beaucoup plus que se venger. Il voulait endurer pour mieux l'aimer.

Comment ?

La Providence avait répondu à son appel silencieux.

Tel un miracle qui survient lorsque l'on n'attend plus rien de la vie, une dame lui avait, de ses grandes mains, fait signe de venir la voir, la veille même, du haut du troisième pont.

– Nicolas, avait-elle dit avec un drôle d'accent, alors qu'il ne lui avait pas révélé son nom, j'ai un message pour toi de la part de Sydney.

Il avait bondi, son sang se mettant immédiatement à circuler plus rapidement au seul son du nom de sa bien-aimée.

Il s'était approché plus près, tout ouïe. La vieille dame avait pris un air mystérieux.

– Mon nom est Martha Greich et je peux te dévoiler la façon de ne pas te laisser entraîner par la rage que tu as en toi. Je connais aussi la façon dont tu pourras retrouver celle que tu aimes, quand le temps sera venu. Est-ce que cela t'intéresse ?

Alors qu'il était en chute libre vers le côté sombre de la vie, alors qu'il s'apprêtait à incarner ses propres peurs et que la malveillance attendait sa venue avec impatience, quelqu'un lui avait tendu une main salvatrice. Et sans penser à autre chose qu'à Sydney, il avait saisi cette main de toutes ses forces. Avec l'aide de la vieille dame, il était remonté jusqu'à son cœur.

– Nicolas ! Est-ce que tu nous écoutes, au moins ? cria son père.

Ainsi, se dit-il, *je n'ai plus besoin de me défendre.* Il ne lui suffisait que d'enfiler ces masques, ceux-là mêmes qu'il avait choisis avec miss Greich, afin de disparaître et de renaître sous une autre identité.

D'accord, il jouerait le jeu sans plus attendre.

Il leva la tête vers ses parents et eut un regard repentant. Déjà, il commençait sa transformation.

51

MONTRÉAL, CANADA, 2005

– Alors, tu ne veux pas savoir quel est ton quatrième masque ? me demanda Nicolas, amusé.

J'avais été tellement chavirée de découvrir la double identité de mon mari que j'en avais complètement oublié le pourquoi de ma venue jusque-là. On aurait dit que, à ce moment-là, d'avoir découvert l'aventure amoureuse extra-ordinaire dont Nicolas et moi faisions partie me suffisait.

Mais je me ressaisis. Mon identité avant tout !

– Tu parles ! J'ai fait un si long voyage pour me rendre jusqu'ici, je veux tout savoir.

– Eh bien, ton quatrième masque est le même que le mien !

– Je t'écoute !

– Il s'agit du don de soi.

Je fus surprise.

– Le don de soi ? Mais qu'est-ce que tu veux dire, exactement ?

– Tu en sauras certainement plus en lisant ta lettre ; mais en gros, il s'agit du pouvoir de s'abandonner en toute confiance.

– De s'abandonner ?

– Oui. De se laisser aller à une complète intimité sans avoir peur. Et tu sais ce que cela signifie, n'est-ce pas, Sydney, je veux dire, pour nous deux ?

Je le regardai droit dans les yeux. Oui, il avait raison, jamais je ne m'étais abandonnée à lui complètement. Jamais je ne lui avais fait totalement confiance. Dans mon désir de toujours atteindre la perfection, comment aurais-je pu ?

– Nous sommes toujours coincés sur ce bateau, Sydney. Nous sommes chacun de notre côté et nous nous donnons, comme nous l'ont ordonné nos parents, des temps très précis pour sortir de nos cabines de bord, chacun notre tour. Jamais en même temps.

Il fit une pause. Je le dévisageai. Je ne lui avais jamais, pensai-je, à lui ou à un autre, ouvert mon cœur, mes pensées les plus secrètes. Toujours, je n'avais cherché qu'à être parfaite aux yeux des autres. Jamais je ne m'étais sentie en confiance avec personne, et surtout pas avec mon mari. Lui donner ma confiance aurait été le décevoir, lui dévoiler ma vulnérabilité, donc mon imperfection.

– Ne t'en veux pas trop, Sydney, car comment être vraie, avec moi ou avec quelqu'un d'autre, si tu ne l'étais même pas avec toi-même? Tiens, prends le temps de lire ce qu'il y a dans cette enveloppe. C'est pour toi. Je vais aller nous chercher des cafés.

Et en se levant, il s'arrêta pour me regarder.

– Je t'aime, Sydney.

Et il ajouta:

– Et je suis prêt à t'accepter, même avec tes nattes!

Et il me tendit doucement une grande enveloppe brune, vieillie, pareille à toutes les autres. Je ne répondis pas tout de suite. Mais alors qu'il se dirigeait vers le bar, je secouai subitement la tête.

– Mais, attends une minute! Qu'est-ce que tu viens de dire? Que tu m'aimes?!

Je m'étais retournée vers lui et j'avais parlé d'un ton dubitatif. Il revint lentement vers moi, surpris.

– Ça fait six ans que nous sommes ensemble, continuai-je en le regardant se rasseoir, nous avons eu, disons, une année de parfait bonheur, puis tout a commencé à tourner au vinaigre rapidement. Tu t'es mis à être contrôlant, fâché pour un rien, à t'emporter, et je me suis mise à figer devant ta colère et tes demandes sans fin. Quand j'y pense, j'ai eu plus souvent peur de toi que j'ai été amoureuse de toi. Je t'accorde que nous n'étions peut-être pas nous-mêmes, mais franchement, tu ne viendras pas me dire que tu as changé et que, tout à coup, tu m'aimes?!

– Mais…

– Je n'ai pas fini! Tu m'excuseras si je ne saute pas de joie à l'idée de retourner dans une relation qui m'a écrasée pendant tant d'années! Et tu m'excuseras aussi de ne pas trop croire que tu as changé! Par contre, je te le dis, moi, j'ai changé et je sais maintenant que je suis parfaite. Et tu sais ce que ça veut dire, ça? Ça veut dire que je ne me laisserai plus jamais traiter de la façon dont tu m'as traitée et que jamais plus je ne douterai de moi-même!

Je m'arrêtai, complètement hors d'haleine. Nicolas resta sans voix, totalement hébété devant ma réaction nouvelle et inattendue. Un silence s'imposa pendant quelques minutes alors que nous nous toisions du regard. Je parlai la première.

– Et qu'est-ce qu'elles ont, mes nattes?

– Tu ne vas pas me dire que tu trouves ça beau! Tu as l'air d'une enfant prise dans un corps de femme. Tout le monde te regarde!

– Et qu'est-ce que ça peut bien foutre?

– Mais tu sais que je n'aime pas ça quand tu es excentrique!

– Et tu dis que tu as changé!

– Alors si je te comprends bien, Sydney, tu es en train de me dire que tu ne me crois pas capable de changer, et qu'il n'y a que toi qui as ce pouvoir?

Je réfléchis quelques secondes avant de répondre.

– Avant que je ne me lance dans cette aventure, Nico, j'étais une personne qui faisait tout pour plaire à son entourage, pour atteindre la perfection et être pleinement acceptée. J'étais aussi une personne qui ne pouvait pas avancer dans la vie sans l'approbation des autres, surtout la tienne et celle de mon père. Et puis, je doutais de ma capacité à accomplir quoi que ce soit. Finalement, je l'apprends aujourd'hui, je ne suis pas capable de me donner à qui que ce soit en toute confiance. Ce que je crois, Nico, c'est que dans les dernières semaines, j'ai troqué une personnalité soumise à l'autorité et au contrôle pour une personnalité autonome, bien dans sa peau et, surtout, confiante en elle-même et en ce qu'elle peut accomplir. Il ne me reste qu'à regagner le don de soi. Et toi, qu'est-ce que tu es devenu?

Nico me dévisagea un moment. Je le voyais bien, cette rencontre ne prenait pas du tout la tournure qu'il avait espérée.

– Je ne te comprends pas, Sydney. Je te laisse partir faire le tour du monde, je suis gentil, je ne dis rien, je me pointe à notre rendez-vous, plein d'espoir, et toi, tu viens encore foutre le bordel !

– Tu m'as laissée partir ? Non, mais est-ce que tu t'entends ?

– Et puis, j'aurais pu tout dire à ton père…

Je poussai un long soupir.

– Écoute, Nicolas, ce que j'essaie de te dire, c'est que même si tu as changé, même si tu es devenu le meilleur gars sur la terre, je ne pourrai jamais oublier les dernières années. Les manipulations, les pressions, les engueulades resteront à jamais gravées dans ma mémoire.

– N'es-tu pas capable de me pardonner ?

– Si, Nico, je peux te pardonner et je crois que c'est déjà fait. Ce que je ne te pardonne pas pour l'instant, c'est que tu essaies encore de me chanter la pomme en me disant que tu as changé. Mais la nouvelle personne que je suis ne peut pas accepter cela. Tu comprends ? Je suis devenue non négociable.

– Mais qu'est-ce que tu es en train de me dire, Sydney ?

– Que je ne suis plus celle que j'ai été.

Il prit son visage dans ses mains et émit une plainte. Je ne bougeai pas et j'attendis patiemment qu'il parle.

– Je ne sais pas comment te le dire, Sydney, mais la découverte de mes masques a été horrible. Les trois premiers ne m'ont révélé que des atrocités sur mon enfance, sur la façon dont j'ai été élevé. Il n'y a que le dernier masque, chez miss Greich, que j'ai été vraiment heureux de découvrir. Et tu sais pourquoi ? Parce que, Sydney, j'y ai découvert l'espoir de te retrouver ! Alors, tu ne peux pas me faire ça, tu ne peux pas tout arrêter. Je t'attends depuis que j'ai onze ans !

Je mis ma main sur la sienne.

– Oui, c'est une belle histoire que la nôtre, Nico. Mais elle a mal tourné. Ça arrive. Et tu ne peux pas compter sur moi pour la suite. Je ne peux plus être avec toi. Je dois m'occuper de moi, maintenant.

Il se leva d'un bond, la face rouge de colère.

– Tu ne peux pas me laisser tomber !

– Je ne te laisse pas tomber, je me prends en main. Ce n'est pas pareil.

– Si c'est comme ça, alors nous n'avons plus rien à nous dire, Sydney Hughes ! Tu ne me reverras plus jamais !

Il attendit pour voir l'effet de sa menace. Mais je ne bougeai pas.

– Tu ne changes pas d'idée ? Je te donne une dernière chance !

– Je suis très confortable avec ma décision, Nico.

– Eh bien tant mieux, tu finiras ta vie toute seule, comme une égoïste ! De toute façon, personne ne voudra de toi !

Il sortit à grands pas et fit claquer la porte d'entrée, ce qui fit sursauter les quelques clients qui se trouvaient là. Je pris une grande et lente inspiration et j'expirai très fort par la bouche. Mes mains tremblaient et je les joignis, pour qu'elles arrêtent de frémir mais surtout, pour me donner du réconfort. Je me mis à pleurer, car une grande peur m'envahit tout à coup. Que venais-je de faire ? L'homme que j'aimais m'avait tendu la main et je l'avais repoussée. Je serais maintenant seule, toute seule.

Avais-je complètement perdu la raison ?

Non, je n'étais pas folle. Combien de fois Nico m'avait-il dit qu'il changerait ? Et alors qu'il tenait parole quelque temps, combien de fois m'avait-il déçue avec une rechute au bout de deux ou trois semaines ?

Et surtout, combien de fois l'avais-je laissé me faire du mal ?

Oui, je l'aimais, mais l'amour de l'autre n'était plus suffisant, maintenant. L'amour de ma propre personne passait en premier. Et je me devais de protéger cet amour encore fragile.

– Décidément, Sydney, tu n'as plus besoin de moi. Tu te débrouilles très bien toute seule.

– Jack !

– Ne t'inquiète pas, tout ira bien. Et puis, même si tu n'as plus besoin de moi, je ne serai jamais loin. Je viens de retrouver mon poste de président !

– Bravo !

– Eh oui ! Qui l'aurait cru ? Je suis maintenant voué à une brillante carrière !

– Alors tu ne voyages plus incognito ? Je peux t'appeler Besoin de s'Aimer, maintenant ?

– Bof, tu sais. Jack, c'est tellement plus cool !

Une idée me vint. Un don, n'était-ce pas en soi un hommage à quelqu'un, à quelque chose? Alors, était-ce cela, le don de soi? Celui d'écouter sa petite voix intérieure? De se faire confiance et de se choisir?

Nico avait parlé du don de s'abandonner en toute confiance. N'était-ce pas ce que je venais de faire, de m'abandonner en toute confiance à mon instinct? Ainsi, alors que j'ouvrais mon cœur et mon âme pour moi-même d'abord, il n'en serait que plus facile par la suite de le faire pour les autres!

Cette pensée me fit sourire et je fus subitement reconnaissante envers l'enfant que j'avais été.

Je levai les yeux, j'essuyai mes larmes et je remarquai l'enveloppe toujours posée devant moi sur la table. Je la pris d'un geste triste car, soudainement, je compris qu'il s'agissait de la dernière.

C'était l'ultime occasion de me parler à moi-même, enfant.

Chère Sydney,

J'écris ces mots et je prie très fort que tu sois là, avec ma lettre dans les mains, que tu te sois rendue jusqu'ici et que tu nous aies sauvées!

Tu dois être surprise de l'identité de ton dernier gardien de la vérité! Mais plus important, tu es certainement surprise de connaître ton dernier masque, celui du don de soi. Je crois que c'est le plus beau, le plus grand des dons.

Et c'est ce don que j'ai enlevé en dernier, pour pouvoir me protéger, pour ne plus jamais rien donner de moi!

Quelle misère dans ma petite tête d'enfant, car je n'ai pas compris au début pourquoi il fallait me fermer aux autres et leur mentir pour être mieux aimée. Mais c'était comme cela. Et j'ai donc fermé la porte de mon âme et de mon cœur.

Si maintenant tu sais au plus profond de toi que tu es parfaite, que tu n'as besoin de l'approbation de personne pour faire ce que tu as à faire, que tu as la certitude que tu peux accomplir de grandes choses, alors ainsi, tu peux dire que tu as confiance en toi. Et si tu as confiance en toi, alors maintenant, tu peux te laisser aller. Tu peux t'abandonner à ton instinct d'abord, puis aux gens que tu aimes.

Parce que maintenant, Syd, tu n'as plus besoin de rien d'autre en retour que le plaisir d'être toi-même. Et c'est pour ça que tu es sur terre.

Pour vivre l'expérience d'être toi. Tout simplement.

Alors, il n'y a plus d'erreur. Il n'y a que l'expérience d'être Sydney Hugues. Il n'y a que l'expérience de s'aimer. Et cet amour, Sydney, est ce que tu as de plus précieux. Le reste, franchement, n'a aucune importance!

Voilà le grand secret pour lequel je t'ai fait courir.

Je suis triste de te voir partir, mais heureuse de te savoir toi à nouveau. J'espère que tu te remettras au dessin, car c'est là que j'ai trouvé ma plus grande liberté. Et c'est le plus amusant des jeux!

Mais avant de partir, je te confie une dernière mission. Notre sœur, Sam, a vécu une transformation brutale. Je l'ai bien vu. Je ne suis pas certaine de la raison pour laquelle c'est arrivé; mais une chose est sûre, c'est que c'est arrivé très vite et qu'elle n'a même pas eu le temps d'y penser. Elle s'est transformée d'un coup.

Tu trouveras aussi avec cette lettre une enveloppe pour elle. Elle contient tout ce que j'ai pu retenir de la véritable personnalité de ma sœur. Je ne dis pas que je connais tous ses masques, mais j'en ai observé quelques-uns. Je te confie cette enveloppe. Remets-la-lui et, surtout, dis-lui que ce n'est pas par manque d'amour qu'elle ne s'est pas sauvée, au contraire.

Voilà, chère Sydney. Tu te souviens, dans ma première lettre, je te disais que tu ne pouvais pas te faire confiance, *que tu ne pouvais écouter personne d'autre que moi, jusqu'à ce que je te dise le contraire. Eh bien, voilà ! À partir de maintenant, tu peux t'écouter, te faire entièrement confiance, car tu es toi.*

Nous ne faisons maintenant qu'une seule et unique personne, la vraie Sydney, la seule qui soit importante.

Signé : Sydney Hughes

Montréal, 25 février 1985

— Je ne sais pas ce que contient cette lettre, mademoiselle, mais il ne faut pas pleurer comme ça !

Je sursautai et levai la tête. Un serveur était devant moi.

— Tenez, prenez mon mouchoir, vous avez les joues trempées et les yeux rougis. De pleurer comme ça, eh bien, ça ne vous place pas au zénith de la séduction, vous savez ?

Je ris de bon cœur. En essuyant mes larmes d'une main, je tendis l'autre pour prendre le mouchoir qu'il m'offrait. Mais au moment où je saisis le bout de tissu, mes doigts effleurèrent les siens et un tremblement délicieux me traversa en un éclair.

Je retirai ma main subitement.

Une grande chaleur venait de m'envahir et il me sembla que pour une fraction de seconde, j'avais pu apercevoir l'essence même du jeune homme.

— Que se passe-t-il ? me demanda-t-il.

Je me levai pour être à sa hauteur et le regardai droit dans les yeux.

— Vous n'avez rien senti ?

— Mais de quoi parlez-vous ?

— Donnez-moi votre main.

— Quoi ?

— Donnez-moi votre main, s'il vous plaît !

Il me tendit la main. J'hésitai quelques secondes puis la saisis comme si je donnais une bonne poignée de main à un collègue au début d'une réunion.

Je fermai les yeux. Oui, c'était bien cela.

Un plus long tressaillement cette fois me traversa et je sentis se répandre sur ma peau l'effervescence joyeuse que dégageait le jeune homme qui se tenait devant moi. Son âme me réapparut et une grande lumière paisible me parvint à travers l'écho de sa voix.

– Mademoiselle?

J'ouvris les yeux et laissai aller sa main, ravie.

– Quel est votre nom?

– Euh, je m'appelle Ben.

– Ben, voulez-vous m'embrasser?

– Je vous demande pardon?

– Je vous demande si vous voulez bien m'embrasser, c'est pour un test scientifique.

Je le regardai, amusée, et j'attendis.

Il était mignon, un peu jeune peut-être, mais très grand avec un magnifique sourire et une immense douceur dans les yeux. Il eut un petit rire, posa son plateau sur la table et s'approcha de moi.

De ses deux grandes mains, il replaça délicatement mes nattes de chaque côté de mon visage et déposa doucement ses lèvres sur les miennes.

Je frissonnai alors qu'une décharge électrique s'empara de moi et courut dans mes veines pour aller exploser tout droit dans mon cœur. La quintessence du serveur se déploya à nouveau, transparente, et m'offrit une vue miraculeuse sur la vallée verdoyante de sa personnalité.

Je reculai, essoufflée.

– Ça va? demanda Ben, étonné.

– Oh que oui, mon cher Ben! Je viens de retrouver le toucher! C'est absolument extraordinaire! Je vous remercie!

Et avant qu'il ne pût répondre quoi que ce fût, je ris, pris ma veste, mon sac, la quatrième enveloppe et me dirigeai vers la sortie. Je poussai la porte d'un geste sûr et j'offris mon visage, confiant, au grand air du dehors.

J'étais nouvelle.

Ben, sortant de sa stupeur, me regarda partir, intrigué.

– Mais il n'y a pas de quoi, dit-il tout haut en se parlant à lui-même, tout le plaisir fut pour moi!

52

MONTRÉAL, CANADA, 2005

Nous nous regardions tous les trois depuis quelques instants, un peu surpris de nous retrouver là, ensemble, après ces dernières semaines hors de l'ordinaire.

Je trouvai mon père vieilli et j'observai avec attention ses yeux fatigués. J'avais téléphoné à ma sœur de la voiture, excitée de pouvoir lui remettre sa lettre et de lui révéler pourquoi elle n'avait pas pu se sauver, enfant. Mais Sam, émue, m'avait raconté sa rencontre de la veille avec notre père, comment il avait pleuré et demandé pardon. J'avais compris qu'il était grand temps que nous nous parlions. Il était grand temps pour la vérité.

– Avez-vous reçu le mémo ?

– Quel mémo ?

– Bien, celui qui dit que tous les ministres sont demandés pour une réunion d'urgence.

– Une réunion d'urgence ?

– Oui. La rumeur dit que Besoin de s'Aimer est restitué.

– Non !

– C'est comme j'te le dis !

– Et c'est quoi, l'ordre du jour ?

– C'est ça, le pire, je comprends rien au mémo. Ça dit que la réunion sera, et je cite, « une excellente plate-forme pour se dire nos quatre vérités, pour laver notre linge sale en famille, pour se vider le cœur, et finalement se pardonner. »

– Se pardonner ? Ah bon. Et tu y vas, toi ?

– Pas le choix, vieux, pas le choix.

C'est ma mère qui m'avait ouvert la porte. Celle qui de toute cette histoire avait été la plus effacée, voilà qu'elle m'avait prise dans ses bras. Accoutumée à sa distance, j'avais été surprise de son étreinte.

Je m'étais écartée d'elle et je l'avais regardée.

– Maman?

Elle avait hésité quelques secondes, me tenant toujours les bras, comme si elle avait voulu me dire quelque chose. Puis, elle s'était tout à coup reprise.

– Ma fille, tu es revenue! m'avait-t-elle murmuré. Va lui parler, va le sauver. Il vous aime tant, il a tout fait pour vous épargner le malheur. Ne sois pas fâchée contre lui.

– Je sais, maman, ne t'inquiète pas. J'ai été très fâchée, mais je ne le suis plus. Et Sam arrivera bientôt.

Elle avait doucement desserré son étreinte et m'avait indiqué le salon du regard.

En apercevant mon père effondré sur le divan, j'avais pensé à celui qui autrefois avait été si fort.

Aujourd'hui, libéré de son lourd secret, Charles Hughes laissait pour la première fois entrevoir toute la douleur amassée au fond de son cœur. Et pour moi, sa fille, cette magnifique transparence humaine ne faisait qu'accroître tout l'amour que je portais à mon père.

– Papa?

Il avait tourné la tête lentement et, en me voyant, s'était mis à pleurer, comme un enfant.

– Sydney, mon Dieu, tu es revenue?

– Papa, bien sûr que je suis revenue, qu'est-ce que tu croyais?

– J'ai cru que… enfin, que tu ne me pardonnerais pas!

Je m'étais assise près de lui et avais passé mon bras autour de ses épaules. Mon père m'était apparu tout à coup si petit et fragile que j'avais eu envie de l'envelopper.

– Oui, j'ai été fâchée au début, papa, avais-je dit doucement, mais j'ai compris que tout ce que tu as fait, tu l'as fait au meilleur de tes connaissances et parce que tu nous aimais. Tu n'as voulu que nous protéger, n'est-ce pas?

– Oui! avait-il répondu en me regardant brusquement de ses yeux noyés. Oui, je n'ai voulu que vous protéger, rien d'autre. Je n'ai pas voulu que vous souffriez, comme moi, comme Patrick !

– Je sais papa, ne t'en fais pas, tout est fini.

– Sydney, écoute-moi, il faut que je te dise la vérité. Je n'ai pas su comment aider Patrick. Tout ce que je voulais, c'était qu'il puisse avoir une vie normale. Alors j'ai tout fait pour lui cacher ce qu'il lui était arrivé. Tu comprends ? Et maintenant, c'est à cause de moi qu'il est mort !

Désemparée, j'avais pris mon père dans mes bras. Une profonde tristesse était montée en moi, car il m'avait semblé que tout ceci n'était qu'un malentendu, que chacun avait tenté dans cette histoire de protéger l'autre du mieux qu'il le pouvait. Et de ce malentendu n'étaient nées que des situations malencontreuses et si tristes.

Et puis, tout ce malaise de vivre, ne découlait-il pas d'une seule et unique personne ? Édouard Hughes n'était-il pas la source de cette fontaine d'eau empoisonnée ?

– Non, papa, ce n'est pas ta faute, au contraire. Tu n'as été, comme nous tous, comme Patrick et probablement comme Édouard, qu'un petit enfant qui a eu peur et qui a fait du mieux qu'il a pu pour s'en sortir.

Charles avait regardé sa fille un moment, surpris de la trouver si sage. Il avait saisi une de mes nattes, avec laquelle il m'avait chatouillé le bout du nez. Et pour la première fois depuis longtemps, nous avions ri de bon cœur.

– Ouf ! avait dit Sam en entrant dans le salon. Je sais que nous sommes à l'heure des grandes révélations, mais ça fait vraiment du bien de vous voir rire ! Tout le monde ne fait que pleurer depuis des jours ! C'est pas jojo tout ça !

Papa et moi avions rigolé à travers nos larmes et Sam nous avait rejoints en s'assoyant de l'autre côté de mon père. Ainsi, entouré de ses deux filles, Charles souriait tendrement, rassuré.

– Mais il y a un truc que je ne comprends pas, Sydney.

Maman se tenait debout, appuyée contre le mur du salon. Nous levâmes tous les trois la tête vers elle.

– Pourquoi est-ce que tu es partie ? Est-ce parce que tu as appris quelque chose concernant Patrick ?

– Eh bien, je…

– Et qu'es-tu allée faire en France, pour l'amour de Dieu ?

Sam pouffa de rire.

– C'est pas que je ne veux pas vous la raconter, mais c'est une très longue histoire et…

– Et vraiment, c'est une histoire incroyable, sans queue ni tête en plus, je vous avertis, moi! coupa Sam.

– Oui, bon, enfin, bref, il est passé 20 h et je meurs de faim. Alors je…

– Pas un mot de plus! lança mon père. Je sais ce qu'on va faire. Comme lorsque vous étiez petites, vous adoriez ça. La soirée est fraîche, nous allons faire un petit feu et nous allons pique-niquer par terre, ici, dans le salon, à la chandelle!

– Mais papa, tu ne vas pas aussi nous jouer ta gigue quand même? lança Sam.

– Je vous jure que je m'en souviens!

Quand nous étions petites, il nous était arrivé, quelques fois, ma sœur et moi, de venir au salon, le soir après le repas. Il nous était arrivé aussi, rarement, de voir notre père, dans un élan de bonne humeur, se mettre au piano et jouer une gigue qu'il avait lui-même composée. La seule, d'ailleurs, qu'il eût jamais écrite. Et ces soirs-là, entraînées par la musique, les genoux bien enfoncés dans le tapis, nous nous faisions tourner à toute vitesse, comme des toupies.

Et tourne, et tourne, et tourne!

– Vas-y, papa! Recommence, encore!

– Oui, papa! Encore une fois. C'est trop drôle!

Et nous riions sans cesse, tourbillonnant au son du piano mais surtout à celui, encore plus mélodieux, de la bonne humeur de notre père.

– Mais Charles, disait maman en riant, arrête, elles vont vomir tout leur souper sur le tapis!

Ainsi, au souvenir de ces moments heureux, Sam et moi nous regardâmes en souriant. Se pouvait-il que les beaux jours revinssent?

Dans un grand tapage joyeux, ma famille s'affaira. En se lançant des regards à l'improviste, chacun vaquait à sa tâche tout en pouvant à peine croire ce qui se passait. Ma famille se retrouvait à travers la vérité. Et le sentiment qui émanait de tous en était d'autant plus merveilleux et douillet.

– Jack, se peut-il que ton pouvoir s'étende sur ceux qui m'entourent?

– Peut-être…

– Cachottier, va!

Sur une nappe d'été colorée, nous nous retrouvâmes devant un pique-nique improvisé. On avait décongelé une quiche au jambon, sorti de l'armoire à conserves le merveilleux ketchup aux légumes de tante Huguette et étalé une multitude de fromages et de pâtés auxquels faisait honneur une baguette fraîche du matin.

Papa avait fait un feu et ouvert une bouteille de rouge.

Il servit sa famille.

Oui. Sa famille.

Il leva son verre et nous regarda avec émotion.

– À Patrick, dit-il

– À Patrick!

Nous bûmes en silence.

– Alors, Syd, cette histoire…

Je pris une longue gorgée. Et me lançai.

– Eh bien, voilà! Tout a commencé alors que je revenais de chez le médecin. Il avait diagnostiqué un épuisement professionnel, et je devais commencer à prendre des antidépresseurs.

Je racontai encore une fois toute l'histoire, les enveloppes brunes et vieillies, les quatre masques, les quatre sens, les quatre gardiens de la vérité. Je ne leur cachai aucun détail sur ma transformation, sur les émotions que j'avais vécues, et je ne m'arrêtai que lorsque, dans mon récit, je fus devant la porte de la demeure familiale et que ma mère m'ouvrait.

– Tu as quitté Nico? demanda Sam, complètement ahurie.

– Oui, répondis-je, soudainement embarrassée. Je ne sais pas ce qui m'a prise. Ç'a été plus fort que moi!

Un silence suivit et je regardai ma famille.

– Ne faites pas cette tête-là, poursuivis-je, c'est pour le mieux! Et je suis vraiment soulagée! Je me suis choisie!

– Mais si tu n'as pas pu pardonner à Nico, comment pourras-tu me pardonner, à moi? demanda mon père, grave.

– Papa, au contraire, j'ai pardonné à Nico. Ce n'est pas sa faute s'il est devenu qui il est. Mais malgré les lettres et la connaissance de ses masques, je ne crois pas qu'il soit capable de changer, pas tout de suite en tout cas. Et puis, je me devais de protéger d'abord ma nouvelle identité encore fragile.

Tandis que toi, je le vois dans tes yeux que tu as changé. Et je l'ai senti aussi, en te prenant dans mes bras.

– Ah oui! C'est vrai, tu as des super pouvoirs maintenant! pouffa Sam.

– Oui, et si tu n'arrêtes pas, je vais te transpercer avec ma super vision!

Tout le monde s'étouffa dans son verre en riant.

– Moi, ce qui me fascine, c'est que tu aies embrassé un serveur que tu ne connaissais même pas! dit ma mère, amusée. J'espère qu'il était beau, au moins!

– Maman! cria Sam, comment peux-tu dire cela?

– Moi, clama Charles, je déclare qu'à partir de maintenant, chaque personne ici a le droit de dire ce qu'elle pense et comment elle se sent. Cela sera notre seul règlement!

– Je seconde, dis-je en levant mon verre.

Cette famille changeait à la vitesse de l'éclair! Je n'osais pas même cligner des yeux tant j'avais peur que la magie du moment s'évaporât. Mais je n'avais pas encore terminé. Un point restait à être éclairci.

– Eh bien, puisque que nous devons tout dire maintenant, il y a quelque chose que je n'ai pas encore dit, et ça concerne Sam.

Je sortis de mon sac la lettre pour ma sœur et la lui tendis. Celle-ci me regarda, confuse.

– Tu te souviens, au chalet, il y a quelques jours, tu te demandais pourquoi, enfant, tu ne t'étais pas sauvée? Alors voilà, dans ma quatrième lettre, il y avait un message pour toi. Sam, si tu n'as pas reçu d'enveloppes, comme moi, ce n'est pas que tu ne voulais pas te sauver, mais bien parce que tu n'as pas eu le temps de le faire!

Sam prit avec déférence la lettre que je lui tendais, comme s'il s'agissait d'une relique de l'Antiquité. Pleine d'émotion, elle regarda la famille en souriant. Et sans un mot, elle se leva et se dirigea vers la cuisine pour découvrir seule le trésor qu'elle tenait dans ses mains.

– Et puis, encore une chose, papa, continuai-je. Parle-moi de grand-père Édouard. Depuis le début de cette histoire, je tente de comprendre pourquoi il était comme ça. Il m'apparaît comme une personne vraiment pleine de haine.

– Oui, il l'était. Et le plus triste, c'est que, enfants, Patrick et moi, nous l'aimions tout de même. Nous avons espéré jusqu'à la fin, jusqu'à son départ, qu'il change, qu'il nous demande pardon et qu'il nous dise à quel point il nous aimait. C'est le soir où il est parti avec sa maîtresse que j'ai vraiment compris qu'il ne changerait jamais.

– Et ses parents à lui? Est-ce que tu les as connus?

– Non. Je ne crois pas vous l'avoir jamais dit, à toi et à ta sœur, mais votre grand-père n'est pas né ici, au Canada, mais bien en France. Il a immigré juste avant que la Seconde Guerre mondiale ne commence. Il a même changé de nom en arrivant.

– Il a changé de nom? Mais pourquoi?

– Je ne sais pas trop au juste, il n'en a jamais parlé. Mais ma mère m'a raconté que son véritable nom était Jacques Ledoyen.

Je baissai la tête quelques instants. Jacques Ledoyen? J'avais déjà entendu ce nom quelque part. Mais où?

Jacques Ledoyen… Jacques Ledoyen…

Mon Dieu!

« Il s'appelait Jacques Ledoyen, avait dit miss Greich. Je dois vous dire que, à travers sa lettre, je l'ai même aimé en secret! Mais, bah! C'est de l'histoire ancienne tout ça! »

Mon sang se glaça dans mes veines et je laissai tomber mon verre sur la délicate nappe jaune. Une grande tâche écarlate se répandit immédiatement entre les fromages et les miettes de pain, mais personne ne bougea tant mon regard devait sembler horrifié.

– Mais, Sydney, qu'est-ce que tu as? Tu es toute pâle!

53

Montréal, Canada, 2005

Je fis tourner ma voiture dans la rue en cul-de-sac et me garai devant la maison des Hughes. J'aperçus ma sœur qui déposait ses valises sur le balcon, toute prête pour le départ. Elle me fit un petit signe joyeux et disparut à l'intérieur de la maison.

J'arrêtai la voiture et je regardai au loin devant moi. Je pensais aux dernières semaines, à la grande épopée que je venais de vivre. Au pouvoir de ce grand jeu auquel je venais de jouer et qui m'avait tant transformée, autant physiquement que mentalement.

Tout avait changé depuis cette dernière enveloppe.

Ma façon de penser, de voir les choses, de répondre aux gens, de parler, de marcher même. Tout en moi était différent. J'étais devenue ma propre amie. Comme cela était facile tout à coup, pensai-je, de s'aimer.

J'aurais souhaité recevoir ces enveloppes plus tôt. Mais peut-être n'aurais-je pas été prête ?

Un des plus beaux cadeaux de cette aventure avait été de retrouver ma famille, de faire équipe avec elle. Depuis la soirée du pique-nique, nous ne nous étions presque pas quittés, nous remémorant notre vie et ce qui nous avait conduits jusque là. Il y avait quelque chose de purement merveilleux que de se savoir complice avec les siens, de savoir qu'il n'y avait plus de jugement mais bien seulement de l'accueil et du soutien.

Quelle chance inouïe ! Des cadeaux comme ceux-là, beaucoup de gens n'en recevaient jamais !

Du moins, c'est ce que je pensais.

Ou en était-il autrement ?

Car j'avais posé quelques questions ces derniers temps, à droite et à gauche, sans trop aller dans les détails. Et jamais personne n'avait semblé savoir de quoi je parlais, en tout cas, je n'avais rien vu dans leurs yeux.

En saurais-je un jour davantage sur ce grand réseau de personnalités d'enfants ?

Il faudrait bien d'abord apprendre à vivre avec ma nouvelle identité. Car pour l'instant, comme me l'avait appris miss Greich, il ne me suffisait pas d'effacer mon passé mais bien de réapprendre tout ce que je savais alors, avant ma transformation, avant que toutes les influences de mon entourage ne s'abattissent sur moi.

J'avais revu Nico en allant chercher quelques affaires. Cette rencontre avait été particulièrement difficile. Mais j'avais tenu bon.

– Peut-être nous reverrons-nous un jour, avais-je dit, et seulement là serons-nous prêts à reprendre notre histoire là où nous l'avons laissée il y a vingt ans, sur ce bateau.

Nico n'avait rien dit et avait souri tristement, sachant tout le chemin qu'il lui restait à parcourir pour revenir à lui-même.

Ma relation avec ma sœur, surtout, avait changé. Sam avait été chavirée d'apprendre pourquoi et comment elle s'était transformée. Elle avait été touchée par la sensibilité de l'enfant qu'elle avait été. Mais bien plus encore, elle avait été émue par la bienveillance dont j'avais fait preuve, petite, en prenant soin d'écrire et de préserver son identité. Ainsi, Sam aussi avait pu récupérer un peu de sa vraie personnalité.

Et depuis ce temps, il me semblait que nous né nous étions jamais autant ressemblées.

Ainsi, cela ne m'avait pas surprise quand Sam avait insisté pour faire partie du voyage avec moi. Cela me faisait très plaisir de penser à ce que pourrait être cette nouvelle aventure, non plus seule cette fois-là, mais bien en compagnie de cette acolyte que je retrouvais.

– J'ai bien envie de la rencontrer, moi aussi, cette miss Greich, avait dit Sam, enjouée. Et puis, nous ne sommes pas obligées de ne partir que deux semaines. Pourquoi ne partirions-nous pas deux mois, toi et moi ? Tu es en arrêt de travail et moi, je pourrais prendre un congé sans solde! À nous l'Europe!

J'avais dit oui, d'emblée, en riant.

– Mais sors de la voiture, que je te regarde, bellissima!

Je sursautai alors que mon père ouvrait la portière pour me prendre doucement par le bras et m'aider à sortir. Il m'observa et siffla d'un air admirateur.

– Tu aimes? demandai-je, tout à coup coquette et embarrassée en me touchant les cheveux.

– Mais c'est super! Cette couleur de cheveux t'illumine le visage!

– Tu ne trouves pas ça bizarre que lorsque je retrouve enfin ma vraie identité, je décide de me teindre les cheveux?

– C'était la couleur de tes cheveux quand tu étais petite, avant que tu ne te transformes. Tu avais les cheveux blonds des anges. Et puis, on s'en fout, ça te va bien, tu rayonnes! De toute façon, il me semblait que tu n'avais plus besoin de l'approbation de personne?

Je ris en le poussant pour passer.

– Tu as bien raison. Je me fous de ce que tu penses et je suis très confortable avec ma décision! Mais qu'est-ce qu'elle fait, Sam? On le fait, ce voyage, ou pas?

– Sydney?

Alors que je m'engageais dans l'allée pour aller chercher ma sœur, mon père m'avait appelée d'une voix grave.

– Tu es certaine que c'est le même? dit-il, chancelant.

Je marchai vers lui et le pris dans mes bras. Depuis qu'il m'avait révélé le vrai nom d'Édouard Hughes, Charles n'arrivait plus à dormir.

Se pouvait-il que Jacques Ledoyen, de Neuilly-sur-Seine, fût la même personne qui avait écrit la lettre que miss Greich avait retrouvée et conservée toute sa vie? Se pouvait-il que tous les deux aient résidé au 5, rue du Chagrin?

Malgré le hasard incroyable que cette situation représentait, j'en avais été immédiatement convaincue.

– Papa, avais-je dit nerveusement alors que mon verre de vin se répandait sur la nappe, est-ce que tu comprends ce que cela veut dire? Cela veut dire que dans une enveloppe chez miss Greich se trouve la véritable identité de ton père, celle que tu n'as jamais connue. Cela veut dire que tu vas pouvoir retrouver ton vrai père, celui qui t'aimait et qui ne t'a jamais fait de mal !

Mon père s'était accroché à cet espoir. Ce jour-là, à la veille de rencontrer son propre père, il tremblait comme une feuille dans les bras de sa fille. Il était à nouveau l'enfant caché sous l'escalier qui avait si peur que l'on découvrît sa cachette.

– Ne t'inquiète pas, papa. J'ai appelé miss Greich. Il s'agit bien de la même personne. Elle m'attend avec l'enveloppe. Je vais te ramener ton père, papa, le vrai, je te le promets.

Il sanglota sur mon épaule quelques instants. Puis, il se dégagea doucement.

– Tu te rends compte, ma fille, que tout part de cette enveloppe. Toute ma vie, celle de Patrick, la tienne et celle de Sam, et même celles de Nico, de miss Greich et de sa cousine, toutes ces vies ont été ce qu'elles ont été à cause de ce qu'il a laissé dans cette enveloppe ! Pourquoi ?

– Il n'a pas eu le choix, papa. Comme toi, il a dû se cacher quelque part sous un escalier. Il ne faut pas lui en vouloir. Et puis, tu sauras bien assez vite de quoi il a eu peur exactement.

– Je sais, ma fille. Va, va chercher ton grand-père.

Sam apparut sur le balcon avec d'autres valises.

– Ça y est, j'ai tout ce qu'il me faut ! Oh, mais dis donc, regardez-moi ça, c'est super, ta couleur de cheveux !

– Merci, chère sœur. Mais combien de temps exactement comptes-tu partir avec toutes ces valises, deux ans ?

– Bon, ou bien tu arrêtes de rire de moi, ou bien je ne te donne pas ce que j'ai pour toi.

Et du haut du balcon, Sam brandit une grande enveloppe. Je la regardai un instant, le cœur battant soudainement à tout rompre.

– Oui, fit Sam en dégringolant les escaliers jusqu'à moi, j'ai bien peur que rien ne soit fini !

Elle me la tendit.

– Ce n'est pas possible, dis-je, où as-tu pris cette enveloppe ? Tout est bien fini, c'était bien clair dans la quatrième lettre qu'il s'agissait de la dernière ! Je crois que...

– Syd, m'interrompit Sam, cette lettre est de Sarah.

– Sarah ?! Mon Dieu, Sam, se peut-il qu'elle me demande de...

– Oui, tu seras la gardienne de sa vérité.

Je caressai du doigt la petite écriture de Sarah. Ma nièce avait inscrit en grosses lettres son nom et adresse de retour. Je levai la tête, car des rires d'enfants me parvinrent du petit parc d'en face. J'observai longuement ces petits êtres alors que mon père et Sam plaçaient les valises dans la voiture.

Et une pensée me frappa inopinément.

Ce grand réseau, si on pouvait y entrer quand on voulait, il n'en était pas de même pour en sortir. Et pour moi, l'heure n'avait pas encore sonné. D'un côté, j'en étais ravie ; je me savais à nouveau porteuse d'une grande mission auprès d'une enfant qui appelait à l'aide. D'un autre, j'avais peur.

Car alors que j'avais cru pouvoir contrôler le réseau, n'était-ce pas lui, au contraire, qui, depuis le début, me contrôlait ?

ÉPILOGUE
OU JACQUES LEDOYEN

54

Neuilly-sur-Seine, France, 1938

Il venait de se relever et regardait ses mains avec horreur. Elles étaient maculées de sang et il pouvait encore sentir la chaleur du liquide lui brûler la peau.

– Mais qu'est-ce qui t'a pris, tu es fou?

– Ta mère est juive.

– Quoi?

Jacques était sidéré. Il secoua la tête en se demandant ce qui se passait.

C'était pourtant un mardi soir bien ordinaire qui s'était annoncé alors qu'il avait quitté son boulot de jardinier pour rentrer chez lui. Il avait traversé le village lentement, les mains dans les poches, traînant les pieds, souriant aux belles filles du café de Normand et respirant à pleins poumons cette fin de journée remplie de liberté.

Mais tout à coup, du haut de la rue du Chagrin, il avait entendu des cris.

Au début, il n'avait pas fait attention, continuant à siffloter cet air de Trenet qu'il aimait tant, *Y a de la joie*. Puis, les cris s'étaient intensifiés. Il s'était arrêté afin de tendre l'oreille et de discerner d'où provenait tout ce boucan. C'est là qu'il avait réalisé avec épouvante que les cris provenaient de sa maison.

Il avait couru à toute vitesse, s'arrêtant devant le numéro 5 pour monter quatre à quatre les escaliers jusqu'au deuxième étage. Il avait ouvert la porte d'un grand coup et avait aperçu sa mère, baignant dans son sang, sur le plancher. Son père était appuyé contre le mur, grillant une cigarette.

Jacques s'était précipité auprès du corps inerte pour vérifier si la vie l'habitait encore. Il était trop tard.

– Mais, papa, cria-t-il en sanglots, de quoi est-ce que tu parles? Maman n'est pas juive, c'est ta femme, depuis vingt ans, vous êtes tous les deux français. Mais qu'est-ce que tu lui as fait? Il faut absolument prévenir la police, appeler un médecin!

En terminant sa phrase, il se précipita vers la porte. Mais avant de pouvoir l'atteindre, son père le saisit par le bras d'une main ferme. Jacques tenta de se dégager, de le pousser sur le mur, mais celui-ci resserra son étreinte et lui envoya une droite bien placée juste sous l'œil.

Jacques fut immédiatement projeté sur le sol, transpercé par la douleur. Étalé sur le plancher, près du corps de sa mère, il tenta de reprendre son souffle et se tourna vers son père.

– Papa, dit-il d'une voix plus douce, que se passe-t-il? Je n'irai pas voir la police, ne t'inquiète pas. Dis-moi seulement ce qui s'est passé, je t'en supplie!

– Je te l'ai dit, répondit froidement son père en tirant les rideaux. Ta mère est juive.

– Mais pourquoi tu dis cela, papa? murmura-t-il, en larmes.

– Parce que c'est la vérité, et qu'elle vient elle-même de me l'apprendre.

Ils se turent tous les deux pendant quelques instants alors que Jacques observait le sang de sa mère glisser goutte à goutte sur les lattes du plancher.

Son père avait perdu la raison, pensa-t-il, et il ne pourrait rien apprendre de lui sans entrer dans son jeu. Et alors que la situation lui semblait invraisemblable, Jacques prit une grande respiration et se lança.

– D'accord, papa. Elle t'a dit qu'elle était juive. Et comment est-ce qu'elle t'a dit ça exactement?

Son père baissa subitement les épaules dans un grand soupir. Il s'avança d'un pas lourd vers le fauteuil à longs bras et s'y affala. Il écrasa sa cigarette directement sur le plancher et s'en alluma une autre. Sa chemise, de laquelle il avait retroussé les manches, était parsemée de grosses bavures rouges et il ne semblait même pas s'en apercevoir.

– Eh bien, si tu veux tout savoir, tout à l'heure, comme à l'ordinaire, je suis revenu de travailler et ta mère était en train de mettre la table pour le repas. Mais voilà, il y avait quelque chose qui justement n'était pas comme d'habitude. Ta mère était tremblante et m'a dit dès mon arrivée qu'elle devait me parler. Elle a sorti une bouteille de rouge, ce qui m'a fait penser que quelque chose n'allait pas du tout. Tu sais à quel point elle n'aime pas boire ! Nous nous sommes assis à table et elle nous a servi un grand verre à tous les deux. Elle a bu le sien d'une traite et s'est resservie. Je lui ai demandé de me raconter ce qui n'allait pas. Elle m'a regardé dans les yeux et m'a averti : « Tu ne seras pas content ». « Dis toujours », ai-je répondu. Alors elle m'a déballé qu'elle avait lu ce matin dans les journaux qu'une catastrophe horrible venait de se passer en Allemagne, une nuit de saccage à laquelle les journaux donnaient le nom de Nuit de cristal. Vraisemblablement, pendant la nuit du 9 novembre dernier, sept mille magasins juifs ont été détruits, toutes les synagogues, et aussi des locaux communautaires, des cimetières juifs et des maisons juives. « Pire, me dit-elle affolée, trente mille Juifs ont apparemment été déportés et une amende de un milliard de marks leur est imposée pour payer les dégâts ! ». Ta mère était très effrayée. Elle gigotait comme si les Allemands avaient été dehors pour brûler notre maison ! Elle a continué en me disant qu'elle avait entendu à la radio que Hitler allait profiter de cette occasion pour lancer une nouvelle série de mesures antijuives. Elle m'a confié alors qu'elle avait très peur de l'antisémitisme et qu'elle croyait que cela viendrait bientôt jusqu'à nous et qu'ils découvriraient la vérité.

Il s'arrêta et regarda par la fenêtre pendant un moment en se grattant nerveusement le genou.

– Papa ?

Jacques, terrifié, regarda son père pour l'inciter à continuer. Celui-ci poursuivit.

– Alors, bien sûr, pour l'encourager, je lui ai dit de ne pas s'en faire, que jamais les Allemands ne se rendraient jusqu'ici, que les Anglais allaient nous protéger et que de toute façon, les Juifs, ils n'avaient que ce qu'ils méritaient ! Et puis, je lui ai demandé, de quelle vérité est-ce que tu parles ? C'est alors qu'elle a terminé son deuxième verre, qu'elle s'en est servi un troisième, qu'elle l'a bu aussi d'un coup pour le poser ensuite et m'avouer d'une voix ferme : « Je suis juive, Georges ! Je te l'ai toujours caché. Mon vrai nom est Bitia Koch et je suis née à Strasbourg. »

Georges donna un grand coup de poing sur le bras du vieux fauteuil avant de continuer.

– Tu t'imagines ma surprise, mon garçon ! Au début, j'ai été fâché parce qu'elle m'avait menti ; mais, au fur et à mesure que j'y réfléchissais, je me suis rendu compte que, pendant vingt ans, j'ai été avec une femme juive, une salope de race impure ! Et voilà que tout le monde allait le savoir et que nous allions être condamnés par cette foutue guerre ! Tu te rends compte, elle est juive !

Il avait hurlé ce dernier bout de phrase en se levant. Il cracha sur le corps inerte de sa femme, marcha jusqu'à la cuisine et entreprit de se laver les mains.

– Bitia Koch, marmonna-t-il avec dégoût, on aura tout entendu !

Jacques, toujours par terre, reprit ses esprits et se leva d'un bond pour rejoindre son père.

– Alors, papa, que s'est-il passé ensuite ?

– Eh bien, je l'ai frappée. Mais c'est sa faute aussi, elle n'arrêtait pas de gigoter. J'imagine que c'est l'alcool qui lui a donné des forces. Alors, j'ai frappé plus fort pour qu'elle arrête. Et voilà. Et puis, de toute façon, c'est mieux comme ça. Je ne veux pas d'une sale Juive dans ma maison.

Jacques était sidéré. Son cœur se serra dans sa poitrine et des larmes muettes coulèrent sur ses joues.

– Mais papa, tu aimais maman, tu l'aimais ! Je ne comprends pas ! Qu'est-ce qui s'est passé, papa ? Que t'est-il arrivé ? Même si elle est juive, ce n'est pas grave. Papa ? Réponds-moi !

Jacques mit ses mains sur son visage et éclata en sanglots. Son corps tremblait de toutes parts et ses jambes ramollissaient. Sa joue droite le faisait terriblement souffrir et il pria un moment pour que tout ceci ne soit qu'un mauvais rêve.

Il releva la tête alors que son père s'essuyait les mains sur la petite serviette à carreaux qui pendait à un crochet sur le côté de la cuisinière à gaz. Il avait un regard froid et lointain et ne semblait pas le moins du monde surpris de ce qui s'était passé.

Le ragoût du soir fumait encore dans une grande casserole. L'on aurait dit qu'il s'agissait d'un mardi soir ordinaire et que Georges Ledoyen s'apprêtait à passer à table.

– Papa, on dirait que tout cela ne te fait rien! hurla Jacques dans un cri de désespoir.

Son père ne répondit pas et s'engouffra dans le couloir qui conduisait à la chambre à coucher. Jacques le suivit.

– Mais réponds-moi, espèce de salaud! Meurtrier! Est-ce que tu lui as demandé seulement pourquoi elle t'avait menti?

Georges Ledoyen s'arrêta net dans le couloir et se retourna vers son fils. Il affirma d'une voix morne:

– Je ne le lui ai pas demandé. On ne dialogue pas avec des Juifs.

Jacques le regarda quelques secondes.

– Tu es devenu fou, papa, murmura-t-il dans un souffle sans le quitter des yeux.

Son père se mit à rire, doucement au début, puis de plus en plus fort.

– Est-ce que tu lis les journaux, mon grand? Est-ce que tu sais ce qui nous serait arrivé si quelqu'un avait découvert la véritable identité de ta mère?

Puis, tout à coup, il cessa de rire et regarda son fils, stupéfait.

– Mais, j'y pense. Toute cette histoire fait de toi un sale Juif aussi!

Jacques recula d'un pas, ahuri.

– Tu vas me tuer, moi aussi, je suppose, dit-il d'une voix courageuse. Vas-y, si c'est ça que tu veux! Tu n'as qu'à tous nous tuer, tant que tu y es!

– Si tu penses que je vais m'abaisser à ça! Non, je ne te tuerai pas, mais tu vas me foutre le camp! Tu n'es plus mon fils, tu me dégoûtes. Et puis de toute façon, je vais te dénoncer pour le meurtre de ta propre mère!

Écœuré, Jacques ne put résister une seconde de plus et se jeta sur son père. Celui-ci l'attrapa solidement par les épaules et l'enferma dans l'étau de ses bras puissants. Jacques, encore frêle malgré ses dix-sept ans, roua de coups le ventre de son père, y mettant toute la force et tout le courage qu'il put trouver au fond de lui. Mais il pleurait, et les larmes qu'il ne pouvait plus contrôler lui embuèrent les yeux et le cœur. Rapidement, il fut contre le mur, les mains de son père refermées autour de son cou, pour l'étrangler.

Le père et le fils se regardèrent quelques secondes. Ni l'un ni l'autre ne pouvaient respirer, l'un manquant d'air, l'autre, étouffant dans sa haine.

– Papa ! implora Jacques dans un ultime filet de voix.

Georges Ledoyen eut un dernier éclair d'humanité et lâcha son fils qui s'effondra sur le sol.

– Je pars te dénoncer au préfet de police. Tu as intérêt à être parti lorsque je reviendrai. Fous le camp, cria-t-il, je ne veux plus jamais te voir !

Jacques se leva péniblement.

– Que vas-tu faire d'elle ? dit-il en pointant de son regard triste le corps inerte de sa mère.

Son père haussa les épaules, tourna les talons et sortit en criant :

– Fous le camp, espèce de Juif ! Je te donne une heure.

Jacques resta debout quelques instants, ne pouvant croire ce qui venait de se passer. Il tremblait tant qu'il eut du mal à essuyer son visage de ses mains encore rougies du sang de sa mère.

Qu'est-ce que son père allait dire aux gendarmes ? Que faire avec le corps de sa mère ? Il fallait qu'il déguerpît à tout prix, et vite !

Il avait une heure pour changer de vie.

Pour sauver l'honneur de sa mère et le sien, il eut l'idée d'écrire une lettre afin d'expliquer à qui voudrait bien l'entendre ce qui s'était vraiment passé dans cette maison.

En sanglotant, il écrivit sa vie à toute vitesse.

Comment ses parents s'étaient rencontrés, puis aimés. Comment lui-même avait été élevé. Comment leur vie à tous les trois avait, bon an, mal an, été jusque-là paisible et sans histoire dans ce petit coin de Neuilly-sur-Seine. Il raconta également comment la montée du nazisme avait changé son père. Comment, de plus en plus, il parlait en mal des Juifs, allant à des réunions de villages où l'on condamnait leurs actes de façon virulente. Puis, il raconta l'aveu ultime de sa mère et le crime horrible de son père.

Il tenta de décrire comme il le put le sentiment d'infamie qui l'avait envahi alors qu'il s'était battu avec son père, méconnaissable. Il écrivit son innocence en grosse lettre puis, surtout, déclara qu'il allait changer, pour toujours. Que c'en était fini du gentil Jacques Ledoyen. Et qu'à partir de ce jour, sa seule motivation serait de venger sa mère.

Il signa et data sa longue confession : *Jacques Ledoyen, le 14 novembre 1938.*

Il plia la lettre, la mit dans une grande enveloppe, humecta le bord puis la scella et cacha le tout dans la cuisine.

En prenant quelques affaires, il se rendit compte qu'il n'était plus lui-même, que sa respiration n'avait plus le même rythme et que la haine, surtout, qui envenimait maintenant ses veines, serait la source de chacun de ses actes. En quelques instants, il avait changé. Il ne serait plus jamais lui-même et le vrai Jacques Ledoyen dormirait pour toujours sous une dalle du plancher de cette cuisine.

Il s'enfuit par le jardin dans la nuit naissante, sans une pensée pour sa mère ou pour sa vraie personnalité qu'il laissait derrière lui. Il considérait les deux comme mortes.

Mais alors qu'il gravissait le vieux mur de pierre pour déguerpir à toute vitesse, le jeune Jacques ne savait pas qu'avec sa lettre, il venait de faire son entrée dans la grande mascarade. Un bal masqué où dansent les humains falsifiés depuis des centaines d'années. Une valse torrentielle et envoûtante dont il ne pourrait plus jamais s'échapper.

Ce qu'il ignorait, surtout, c'était que sa véritable identité n'était pas morte.

Au contraire.

Elle venait simplement d'être suspendue dans le réseau, un espace-temps où elle attendrait patiemment, parmi des millions d'autres, que la danse se terminât et que l'on vînt la chercher.

NOTES OU
QU'EN EST-IL DES AUTRES?

Rien n'est plus lent
que la véritable naissance d'un homme.

Marguerite Yourcenar

55

CHARLOTTE, ÉTATS-UNIS, 2006

Robert était très affairé dans l'arrière-boutique. Noël approchait et le nombre de poches à trier était toujours imposant en cette période de l'année.

Il était en train de vider un autre sac sur le comptoir quand Vanessa avait appelé un peu plus tôt. Elle avait voulu le prévenir que la salle communautaire s'était finalement libérée et qu'ils pourraient l'utiliser pour la réception de leur mariage. C'était une bonne nouvelle. Ils n'auraient qu'à traverser la rue à partir de l'église pour s'y rendre. Cela faciliterait les choses pour le stationnement.

John l'appela du comptoir. Un client venait d'entrer.

Robert referma son blouson qui le serrait plus que jamais et se dirigea vers l'avant.

– Il va falloir que je pense à commander une nouvelle combinaison de travail, se dit-il en contractant son ventre.

Il passa devant le comptoir. Il ne vit pas les trois grandes enveloppes qui attendaient d'être triées.

Il avait une femme, dorénavant. Pas tellement jolie, mais juste ce qu'il fallait. Son boulot, ses bières, ses frites, Jay Leno, sa femme, sa baise. Il ne demandait plus rien.

Et il ne remarquait plus rien non plus.

Pas même la petite écriture d'enfant, tremblante, qui, sur chaque enveloppe, implorait de l'aide.

56

MONTRÉAL, CANADA, 2006

Une jeune femme termina d'ajuster le micro à son chemisier, se recula de quelques pas, inspecta le tout d'un œil expert, puis se tourna vers le réalisateur.

– C'est bon, assura-t-elle, tout est en place.

Sophie McAndrew se tortilla sur son tabouret, un peu nerveuse. On s'apprêtait à filmer son discours qui figurerait sur le site Internet, dans la section de l'assemblée annuelle. Mais elle secoua rapidement sa tête et croisa ses bras sur sa poitrine. Il n'y avait aucune crainte à avoir. La veille, elle avait répété son allocution des dizaines de fois. Tout serait parfait.

Elle capta son reflet dans la glace en face d'elle et gonfla sa poitrine de fierté. Pour une directrice générale qui travaillait sans relâche, elle avait vraiment fière allure. Non seulement elle était intelligente, mais aussi, elle était belle. Pourtant, le plus important, c'était que son image renvoyait celle d'une femme dure qu'aucun jugement ne pouvait perturber.

Elle était intouchable et cela la rendait heureuse.

Elle se demanda tout à coup si son professeur de la petite école, monsieur Hughes, avait reçu sa lettre. Car n'était-ce pas un peu grâce à lui, à sa rigueur, qu'elle était aujourd'hui une des femmes les plus puissantes du pays?

Écrire cette lettre lui avait donné l'impression d'être généreuse. Et puis, à son jeune fils qui avait voulu grimper sur elle alors qu'elle écrivait, elle avait répondu:

– Mais descends de là, ne vois-tu pas que je travaille ? Allez !
Je te souhaite vraiment d'avoir un professeur comme celui-là
dans ta vie, quelqu'un qui pourra faire entrer dans ton crâne un
peu de discipline !

57

CHARLOTTE, ÉTATS-UNIS, 2006

Le mois de juin était bien entamé et l'air chaud se faisait maintenant abondant et agréable. Cependant, malgré cela, madame Brown ne pouvait se réjouir de l'arrivée de ce bel été qui s'annonçait si généreux.

Une fois de plus, la veille, pour la nième fois, son enveloppe lui était revenue. Pas de destinataire, avait-on inscrit d'une écriture autoritaire, comme si quelqu'un avait tenté de lui dire une fois pour toutes d'abandonner cette folie.

Mais ne s'agissait-il pas ici de sauver la personnalité de quelqu'un ?

Ah ! Ce grand jeu du gardien de la vérité tournait bien mal, se dit-elle en secouant la tête. Que pouvait-elle faire, maintenant ? N'avait-elle pas tout essayé ?

Oui, marmonna-t-elle pour elle-même en baissant les yeux, il était temps ce jour-là de se résigner. Elle n'était pas arrivée à retrouver Alicia Clockburn. Et à cause d'elle, une âme d'enfant resterait à jamais non réclamée à l'intérieur du réseau.

Elle soupira.

Un petit garçon passa devant le banc de parc sur lequel elle s'était assise pour se reposer. Elle le suivit du regard tristement.

Alicia ne serait jamais sauvée.

58

BRISTOL, ANGLETERRE, 2006

Elle tenta de lever son pied droit, mais une douleur si aiguë l'envahit qu'elle renonça immédiatement à l'exercice et ramena sa jambe engourdie à l'horizontale.

– Essayez encore, lui dit doucement l'infirmière, vous allez y arriver.

Découragée, elle regarda la jeune femme. Depuis la tuerie de l'école, Jenna Fraser n'avait toujours pas retrouvé l'usage de ses jambes et venait, tous les jours, pour sa physiothérapie.

– Pourquoi ne parlez-vous pas, madame Fraser? Il me semble que ça serait beaucoup plus agréable de se faire la conversation, vous ne trouvez pas?

Non, elle ne trouvait pas. Depuis douze mois, l'institutrice, maintenant à la retraite, n'avait pas prononcé un seul mot. À son réveil, elle s'était renfrognée dans un silence profond, le seul endroit où elle pouvait se concentrer à sa guise sur la folie de Paul Turner.

Et chaque minute de sa convalescence avait été consacrée jusque-là à ne penser qu'à lui. À ne cogiter que sur le mystère de l'esprit de ce gamin de neuf ans.

Pourquoi Paul avait-il disjoncté? Qu'est-ce qui l'avait poussé à tuer de sang-froid quarante-neuf enfants et cinq adultes?

Ses derniers mots avaient été: «Je ne peux plus me sentir coupable.»

Et la question qu'elle se posait inlassablement était la même que celle qu'elle lui avait posé dans la salle de bibliothèque : « Mais coupable de quoi ? »

La seule réponse qui lui venait à l'esprit la replongeait tous les jours dans un mutisme davantage plus profond. Paul Turner s'était senti coupable d'être lui-même.

59

CHARLOTTE, ÉTATS-UNIS, 2006

John Planter, ahuri, tenait dans ses mains tremblantes une grande enveloppe et fixait Kate de ses grands yeux bleus. Comme il le faisait tous les vendredis, il était venu prendre le déjeuner avec sa fille, profitant de sa pause du midi au bureau de poste.

– Installe-toi, papa, lui avait-elle crié de la cuisine, je t'ai préparé une bonne lasagne, comme tu les aimes.

Et c'est là que, debout dans la salle à manger, il l'avait vue. Sur le coin de la table, parmi les comptes pêle-mêle, elle avait semblé l'interpeller.

Il l'avait saisie, la faisant glisser doucement entre les papiers. Et là, il l'observait sans bouger, déconcerté. Elle était pareille à toutes les autres.

Puis, sa fille était entrée dans la salle à manger, d'épaisses mitaines rouges aux mains, tenant péniblement le gros plat de lasagne fumant.

– Oh, papa, non ! avait-elle crié.

Le plat était tombé par terre et le verre avait volé en éclats, envoyant de la sauce orangée partout sur les murs. Ils s'étaient dévisagés longuement.

En silence, il lui tendit l'enveloppe qu'elle lui arracha des mains pour la serrer immédiatement sur son cœur.

– Ne t'inquiète pas, Kate. J'en ai déjà reçu une, moi aussi. Il y a longtemps. Tu n'as pas besoin de me dire quoi que ce soit.

ADDENDA
OU ENCORE MOI

Comment savez-vous que ce que vous dites est vrai ?
– Je ne sais pas si c'est vrai, dit-il,
mais je le crois parce que c'est amusant de le croire.

RICHARD BACH

60

Montréal, Canada, 2006

Cela fait un peu plus d'une année que toute cette aventure s'est déroulée.

Je suis toujours dans le réseau, en tant que gardienne de la vérité, à cause de Sarah.

Je continue, tous les jours, à écouter Jack et l'enfant de dix ans en moi. Je continue, inlassablement, à récupérer des morceaux de ma personne, la vraie, celle dont je me suis affranchie il y a vingt ans.

J'ai revu miss Greich. J'ai ramené la véritable personnalité de Jacques Ledoyen à son fils. J'ai également revu Annie Foley et, ensemble, nous avons pris la décision de continuer les recherches de son père.

Je me suis acheté un chien, un magnifique labrador blond que j'ai baptisé Max et de qui j'apprends tous les jours le don d'amour inconditionnel. Je passe aussi de précieux moments avec ma famille, à rattraper le temps perdu.

Mais le plus important, il faut que je le dise, c'est que je ne vois plus les enfants de la même manière.

Car j'ai bien compris qu'ils ne cesseront jamais de se battre pour résister à la grande mascarade. Pour demeurer eux-mêmes. Pour avoir droit, chacun, à leur vérité.

Car, le réseau, c'est bien eux.

Ainsi, dorénavant, chaque fois que j'en croise un, je le regarde droit dans les yeux. Puis, sans quitter son regard, je baisse un peu la tête, un maigre signe de reconnaissance pour lui présenter tout mon respect et mon admiration.

S'il est encore conscient, généralement, il me sourit alors en retour, complice. Et tandis que nos yeux se croisent, nous nous interrogeons tous les deux. D'entre nous, qui est dans le réseau? D'entre nous, qui en sortira bientôt? Et surtout, d'entre nous, qui n'en sortira jamais?

FIN

– Jack?
– Oui?
– Merci.

La production du titre *La grande mascarade* sur du papier Rolland Enviro100 plutôt que sur du papier vierge aide l'environnement des façons suivantes :

Arbre(s) sauvé(s) : 29
Évite la production de déchets solides de 1 874,00 lb
Réduit la quantité d'eau utilisée de 17 685,00 gal
Réduit les matières en suspension dans l'eau de 11,9 lb
Réduit les émissions atmosphériques de 4 115,00 lb
Réduit la consommation de gaz naturel de 4 288,00 pi^3

Imprimé sur du Rolland Enviro100, contenant 100% de fibres recyclées postconsommation, certifié Éco-Logo, Procédé sans chlore, FSC Recyclé et fabriqué à partir d'énergie biogaz.